2ª edición

Patrones de diseño en C#

Los 23 modelos de diseño: descripciones y soluciones ilustradas en UML 2 y C#

ISBN: 978-2-409-03683-5
Edición original: 978-2-409-03509-8

Ediciones ENI
Pº Ferrocarriles Catalanes, 97-117, 2a pl. of. 18
08940 - Cornellà de Llobregat (Barcelona)

Tel: 934 246 401
Fax: 934 231 576

e-mail: info@ediciones-eni.com
http://www.ediciones-eni.com

Autor: Laurent DEBRAUWER
Edición española: Enrique TORMO PALOP y
Francisco Javier PIQUERES JUAN
Colección **Expert IT** dirigida por Émilie VILLETORTE

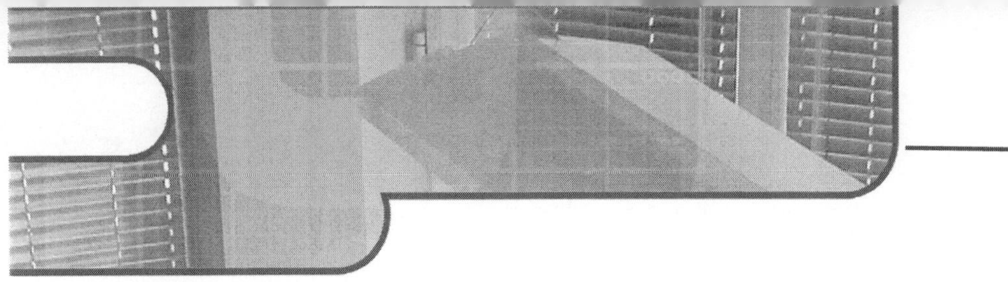

Prefacio

Este libro se ha concebido como una presentación simple y eficaz de los veintitrés patrones de diseño presentados en 1995 en el libro "Design Patterns - Elements of Reusable Object Oriented Software" del Gang of Four ("la banda de los cuatro", nombre con el que se conoce comúnmente a los autores del libro). Un patrón de diseño constituye una solución a un problema de diseño recurrente en programación orientada a objetos. El autor presenta cada patrón describiendo el problema correspondiente, la solución aportada por el patrón y su estructura genérica con la ayuda de uno o varios diagramas UML y sus dominios de aplicación. La solución se profundiza bajo la forma de un pequeño programa escrito en C# que muestra un ejemplo de aplicación del patrón. "Patrones de diseño para C#" está dirigido a aquellos diseñadores y desarrolladores que trabajen de forma cotidiana con programación orientada a objetos para construir aplicaciones complejas y que tengan la voluntad de reutilizar soluciones conocidas y robustas para mejorar la calidad de las soluciones que desarrollan.

Patrones de diseño en C#

Los 23 modelos de diseño

El objetivo del autor es doble: por un lado, permitir que el lector conozca los elementos esenciales de los veintitrés patrones, en especial su estructura genérica bajo la forma de diagrama de clases UML. El lector puede a continuación afianzar sus conocimientos examinando los ejemplos C# de aplicación del patrón, estudiando las composiciones y variantes de patrones descritas en el capítulo correspondiente, así como el patrón composite MVC, y realizando los ejercicios incluidos en el anexo. El segundo objetivo es que el lector aproveche el estudio de los patrones de diseño para mejorar su dominio de los principios de la orientación a objetos como el polimorfismo, la sobrecarga de métodos, las interfaces, las clases y los métodos abstractos, la delegación, la parametrización o incluso la genericidad.

El libro está estructurado en tres grandes secciones que respetan la clasificación de los patrones introducida en el libro del Gang of Four:

– Patrones de construcción cuyo objetivo es la abstracción de los mecanismos de creación de objetos. Los mecanismos de instanciación de clases concretas se encapsulan en los patrones. En el caso de que se modifique el conjunto de clases concretas a instanciar, las modificaciones necesarias en el sistema serán mínimas o inexistentes.

– Patrones de estructuración cuyo objetivo es abstraer la interfaz de un objeto o de un conjunto de objetos de su implementación. En el caso de un conjunto de objetos, el objetivo también es abstraer la interfaz de las relaciones de herencia o de composición presentes en el conjunto.

– Patrones de comportamiento que proporcionan soluciones para estructurar los datos y los objetos así como para organizar las interacciones distribuyendo el procesamiento y los algoritmos entre los objetos.

Se dedica una última parte a las aplicaciones de los patrones. Su primer capítulo explica las composiciones y variantes de los patrones. El objetivo consiste en verificar que los veintitrés patrones no forman un conjunto cerrado, mostrando para ello cómo construir nuevos patrones a partir de la composición o la variación de patrones existentes.

Su segundo capítulo introduce el estudio del patrón composite MVC (*Model View Controller*) ilustrado por una aplicación web.

Por último, el capítulo final propone unos pequeños ejercicios de modelización y de programación basados en el uso de los patrones.

Contenido

Podrá descargar algunos elementos de este libro en la página web
de Ediciones ENI: **http://www.ediciones-eni.com**.
Escriba la referencia ENI del libro **EIT3CDES** en la zona de búsqueda
y valide. Haga clic en el título y después en el botón de descarga.

Parte 2: Patrones de construcción

Capítulo 2-1
Introducción a los patrones de construcción

Capítulo 2-2
El patrón Abstract Factory

Capítulo 2-3
El patrón Builder

Capítulo 2-4
El patrón Factory Method

Capítulo 2-5
El patrón Prototype

Capítulo 2-6
El patrón Singleton

Parte 3: Patrones de estructuración

Capítulo 3-1
Introducción a los patrones de estructuración

Capítulo 3-2
El patrón Adapter

Capítulo 3-3
El patrón Bridge

Capítulo 3-4
El patrón Composite

Capítulo 3-5
El patrón Decorator

Capítulo 3-6
El patrón Facade

Capítulo 3-7
El patrón Flyweight

Capítulo 3-8
El patrón Proxy

Parte 4: Patrones de comportamiento

Capítulo 4-1
Introducción a los patrones de comportamiento

Capítulo 4-2
El patrón Chain of Responsibility

Capítulo 4-3
El patrón Command

Capítulo 4-4
El patrón Interpreter

Capítulo 4-5
El patrón Iterator

Capítulo 4-6
El patrón Mediator

Capítulo 4-7
El patrón Memento

Capítulo 4-8
El patrón Observer

Capítulo 4-9
El patrón State

Capítulo 4-10
El patrón Strategy

Capítulo 4-11
El patrón Template Method

Capítulo 4-12
El patrón Visitor

Parte 5: Aplicación de los patrones

Capítulo 5-1
Composición y variación de patrones

Capítulo 5-2
El patrón composite MVC

Capítulo 6
Ejercicios

Parte 1
Introducción

Capítulo 1-1
Introducción a los patrones de diseño

1. Design patterns o patrones de diseño

Un design pattern o patrón de diseño consiste en un diagrama de objetos que forma una solución a un problema conocido y frecuente. El diagrama de objetos está constituido por un conjunto de objetos descritos por clases y las relaciones que enlazan los objetos.

Los patrones responden a problemas de diseño de aplicaciones en el marco de la programación orientada a objetos. Se trata de soluciones conocidas y probadas cuyo diseño proviene de la experiencia de los programadores. No existe un aspecto teórico en los patrones, en especial no existe una formalización (a diferencia de los algoritmos).

Los patrones de diseño están basado en las buenas prácticas de la programación orientada a objetos. Por ejemplo, la figura 1-1.1 muestra el patrón `Template method` que se describe en el capítulo El patrón Template Method. En este patrón, el método `calculaPrecioConIVA` invoca al método `calculaIVA` abstracto de la clase `Pedido`. Está definido en las subclases de `Pedido`, a saber las clases `PedidoEspaña` y `PedidoFrancia`. En efecto, el IVA varía en función del país. Al método `calculaPrecioConIVA` se le llama "patrón" (`Template method`). Introduce un algoritmo basado en un método abstracto.

Este patrón está basado en el polimorfismo, una propiedad importante de la programación orientada a objetos. El precio de un pedido en España o en Francia está sometido a un impuesto sobre el valor añadido. No obstante la tasa no es la misma, y el cálculo del IVA difiere en España y en Francia. Por consiguiente, el patrón `Template method` constituye una buena ilustración del polimorfismo.

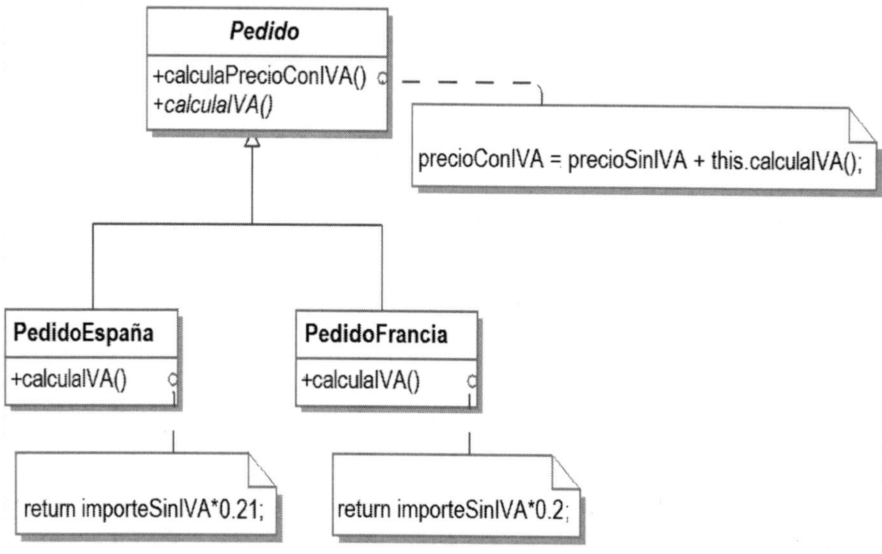

Figura 1-1.1 - Ejemplo de uso del patrón Template Method

Los patrones se introducen en 1995 con el libro del llamado "GoF" de Gang of Four (en referencia a la "banda de los cuatro" autores) llamado "Design Patterns - Elements of Reusable object-Oriented Software" escrito por Erich Gamma, Richard Helm, Ralph Johnson y John Vlissides. Este libro constituye la obra de referencia acerca de patrones de diseño.

2. Descripción de los patrones de diseño

Hemos decidido describir los patrones de diseño con ayuda de los siguientes lenguajes:

- el lenguaje de modelización UML introducido por el OMG (http://www.omg.org);
- el lenguaje de programación C# creado por la empresa Microsoft.

Los patrones de diseño se describen en las partes 2 a 4. Para cada patrón se presentan los siguientes elementos:

- el nombre del patrón;
- la descripción del patrón;
- un ejemplo describiendo el problema y la solución basada en el patrón descrito mediante un diagrama de clases UML. En este diagrama, se describe el cuerpo de los métodos utilizando notas;
- la estructura genérica del patrón, a saber:
  - su esquema, extraído de cualquier contexto particular, bajo la forma de un diagrama de clases UML;
  - la lista de participantes del patrón;
  - las colaboraciones en el patrón;
- los dominios de la aplicación del patrón;
- un ejemplo, presentado esta vez bajo la forma de un programa C# completo y documentado. Este programa no utiliza una interfaz gráfica sino exclusivamente las entradas/salidas por pantalla y teclado.

3. Catálogo de patrones de diseño

En este libro se presentan los veintitrés patrones de diseño descritos en el libro de referencia del "GoF". Estos patrones son diversas respuestas a problemas conocidos de la programación orientada a objetos. La lista que sigue no es exhaustiva y es resultado, como hemos explicado, de la experiencia.

- **Abstract Factory**: tiene como objetivo la creación de objetos reagrupados en familias sin tener que conocer las clases concretas destinadas a la creación de estos objetos.
- **Builder**: permite separar la construcción de objetos complejos de su implementación de modo que un cliente pueda crear estos objetos complejos con implementaciones diferentes.
- **Factory Method**: tiene como objetivo presentar un método abstracto para la creación de un objeto reportando a las subclases concretas la creación efectiva.
- **Prototype**: permite crear nuevos objetos por duplicación de objetos existentes llamados prototipos que disponen de la capacidad de clonación.
- **Singleton**: permite asegurar que de una clase concreta existe una única instancia y proporciona un método único que la devuelve.
- **Adapter**: tiene como objetivo convertir la interfaz de una clase existente en la interfaz esperada por los clientes también existentes para que puedan trabajar de forma conjunta.
- **Bridge**: tiene como objetivo separar los aspectos conceptuales de una jerarquía de clases de su implementación.
- **Composite**: proporciona un marco de diseño de una composición de objetos con una profundidad de composición variable, basando el diseño en un árbol.
- **Decorator**: permite agregar dinámicamente funcionalidades suplementarias a un objeto.
- **Facade**: tiene como objetivo reagrupar las interfaces de un conjunto de objetos en una interfaz unificada que resulte más fácil de utilizar.
- **Flyweight**: facilita la compartición de un conjunto importante de objetos con granularidad muy fina.

- **Proxy**: construye un objeto que se substituye por otro objeto y que controla su acceso.
- **Chain of responsibility**: crea una cadena de objetos tal que si un objeto de la cadena no puede responder a una petición, la pueda transmitir a sus sucesores hasta que uno de ellos responda.
- **Command**: tiene como objetivo transformar una consulta en un objeto, facilitando operaciones como la anulación, la actualización de consultas y su seguimiento.
- **Interpreter**: proporciona un marco para dar una representación mediante objetos de la gramática de un lenguaje con el objetivo de evaluar, interpretándolas, expresiones escritas en este lenguaje.
- **Iterator**: proporciona un acceso secuencial a una colección de objetos sin que los clientes se preocupen de la implementación de esta colección.
- **Mediator**: construye un objeto cuya vocación es la gestión y el control de las interacciones en el seno de un conjunto de objetos sin que estos elementos se conozcan mutuamente.
- **Memento**: salvaguarda y restaura el estado de un objeto.
- **Observer**: construye una dependencia entre un sujeto y sus observadores de modo que cada modificación del sujeto sea notificada a los observadores para que puedan actualizar su estado.
- **State**: permite a un objeto adaptar su comportamiento en función de su estado interno.
- **Strategy**: adapta el comportamiento y los algoritmos de un objeto en función de una necesidad concreta sin por ello cargar las interacciones con los clientes de este objeto.
- **Template Method**: permite reportar en las subclases ciertas etapas de una de las operaciones de un objeto, estando éstas descritas en las subclases.
- **Visitor**: construye una operación a realizar en los elementos de un conjunto de objetos. Es posible agregar nuevas operaciones sin modificar las clases de estos objetos.

4. Cómo escoger y utilizar un patrón de diseño para resolver un problema

Para saber si existe un patrón de diseño que responde a un problema concreto, la primera etapa consiste en ver las descripciones de la sección anterior y determinar si existe uno o varios patrones cuya descripción se acerque a la del problema.

A continuación, conviene estudiar con detalle el o los patrones descubiertos a partir de su descripción completa que se encuentra en las partes 2 a 4. En particular, conviene estudiar a partir del ejemplo que se proporciona y de la estructura genérica si el patrón responde de forma pertinente al problema. Este estudio debe incluir principalmente la posibilidad de adaptar la estructura genérica y, de hecho, averiguar si el patrón una vez adaptado responde al problema. Esta etapa de adaptación es una etapa importante del uso del patrón para resolver un problema. La describiremos a continuación.

Una vez escogido el patrón, su uso en una aplicación comprende las siguientes etapas:

- Estudiar profundamente su estructura genérica que sirve como base para utilizar un patrón.
- Renombrar las clases y los métodos introducidos en la estructura genérica. En efecto, en la estructura genérica de un patrón, el nombre de las clases y de los métodos es abstracto. Y al revés, una vez integrados en una aplicación, estas clases y métodos deben nombrarse de acuerdo a los objetos que describen y a las operaciones que realizan respectivamente. Esta etapa supone el trabajo mínimo esencial para poder utilizar un patrón.
- Adaptar la estructura genérica para responder a las restricciones de la aplicación, lo cual puede implicar cambios en el diagrama de objetos.

A continuación se muestra un ejemplo de adaptación del patrón `Template method` a partir del ejemplo presentado en la primera sección de este capítulo. La estructura genérica de este patrón se muestra en la figura 1-1.2.

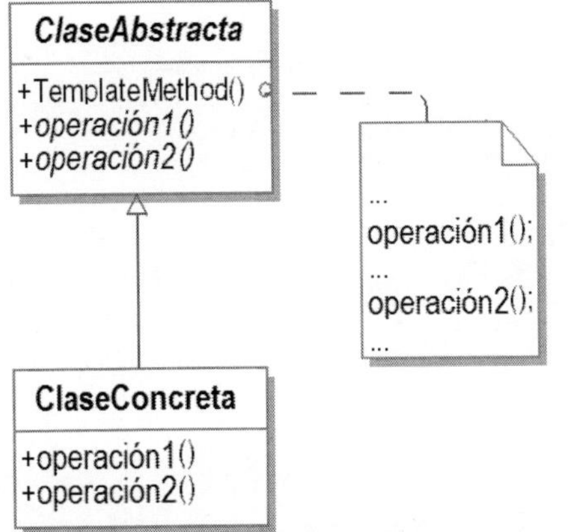

Figura 1-1.2 - Estructura genérica del patrón Template Method

Queremos adaptar esta estructura en el marco de una aplicación comercial donde el método de cálculo del IVA no esté incluido en la clase `Pedido` sino en las subclases concretas de la clase abstracta `Pais`. Estas subclases contienen todos los métodos de cálculo de los impuestos específicos de cada país.

El método `calculaIVA` de la clase `Pedido` invocará a continuación al método `calculaIVA` de la subclase del país afectado mediante una instancia de esta subclase. Esta instancia puede pasarse como parámetro en la creación del pedido.

La figura 1-1.3 ilustra el patrón adaptado listo para su uso en la aplicación.

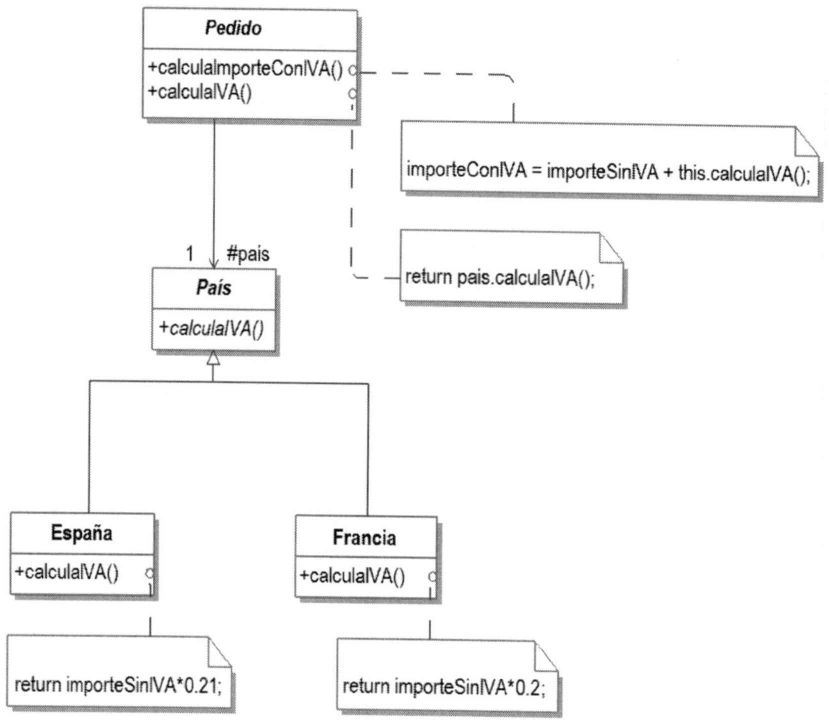

Figura 1-1.3 - Ejemplo de uso con adaptación del patrón Template Method

5. Organización del catálogo de patrones de diseño

Para organizar el catálogo de patrones de diseño, retomamos la clasificación del "GoF" que organiza los patrones según su vocación: construcción, estructuración y comportamiento.

Los patrones de construcción tienen como objetivo organizar la creación de objetos. Se describen en la parte 2 del libro. Son un total de cinco: Abstract Factory, Builder, Factory Method, Prototype y Singleton.

Los patrones de estructuración facilitan la organización de la jerarquía de clases y de sus relaciones. Se describen en la parte 3 del libro. Son un total de siete: Adapter, Bridge, Composite, Decorator, Facade, Flyweight y Proxy.

Por último, los patrones de comportamiento proporcionan soluciones para organizar las interacciones y para repartir el procesamiento entre los objetos. Se describen en la parte 4 del libro. Son un total de once: Chain of responsibility, Command, Interpreter, Iterator, Mediator, Memento, Observer, State, Strategy, Template Method y Visitor.

Capítulo 1-2
Caso de estudio: venta online de vehículos

1. Descripción del sistema

En este libro tomaremos un ejemplo de diseño de un sistema para ilustrar el uso de los veintitrés patrones de diseño.

El sistema que vamos a diseñar es un sitio Web de venta online de vehículos como, por ejemplo, automóviles o motocicletas. Este sistema autoriza distintas operaciones como la visualización de un catálogo, la recogida de un pedido, la gestión y el seguimiento de los clientes. Además estará accesible bajo la forma de un servicio Web.

2. Cuaderno de carga

El sitio permite visualizar un catálogo de vehículos puestos a la venta, realizar búsquedas en el catálogo, realizar el pedido de un vehículo, seleccionar las opciones para el mismo mediante un sistema de carro de la compra virtual. Las opciones incompatibles también deben estar gestionadas (por ejemplo "asientos deportivos" y "asientos en cuero" son opciones incompatibles). También es posible volver a un estado anterior del carrito de la compra.

El sistema debe administrar los pedidos. Debe ser capaz de calcular los impuestos en función del país de entrega del vehículo. También debe gestionar los pedidos pagados al contado y aquellos que están ligados a una petición de crédito. Para ello, se tendrá en cuenta las peticiones de crédito. El sistema administra los estados del pedido: en curso, validado y entregado.

Al realizar el pedido de un vehículo, el sistema construye el conjunto de documentos necesarios como la solicitud de matriculación, el certificado de cesión y la orden de pedido. Estos documentos estarán disponibles en formato PDF o en formato HTML.

El sistema también permite rebajar los vehículos de difícil venta, como por ejemplo aquellos que se encuentran en stock pasado un tiempo.

También permite realizar una gestión de los clientes, en particular de empresas que poseen filiales para proporcionarles, por ejemplo, la compra de una flota de vehículos.

Tras la virtualización del catálogo, es posible visualizar animaciones asociadas a un vehículo. El catálogo puede presentarse con uno o tres vehículos por cada línea de resultados.

La búsqueda en el catálogo puede realizarse con ayuda de palabras clave y de operadores lógicos (y, o).

Es posible acceder al sistema mediante una interfaz Web clásica o a través de un sistema de servicios Web.

3. Uso de patrones de diseño

Para cumplir con los distintos requisitos expresados en el cuaderno de carga, utilizaremos en los siguientes capítulos los patrones de diseño. Se tomarán en cuenta en las siguientes partes de la concepción del sitio Web:

Descripción de la sección	Patrón de diseño
Construir los objetos de dominio (coche de gasolina, coche diesel, coche eléctrico, etc.).	`Abstract Factory`
Construir los conjuntos de documentos necesarios en caso de comprar un vehículo.	`Builder`, `Prototype`
Crear los pedidos.	`Factory Method`
Crear el conjunto en blanco de los documentos.	`Singleton`
Gestionar los documentos PDF.	`Adapter`
Implantar los formularios en HTML o mediante un applet.	`Bridge`
Representar las empresas clientes.	`Composite`
Visualizar los vehículos del catálogo.	`Decorator`, `Observer`, `Strategy`
Proporcionar la interfaz mediante servicios Web del sitio.	`Facade`
Administrar las opciones de un vehículo en un pedido.	`Flyweight`, `Memento`
Administrar la visualización de animaciones para cada vehículo del catálogo.	`Proxy`
Administrar la descripción de un vehículo.	`Chain of responsibility`
Rebajar los vehículos en stock pasado un periodo determinado.	`Command`
Realizar búsquedas en la base de vehículos mediante una búsqueda escrita en forma de expresión lógica.	`Interpreter`
Devolver secuencialmente los vehículos del catálogo.	`Iterator`

Descripción de la sección	Patrón de diseño
Gestionar el formulario de una solicitud de crédito.	`Mediator`
Gestionar los estados de un pedido.	`State`
Calcular el importe de un pedido.	`Template Method`
Enviar propuestas comerciales por correo electrónico a ciertas empresas clientes.	`Visitor`

Parte 2
Patrones de construcción

Capítulo 2-1
Introducción a los patrones de construcción

1. Presentación

Los patrones de construcción tienen la vocación de abstraer los mecanismos de creación de objetos. Un sistema que utilice estos patrones se vuelve independiente de la forma en que se crean los objetos, en particular, de los mecanismos de instanciación de las clases concretas.

Estos patrones encapsulan el uso de clases concretas y favorecen así el uso de las interfaces en las relaciones entre objetos, aumentando las capacidades de abstracción en el diseño global del sistema.

De este modo el patrón `Singleton` permite construir una clase que posee una instancia como máximo. El mecanismo que gestiona el acceso a esta única instancia está encapsulado por completo en la clase, y es transparente a los clientes de la clase.

2. Problemas ligados a la creación de objetos

2.1 Problemática

En la mayoría de lenguajes orientados a objetos, la creación de objetos se realiza gracias al mecanismo de instanciación que consiste en crear un nuevo objeto mediante la llamada al operador `new` configurado para una clase (y eventualmente los argumentos del constructor de la clase cuyo objetivo es proporcionar a los atributos su valor inicial). Tal objeto es, por consiguiente, una instancia de esta clase.

Los lenguajes de programación más utilizados a día de hoy, como C++ o C#, utilizan el mecanismo del operador `new`.

En C#, una instrucción de creación de un objeto puede escribirse de la siguiente manera:

```
objeto = new Clase();
```

En ciertos casos es necesario configurar la creación de objetos. Tomemos el ejemplo de un método `construyeDoc` que crea los documentos. Puede construir documentos PDF, RTF o HTML. Generalmente el tipo de documento a crear se pasa como parámetro al método mediante una cadena de caracteres, y se obtiene el código siguiente:

```
public Documento construyeDoc(string tipoDoc)
{
  Documento resultado;

  if (tipoDoc.Equals("PDF"))
    resultado = new DocumentoPDF();
  else if (tipoDoc.equals("RTF"))
    resultado = new DocumentoRTF();
  else if (tipoDoc.equals("HTML"))
    resultado = new DocumentoHTML();
  // continuación del método
}
```

Este ejemplo muestra que es difícil configurar el mecanismo de creación de objetos, la clase que se pasa como parámetro al operador `new` no puede sustituirse por una variable. El uso de instrucciones condicionales en el código del cliente a menudo resulta práctico, con el inconveniente de que un cambio en la jerarquía de las clases a instanciar implica modificaciones en el código de los clientes. En nuestro ejemplo, es necesario cambiar el código del método `construyeDoc` si se quiere agregar nuevos tipos de documento.

Observación

En lo sucesivo, ciertos lenguajes ofrecen mecanismos más o menos flexibles y a menudo bastante complejos para crear instancias a partir del nombre de una clase contenida en una variable de tipo `string`.

La dificultad es todavía mayor cuando hay que construir objetos compuestos cuyas componentes pueden instanciarse mediante clases diferentes. Por ejemplo, un conjunto de documentos puede estar formado por documentos PDF, RTF o HTML. El cliente debe conocer todas las clases posibles de las componentes y de las composiciones. Cada modificación en el conjunto de las clases se vuelve complicada de gestionar.

2.2 Soluciones propuestas por los patrones de construcción

Los patrones `Abstract Factory`, `Builder`, `Factory Method` y `Prototype` proporcionan una solución para parametrizar la creación de objetos. En el caso de los patrones `Abstract Factory`, `Builder` y `Prototype`, se utiliza un objeto como parámetro del sistema. Este objeto se encarga de realizar la instanciación de las clases. De este modo, cualquier modificación en la jerarquía de las clases sólo implica modificaciones en este objeto.

El patrón `Factory Method` proporciona una configuración básica sobre las subclases de la clase cliente. Sus subclases implementan la creación de los objetos. Cualquier cambio en la jerarquía de las clases implica por consiguiente una modificación de la jerarquía de las subclases de la clase cliente.

Capítulo 2-2
El patrón Abstract Factory

1. Descripción

El objetivo del patrón `Abstract Factory` es la creación de objetos agrupados en familias sin tener que conocer las clases concretas destinadas a la creación de estos objetos.

2. Ejemplo

El sistema de venta de vehículos gestiona vehículos que funcionan con gasolina y vehículos eléctricos. Esta gestión está delegada en el objeto `Catálogo` encargado de crear tales objetos.

Para cada producto, disponemos de una clase abstracta, de una subclase concreta derivando una versión del producto que funciona con gasolina y de una subclase concreta derivando una versión del producto que funciona con electricidad. Por ejemplo, en la figura 2-2.1, para el objeto Scooter, existe una clase abstracta `Scooter` y dos subclases concretas `ScooterElectricidad` y `ScooterGasolina`.

El objeto `Catálogo` puede utilizar estas subclases concretas para instanciar los productos. No obstante si fuera necesario incluir nuevas clases de familias de vehículos (diésel o mixto gasolina-eléctrico), las modificaciones a realizar en el objeto `Catálogo` pueden ser bastante pesadas.

El patrón `Abstract Factory` resuelve este problema introduciendo una interfaz `FábricaVehículo` que contiene la firma de los métodos para definir cada producto. El tipo devuelto por estos métodos está constituido por una de las clases abstractas del producto. De este modo el objeto `Catálogo` no necesita conocer las subclases concretas y permanece desacoplado de las familias de producto.

Se incluye una subclase de implementación de `FábricaVehículo` por cada familia de producto, a saber las subclases `FábricaVehículoElectricidad` y `FábricaVehículoGasolina`. Dicha subclase implementa las operaciones de creación del vehículo apropiado para la familia a la que está asociada.

El objeto `Catálogo` recibe como parámetro una instancia que responde a la interfaz `FábricaVehículo`, es decir o bien una instancia de `FábricaVehículoElectricidad`, o bien una instancia de `FábricaVehículoGasolina`. Con dicha instancia, el catálogo puede crear y manipular los vehículos sin tener que conocer las familias de vehículo y las clases concretas de instanciación correspondientes.

El conjunto de clases del patrón `Abstract Factory` para este ejemplo se detalla en la figura 2-2.1.

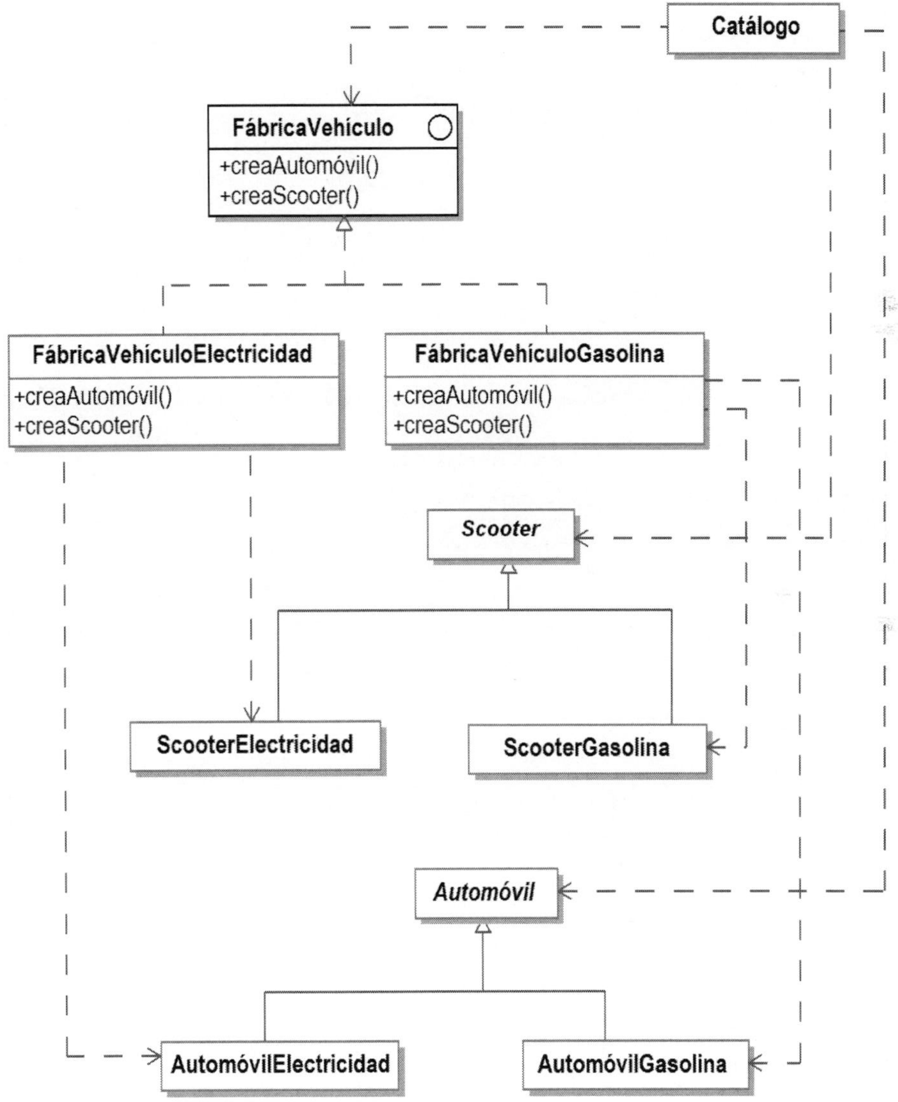

Figura 2-2.1 - El patrón `Abstract Factory` aplicado a las familias de vehículos

3. Estructura

3.1 Diagrama de clases

La figura 2-2.2 detalla la estructura genérica del patrón.

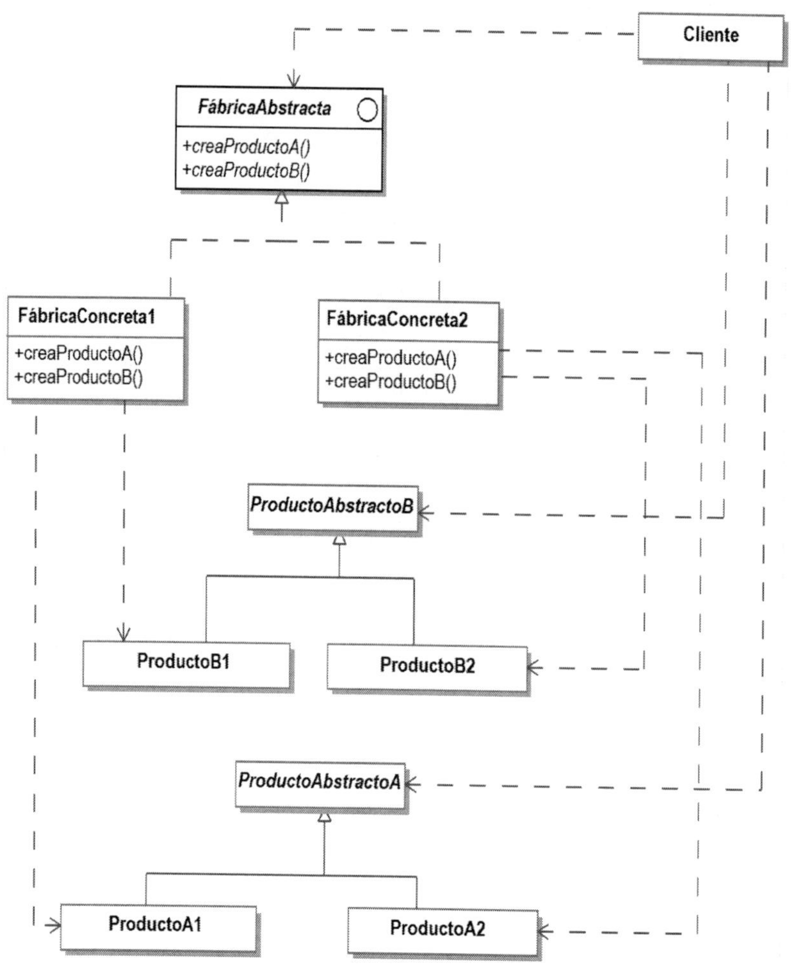

Figura 2-2.2 - Estructura del patrón `Abstract Factory`

3.2 Participantes

Los participantes del patrón son los siguientes:

- FábricaAbstracta (FábricaVehículo) es una interfaz que define las firmas de los métodos que crean los distintos productos.
- FábricaConcreta1, FábricaConcreta2 (FábricaVehículoElectricidad, FábricaVehículoGasolina) son las clases concretas que implementan los métodos que crean los productos para cada familia de producto. Conociendo la familia y el producto, son capaces de crear una instancia del producto para esta familia.
- ProductoAbstractoA y ProductoAbstractoB (Scooter y Automóvil) son las clases abstractas de los productos independientemente de su familia. Las familias se introducen en las subclases concretas.
- Cliente es la clase que utiliza la interfaz de FábricaAbstracta.

3.3 Colaboraciones

La clase Cliente utiliza una instancia de una de las fábricas concretas para crear sus productos a partir de la interfaz FábricaAbstracta.

Observación

Normalmente sólo es necesario crear una instancia de cada fábrica concreta, que puede compartirse por varios clientes.

4. Dominios de uso

El patrón se utiliza en los dominios siguientes:

- Un sistema que utiliza productos necesita ser independiente de la forma en que se crean y agrupan estos productos.
- Un sistema está configurado según varias familias de productos que pueden evolucionar.

5. Ejemplo en C#

Presentamos a continuación un pequeño ejemplo de uso del patrón escrito en C#. El código C# correspondiente a la clase abstracta Automovil y sus subclases aparece a continuación. Es muy sencillo, describe los cuatro atributos de los automóviles así como el método mostrarCaracteristicas que permite visualizarlas.

```
using System;

public abstract class Automovil
{
  protected string modelo;
  protected string color;
  protected int potencia;
  protected double espacio;

  public Automovil(string modelo, string color, int
    potencia, double espacio)
  {
    this.modelo = modelo;
    this.color = color;
    this.potencia = potencia;
    this.espacio = espacio;
  }

  public abstract void mostrarCaracteristicas();
}


using System;

public class AutomovilElectricidad : Automovil
{
  public AutomovilElectricidad(string modelo, string
    color, int potencia, double espacio) : base(modelo,
    color, potencia, espacio){}

  public override void mostrarCaracteristicas()
  {
    Console.WriteLine(
      "Automóvil eléctrico de modelo: " + modelo +
      " de color: " + color + " de potencia: " +
```

```
      potencia + " de espacio: " + espacio);
  }
}
```

```
using System;

public class AutomovilGasolina : Automovil
{
  public AutomovilGasolina(string modelo, string
    color, int potencia, double espacio) : base(modelo,
    color, potencia, espacio){}

  public override void mostrarCaracteristicas()
  {
    Console.WriteLine(
      "Automóvil de gasolina de modelo: " + modelo +
      " de color: " + color + " de potencia: " +
      potencia + " de espacio: " + espacio);
  }
}
```

El código C# correspondiente a la clase abstracta `Scooter` y sus subclases aparece a continuación. Es similar al de los automóviles, salvo por el atributo `espacio` que no existe para las scooters.

```
using System;

public abstract class Scooter
{
  protected string modelo;
  protected string color;
  protected int potencia;

  public Scooter(string modelo, string color, int
    potencia)
  {
    this.modelo = modelo;
    this.color = color;
    this.potencia = potencia;
  }
  public abstract void mostrarCaracteristicas();
}
```

```
using System;

public class ScooterElectricidad : Scooter
{
  public ScooterElectricidad(string modelo, string color,
    int potencia) : base(modelo, color, potencia){}

  public override void mostrarCaracteristicas()
  {
    Console.WriteLine("Scooter eléctrica de modelo: " +
      modelo + " de color: " + color +
      " de potencia: " + potencia);
  }

}


using System;

public class ScooterGasolina : Scooter
{
  public ScooterGasolina(string modelo, string color,
    int potencia) : base(modelo, color, potencia){}

  public override void mostrarCaracteristicas()
  {
    Console.WriteLine("Scooter eléctrica de modelo: " +
      modelo + " de color: " + color +
      " de potencia: " + potencia);
  }

}
```

Ahora podemos introducir la interfaz `FabricaVehiculo` y sus dos clases de implementación, una para cada familia (eléctrico/gasolina). Es fácil darse cuenta de que sólo las clases de implementación utilizan las clases concretas de los vehículos.

```
using System;

public interface FabricaVehiculo
{
  Automovil creaAutomovil(string modelo, string color,
    int potencia, double espacio);

  Scooter creaScooter(string modelo, string color, int
    potencia);
}


using System;

public class FabricaVehiculoElectricidad : FabricaVehiculo
{
  public Automovil creaAutomovil(string modelo, string
    color, int potencia, double espacio)
  {
    return new AutomovilElectricidad(modelo, color,
      potencia, espacio);
  }

  public Scooter creaScooter(string modelo, string
    color, int potencia)
  {
    return new ScooterElectricidad(modelo, color,
      potencia);
  }
}


using System;

public class FabricaVehiculoGasolina : FabricaVehiculo
{
  public Automovil creaAutomovil(string modelo, string
    color, int potencia, double espacio)
  {
    return new AutomovilGasolina(modelo, color,
      potencia, espacio);
  }

  public Scooter creaScooter(string modelo, string
```

```
      color, int potencia)
    {
      return new ScooterGasolina(modelo, color, potencia);
    }
}
```

Por último, se presenta el código fuente C# del cliente de la fábrica, a saber el catálogo que es, en nuestro ejemplo, el programa principal. Por motivos de simplicidad, el catálogo solicita al comienzo la fábrica que se quiere utilizar (electricidad o gasolina). Esta fábrica debería proporcionarse como parámetro al catálogo.

El resto del programa es totalmente independiente de la familia de objetos, respetando el objetivo del patrón `Abstract Factory`.

```
using System;

public class Catalogo
{
  public static int nAutos = 3;
  public static int nScooters = 2;

  static void Main(string[] args)
  {
    FabricaVehiculo fabrica;
    Automovil[] autos = new Automovil[nAutos];
    Scooter[] scooters = new Scooter[nScooters];
    Console.WriteLine("Desea utilizar " +
      "vehículos eléctricos (1) o a gasolina (2):");
    string eleccion = Console.ReadLine();
    if (eleccion == "1")
    {
      fabrica = new FabricaVehiculoElectricidad();
    }
    else
    {
      fabrica = new FabricaVehiculoGasolina();
    }
    for (int index = 0; index < nAutos; index++)
      autos[index] = fabrica.creaAutomovil("estándar",
      "amarillo", 6+index, 3.2);
    for (int index = 0; index < nScooters; index++)
      scooters[index] = fabrica.creaScooter("clásico",
        "rojo", 2+index);
```

```
        foreach (Automovil auto in autos)
          auto.mostrarCaracteristicas();
        foreach (Scooter scooter in scooters)
          scooter.mostrarCaracteristicas();
    }

}
```

A continuación se muestra un ejemplo de ejecución para vehículos eléctricos:

```
Desea utilizar vehículos eléctricos (1)
o a gasolina (2): 1
Automóvil eléctrico de modelo: estándar de color:
amarillo de potencia: 6
de espacio: 3,2
Automóvil eléctrico de modelo: estándar de color:
amarillo de potencia: 7
de espacio: 3,2
Automóvil eléctrico de modelo: estándar de color:
amarillo de potencia: 8
de espacio: 3,2
Scooter eléctrica de modelo: clásico de color:
rojo de potencia: 2
Scooter eléctrica de modelo: clásico de color:
rojo de potencia: 3
```

En este ejemplo de ejecución se ha creado una fábrica de vehículos eléctricos, de modo que el catálogo se compone de automóviles y scooters eléctricos.

Capítulo 2-3
El patrón Builder

1. Descripción

El objetivo del patrón `Builder` es abstraer la construcción de objetos complejos de su implementación de modo que un cliente pueda crear objetos complejos sin tener que preocuparse de las diferencias en su implantación.

2. Ejemplo

Durante la compra de un vehículo, el vendedor crea todo un conjunto de documentos que contienen en especial la solicitud de pedido y la solicitud de matriculación del cliente. Es posible construir estos documentos en formato HTML o en formato PDF según la elección del cliente. En el primer caso, el cliente le provee una instancia de la clase `ConstructorDocumentaciónVehículoHtml` y, en el segundo caso, una instancia de la clase `ConstructorDocumentaciónVehículoPdf`. El vendedor realiza a continuación la solicitud de creación de cada documento mediante esta instancia.

De este modo el vendedor genera la documentación con ayuda de los métodos `construyeSolicitudPedido` y `construyeSolicitudMatriculación`.

El conjunto de clases del patrón `Builder` para este ejemplo se detalla en la figura 2-3.1. Esta figura muestra la jerarquía entre las clases `ConstructorDocumentaciónVehículo` y `Documentación`. El vendedor puede crear las solicitudes de pedido y las solicitudes de matriculación sin conocer las subclases de `ConstructorDocumentaciónVehículo` ni las de `Documentación`.

Las relaciones de dependencia entre el cliente y las subclases de `ConstructorDocumentaciónVehículo` se explican por el hecho de que el cliente crea una instancia de estas subclases.

Observación

La estructura interna de las subclases concretas de `Documentación` no se muestra (entre ellas, por ejemplo, la relación de composición con la clase `Documento`).

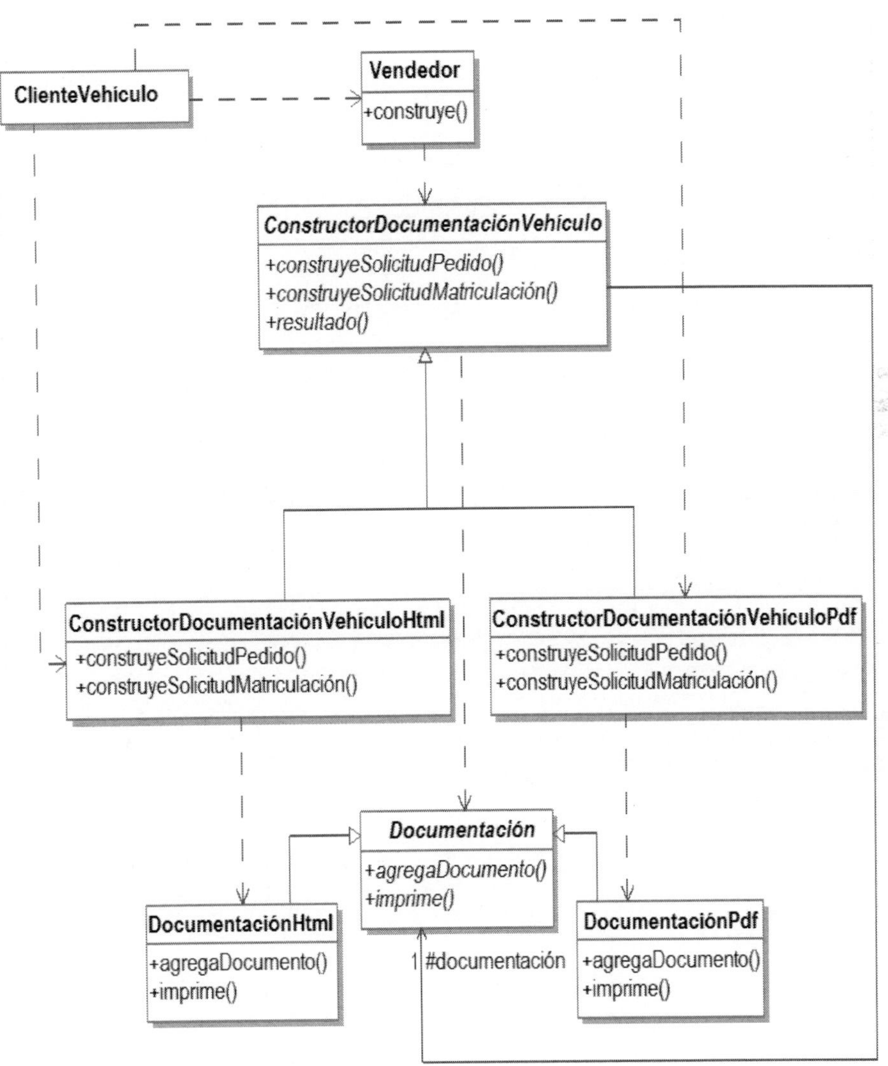

Figura 2-3.1 - El patrón `Builder` *aplicado a la generación de documentación*

3. Estructura

3.1 Diagrama de clases

La figura 2-3.2 detalla la estructura genérica del patrón.

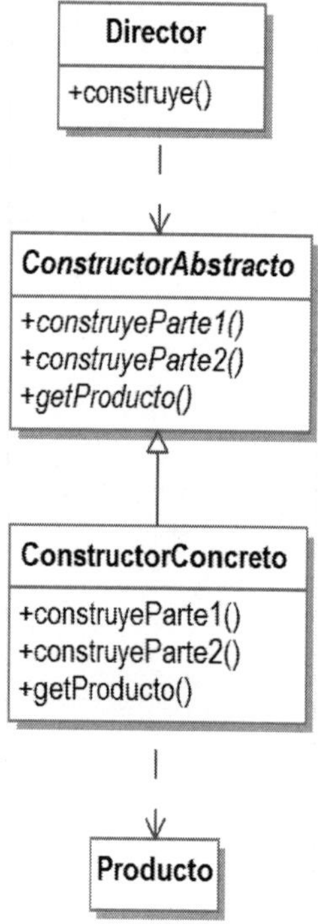

Figura 2-3.2 - Estructura del patrón `Builder`

3.2 Participantes

Los participantes del patrón son los siguientes:

- `ConstructorAbstracto` (`ConstructorDocumentaciónVehículo`) es la clase que define la firma de los métodos que construyen las distintas partes del producto así como la firma del método que permite obtener el producto, una vez construido.
- `ConstructorConcreto` (`ConstructorDocumentaciónVehículoHtml` y `ConstructorDocumentaciónVehículoPdf`) es la clase concreta que implementa los métodos del constructor abstracto.
- `Producto` (`Documentación`) es la clase que define el producto. Puede ser abstracta y poseer varias subclases concretas (`DocumentaciónHtml` y `DocumentaciónPdf`) en caso de implementaciones diferentes.
- `Director` es la clase encargada de construir el producto a partir de la interfaz del constructor abstracto.

3.3 Colaboraciones

El cliente crea un constructor concreto y un director. El director construye, bajo demanda del cliente, invocando al constructor y reenvía el resultado al cliente.

La figura 2-3.3 ilustra este funcionamiento con un diagrama de secuencia UML.

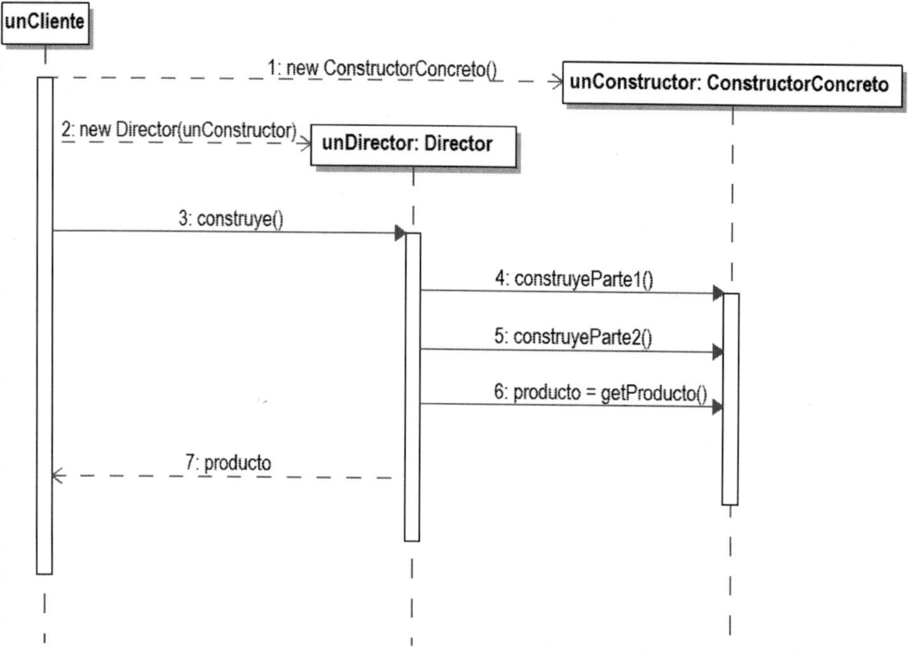

Figura 2-3.3 - Diagrama de secuencia del patrón `Builder`

4. Dominios de uso

El patrón se utiliza en los dominios siguientes:

- Un cliente necesita construir objetos complejos sin conocer su implementación.
- Un cliente necesita construir objetos complejos que tienen varias representaciones o implementaciones.

5. Ejemplo en C#

Presentamos a continuación un ejemplo de uso del patrón escrito en C#. El código C# correspondiente a la clase abstracta `Documentacion` y sus subclases aparece a continuación. Por motivos de simplicidad, los documentos son cadenas de caracteres para la documentación en formato HTML y PDF. El método `imprime` muestra las distintas cadenas de caracteres que representan los documentos.

```
using System;
using System.Collections.Generic;

public abstract class Documentacion
{
    protected IList<string> contenido =
        new List<string>();

    public abstract void agregaDocumento(string documento);
    public abstract void imprime();
}


using System;

public class DocumentacionHtml : Documentacion
{
    public override void agregaDocumento(string documento)
    {
        if (document.StartsWith("<HTML>"))
            contenido.Add(documento);
    }

    public override void imprime()
    {
        Console.WriteLine("Documentación HTML");
        foreach (string s in contenido)
            Console.WriteLine(s);
    }
}


using System;
```

```
public class DocumentacionPdf : Documentacion
{
    public override void agregaDocumento(string documento)
    {
        if (documento.StartsWith("<PDF>"))
            contenido.Add(documento);
    }

    public override void imprime()
    {
        Console.WriteLine("Documentación PDF");
        foreach (string s in contenido)
            Console.WriteLine(s);
    }
}
```

El código fuente de las clases que generan la documentación aparece a continuación.

```
using System;

public abstract class ConstructorDocumentacionVehiculo
{
    protected Documentacion documentacion;

    public abstract void construyeSolicitudPedido(string
      nombreCliente);

    public abstract void construyeSolicitudMatriculacion
      (string nombreSolicitante);

    public Documentacion resultado()
    {
        return documentacion;
    }
}


using System;

public class ConstructorDocumentacionVehiculoHtml :
  ConstructorDocumentacionVehiculo
{
    public ConstructorDocumentacionVehiculoHtml()
```

```
    {
        documentacion = new DocumentacionHtml();
    }

    public override void construyeSolicitudPedido(string
      nombreCliente)
    {
        string documento;
        documento = "<HTML>Solicitud de pedido Cliente: " +
          nombreCliente + "</HTML>";
        documentacion.agregaDocumento(documento);
    }

    public override void construyeSolicitudMatriculacion
      (string nombreSolicitante)
    {
        string documento;
        documento =
        "<HTML>Solicitud de matriculación Solicitante: " +
        nombreSolicitante + "</HTML>";
        documentacion.agregaDocumento(documento);
    }
}


using System;

public class ConstructorDocumentacionVehiculoPdf :
  ConstructorDocumentacionVehiculo
{
    public ConstructorDocumentacionVehiculoPdf()
    {
        documentacion = new DocumentacionPdf();
    }

    public override void construyeSolicitudPedido(string
      nombreCliente)
    {
        string documento;
        documento = "<PDF>Solicitud de pedido Cliente: " +
          nombreCliente + "</PDF>";
        documentacion.agregaDocumento(documento);
    }
```

```
    public override void construyeSolicitudMatriculacion
      (string nombreSolicitante)
    {
        string documento;
        documento =
        "<PDF>Solicitud de matriculación Solicitante: " +
        nombreSolicitante + "</PDF>";
        documentacion.agregaDocumento(documento);
    }
}
```

La clase `Vendedor` se describe a continuación. Su constructor recibe como parámetro una instancia de `ConstructorDocumentacionVehiculo`. Observe que el método `construye` toma como parámetro la información del cliente, aquí limitada al nombre del cliente.

```
using System;

public class Vendedor
{
    protected ConstructorDocumentacionVehiculo constructor;

    public Vendedor(ConstructorDocumentacionVehiculo constructor)
    {
        this.constructor = constructor;
    }

    public Documentacion construye(string nombreCliente)
    {
        constructor.construyeSolicitudPedido(nombreCliente);
        constructor.construyeSolicitudMatriculacion
            (nombreCliente);
        Documentacion documentacion = constructor.resultado();
        return documentacion;
    }
}
```

Por último, se proporciona el código C# del cliente del constructor, a saber la clase `ClienteVehiculo` que constituye el programa principal. El inicio de este programa solicita al usuario el constructor que debe utilizar, y se lo proporciona a continuación al vendedor.

```
using System;

public class ClienteVehiculo
{
    static void Main(string[] args)
    {
        ConstructorDocumentacionVehiculo constructor;
        Console.WriteLine("Desea generar " +
          "documentación HTML (1) o PDF (2):");
        string seleccion = Console.ReadLine();
        if (seleccion == "1")
        {
           constructor = new ConstructorDocumentacionVehiculoHtml();
        }
        else
        {
           constructor = new ConstructorDocumentacionVehiculoPdf();
        }
        Vendedor vendedor = new Vendedor(constructor);
        Documentacion documentacion = vendedor.construye("Martín");
        documentacion.imprime();
    }
}
```

Un ejemplo de ejecución para una documentación PDF sería:

```
Desea generar documentación HTML (1) o PDF (2):2
Documentación PDF
<PDF>Solicitud de pedido Cliente: Martín</PDF>
<PDF>Solicitud de matriculación Solicitante: Martín</PDF>
```

Conforme a la solicitud del cliente, la documentación y sus documentos se han creado en formato PDF. Si el cliente solicitara su documentación en HTML, la salida sería la siguiente:

```
Desea generar documentación HTML (1) o PDF (2):2
Documentación HTML
<HTML>Solicitud de pedido Cliente: Martín</HTML>
<HTML>Solicitud de matriculación Solicitante: Martín</HTML>
```

Capítulo 2-4
El patrón Factory Method

1. Descripción

El objetivo del patrón `Factory Method` es proveer un método abstracto de creación de un objeto delegando en las subclases concretas su creación efectiva.

2. Ejemplo

Vamos a centrarnos en los clientes y sus pedidos. La clase `Cliente` implementa el método `creaPedido` que debe crear el pedido. Ciertos clientes solicitan un vehículo pagando al contado y otros clientes utilizan un crédito. En función de la naturaleza del cliente, el método `creaPedido` debe crear una instancia de la clase `PedidoContado` o una instancia de la clase `PedidoCrédito`. Para realizar estas alternativas, el método `creaPedido` es abstracto. Ambos tipos de cliente se distinguen mediante dos subclases concretas de la clase abstracta `Cliente`:

- La clase concreta `ClienteContado` cuyo método `creaPedido` crea una instancia de la clase `PedidoContado`.
- La clase concreta `ClienteCrédito` cuyo método `creaPedido` crea una instancia de la clase `PedidoCrédito`.

Tal diseño está basado en el patrón `Factory Method`, el método `creaPedido` es el método de fabricación. El ejemplo se detalla en la figura 2-4.1.

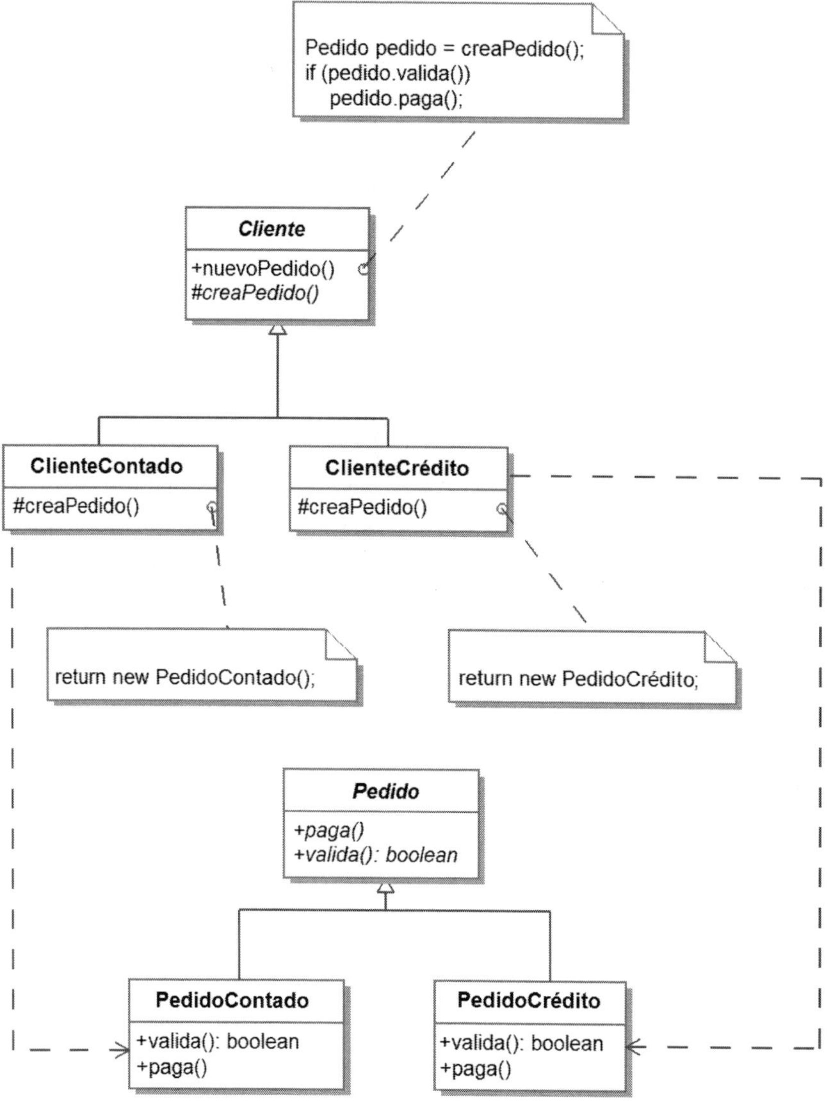

Figura 2-4.1 - El patrón `Factory Method` aplicado a los clientes y sus pedidos

3. Estructura

3.1 Diagrama de clases

La figura 2-4.2 detalla la estructura genérica del patrón.

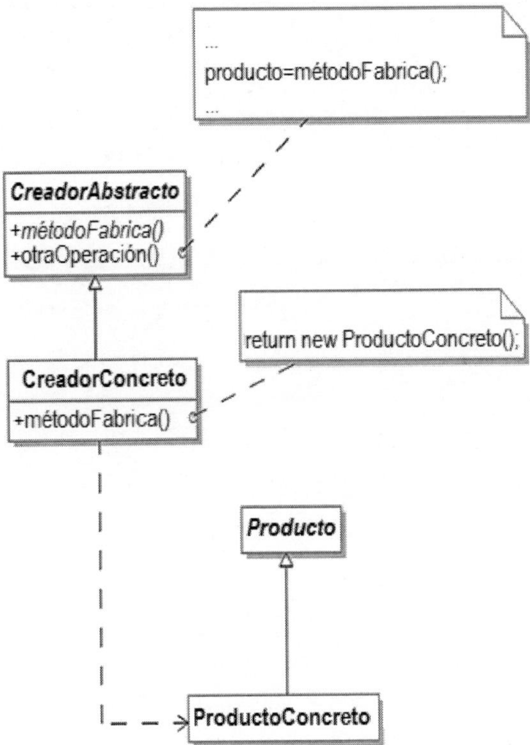

Figura 2-4.2 - Estructura del patrón `Factory Method`

3.2 Participantes

Los participantes del patrón son los siguientes:

- `CreadorAbstracto` (`Cliente`) es una clase abstracta que implementa la firma del método de fabricación y los métodos que invocan al método de fabricación.
- `CreadorConcreto` (`ClienteContado`, `ClienteCrédito`) es una clase concreta que implementa el método de fabricación. Pueden existir varios creadores concretos.
- `Producto` (`Pedido`) es una clase abstracta que describe las propiedades comunes de los productos.
- `ProductoConcreto` (`PedidoContado`, `PedidoCrédito`) es una clase concreta que describe completamente un producto.

3.3 Colaboraciones

Los métodos concretos de la clase `CreadorAbstracto` se basan en la implementación del método de fabricación en las subclases. Esta implementación crea una instancia de la subclase adecuada de `Producto`.

4. Dominios de uso

El patrón se utiliza en los casos siguientes:

- una clase que sólo conoce los objetos con los que tiene relaciones;
- una clase quiere transmitir a sus subclases las elecciones de instanciación aprovechando un mecanismo de polimorfismo.

5. Ejemplo en C#

El código fuente de la clase abstracta `Pedido` y de sus dos subclases concretas aparece a continuación. El importe del pedido se pasa como parámetro al constructor de la clase. Si la validación de un pedido al contado es sistemática, tenemos la posibilidad de escoger, para nuestro ejemplo, aceptar únicamente aquellos pedidos provistos de un crédito cuyo valor se sitúe entre 1.000 y 5.000.

```
using System;

public abstract class Pedido
{
    protected double importe;

    public Pedido(double importe)
    {
        this.importe = importe;
    }

    public abstract bool valida();

    public abstract void paga();
}


using System;

public class PedidoContado : Pedido
{
    public PedidoContado(double importe) : base(importe) { }

    public override void paga()
    {
        Console.WriteLine(
          "El pago del pedido por importe de: " +
          importe + " se ha realizado.");
    }

    public override bool valida()
    {
        return true;
    }
```

```
}


using System;

public class PedidoCredito : Pedido
{
    public PedidoCredito(double importe) : base(importe) { }

    public override void paga()
    {
        Console.WriteLine(
          "El pago del pedido a crédito de: " +
          importe + " se ha realizado.");
    }

    public override bool valida()
    {
        return (importe >= 1000.0) && (importe <= 5000.0);
    }
}
```

El código fuente de la clase abstracta `Cliente` y de sus subclases concretas aparece a continuación. Un cliente puede realizar varios pedidos, y sólo los que se validan se agregan en su lista.

```
using System.Collections.Generic;

public abstract class Cliente
{
    protected IList<Pedido> pedidos =
        new List<Pedido>();

    protected abstract Pedido creaPedido(double importe);

    public void nuevoPedido(double importe)
    {
        Pedido pedido = this.creaPedido(importe);
        if (pedido.valida())
        {
            pedido.paga();
            pedidos.Add(pedido);
        }
    }
```

```
}


public class ClienteContado : Cliente
{
    protected override Pedido creaPedido(double importe)
    {
        return new PedidoContado(importe);
    }
}


public class ClienteCredito : Cliente
{
    protected override Pedido creaPedido(double importe)
    {
        return new PedidoCredito(importe);
    }
}
```

Por último, la clase `Usuario` muestra un ejemplo de uso del patrón `Factory Method`.

Observación

El nombre Usuario denota aquí un objeto usuario de un patrón.

```
using System;

public class Usuario
{
    static void Main(string[] args)
    {
        Cliente cliente;
        cliente = new ClienteContado();
        cliente.nuevoPedido(2000.0);
        cliente.nuevoPedido(10000.0);
        cliente = new ClienteCredito();
        cliente.nuevoPedido(2000.0);
        cliente.nuevoPedido(10000.0);
    }
}
```

Un ejemplo de ejecución del usuario daría la salida siguiente:

```
El pago del pedido por importe de: 2000 se ha realizado.
El pago del pedido por importe de: 10000 se ha realizado.
El pago del pedido a crédito de: 2000 se ha realizado.
```

Se puede constatar que la solicitud de un pedido provisto de un crédito por valor de 10.000 ha sido rechazada.

Capítulo 2-5
El patrón Prototype

1. Descripción

El objetivo de este patrón es la creación de nuevos objetos mediante duplicación de objetos existentes llamados prototipos que disponen de la capacidad de clonación.

2. Ejemplo

Durante la compra de un vehículo, un cliente debe recibir una documentación compuesta por un número concreto de documentos tales como el certificado de cesión, la solicitud de matriculación o incluso la orden de pedido. Existen otros tipos de documentos que pueden incluirse o excluirse a esta documentación en función de las necesidades de gestión o de cambios de reglamentación. Introducimos una clase `Documentación` cuyas instancias son documentaciones compuestas por diversos documentos obligatorios. Para cada tipo de documento, incluimos su clase correspondiente.

A continuación creamos un modelo de documentación que consiste en una instancia particular de la clase `Documentación` y que contiene los distintos documentos necesarios, documentos en blanco. Llamamos a esta documentación "documentación en blanco". De este modo definimos a nivel de las instancias, y no a nivel de las clases, el contenido preciso de la documentación que debe recibir un cliente. Incluir o excluir un documento en la documentación en blanco no supone ninguna modificación en su clase.

Una vez presentada la documentación en blanco, recurrimos al proceso de clonación para crear las nuevas documentaciones. Cada nueva documentación se crea duplicando todos los documentos de la documentación en blanco.

Esta técnica basada en objetos que poseen la capacidad de clonación utiliza el patrón `Prototype`, y los documentos constituyen los distintos prototipos.

La figura 2-5.1 ilustra este uso. La clase `Documento` es una clase abstracta conocida por la clase `Documentación`. Sus subclases corresponden a los distintos tipos de documento. Incluyen el método `duplica` que permite clonar una instancia existente para obtener una nueva.

La clase `Documentación` también es abstracta. Posee dos subclases concretas:

- la clase `DocumentaciónEnBlanco` que posee una única instancia que contiene todos los documentos necesarios (documentos en blanco). Esta instancia se manipula mediante los métodos `incluye` y `excluye`.
- la clase `DocumentaciónCliente` cuyo conjunto de documentos se crea solicitando a la única instancia de la clase `DocumentaciónEnBlanco` la lista de documentos en blanco y agregándolos uno a uno tras haberlos clonado.

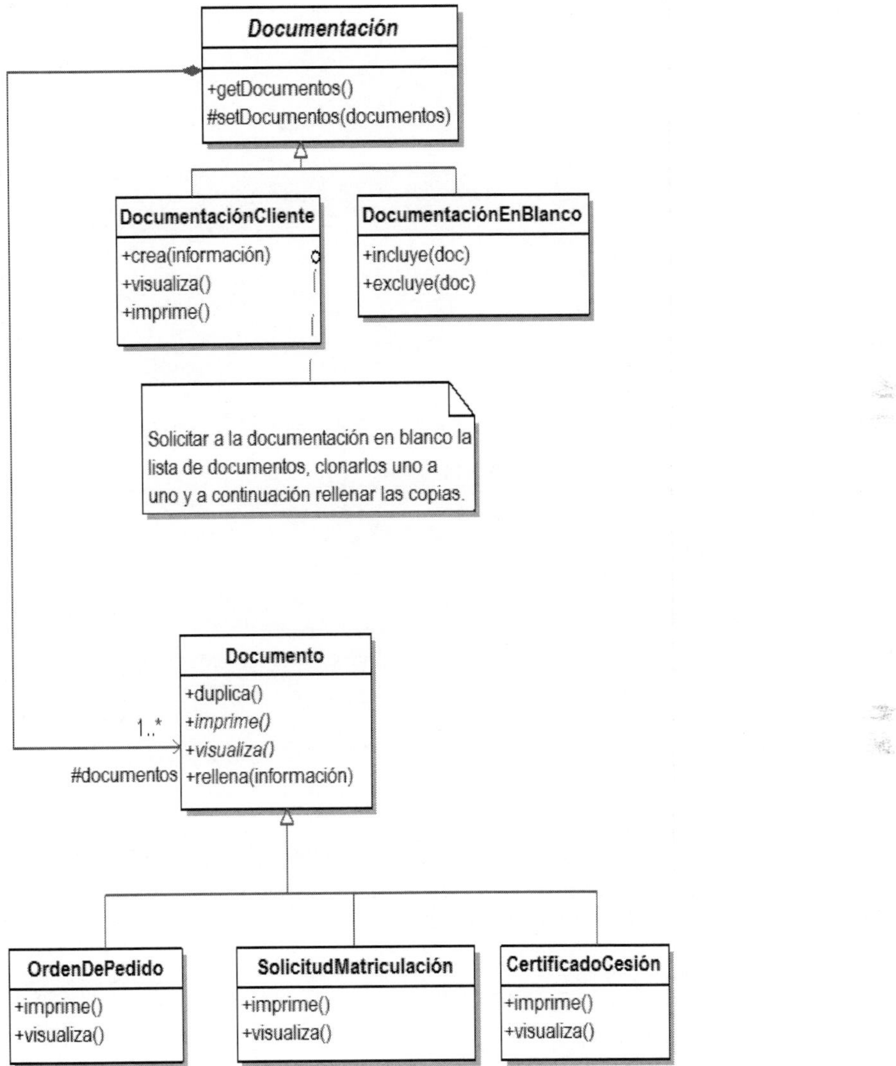

Figura 2-5.1 - El patrón `Prototype` *aplicado a la creación de documentación de contenido variable*

3. Estructura

3.1 Diagrama de clases

La figura 2-5.2 detalla la estructura genérica del patrón.

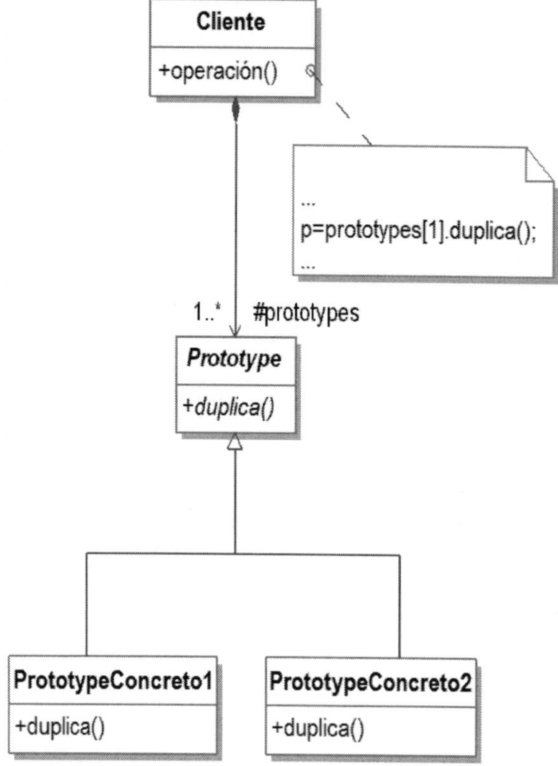

Figura 2-5.2 - Estructura del patrón `Prototype`

3.2 Participantes

Los participantes del patrón son los siguientes:

- Cliente (Documentación, DocumentaciónCliente, DocumentaciónEnBlanco) es una clase compuesta por un conjunto de objetos llamados prototipos, instancias de la clase abstracta Prototype. La clase Cliente necesita duplicar estos prototipos sin tener por qué conocer ni la estructura interna del Prototype ni su jerarquía de subclases.
- Prototype (Documento) es una clase abstracta de objetos capaces de duplicarse a sí mismos. Incluye la firma del método "duplica".
- PrototypeConcreto1 y PrototypeConcreto2 (OrdenDePedido, SolicitudMatriculación, CertificadoCesión) son las subclases concretas de Prototype que definen completamente un prototipo e implementan el método duplica.

3.3 Colaboración

El cliente solicita a uno o varios prototipos que se dupliquen a sí mismos.

4. Dominios de uso

El patrón Prototype se utiliza en los dominios siguientes:

- Un sistema de objetos debe crear instancias sin conocer la jerarquía de clases que las describe.
- Un sistema de objetos debe crear instancias de clases dinámicamente.
- El sistema de objetos debe permanecer simple y no incluir una jerarquía paralela de clases de fabricación.

5. Ejemplo en C#

El código fuente de la clase abstracta `Documento` y de sus subclases concretas aparece a continuación. Para simplificar, a diferencia del diagrama de clases, los métodos `duplica` y `rellena` se concretan en la clase `Documento`. El método `duplica` utiliza el método `MemberwiseClone` que proporciona C#.

Observación

El método `MemberwiseClone` de C# nos evita tener que escribir un código que copie cada atributo mediante una instrucción específica. Por consiguiente, el método `duplica` puede introducirse de forma concreta en la clase abstracta `Documento`.

```
using System;

public abstract class Documento
{
    protected string contenido = "";

    public Documento duplica()
    {
        Documento resultado;
        resultado = (Documento)this.MemberwiseClone();
        return resultado;
    }

    public void rellena(string informacion)
    {
        contenido = informacion;
    }

    public abstract void imprime();
    public abstract void visualiza();
}


using System;

public class OrdenDePedido : Documento
{
    public override void visualiza()
```

```
    {
          Console.WriteLine("Muestra la orden de pedido: " +
          contenido);
    }

    public override void imprime()
    {
        Console.WriteLine("Imprime la orden de pedido: " +
        contenido);
    }
}


using System;

public class SolicitudMatriculacion : Documento
{
  public override void visualiza()
  {
    Console.WriteLine(
      "Muestra la solicitud de matriculación: " + contenido);
  }

  public override void imprime()
  {
    Console.WriteLine(
      "Imprime la solicitud de matriculación: " + contenido);
  }
}


using System;

public class CertificadoCesion : Documento
{
  public override void visualiza()
  {
    Console.WriteLine(
      "Muestra el certificado de cesión: " + contenido);
  }

  public override void imprime()
  {
```

```
        Console.WriteLine(
          "Imprime el certificado de cesión: " + contenido);
    }
}
```

El código fuente de la clase abstracta Documentacion es el siguiente:

```
using System.Collections.Generic;

public abstract class Documentacion
{
    public IList<Documento> documentos { get; protected set; }
}
```

El código fuente de la subclase DocumentacionEnBlanco de Documentacion aparece a continuación. Este código utiliza el patrón Singleton que se presenta en el capítulo siguiente y que tiene como objetivo asegurar que una clase sólo posee una única instancia.

```
using System.Collections.Generic;

public class DocumentacionEnBlanco : Documentacion
{
    private static DocumentacionEnBlanco _instance = null;

    private DocumentacionEnBlanco()
    {
        documentos = new List<Documento>();
    }

    public static DocumentacionEnBlanco Instance()
    {
        if (_instance == null)
            _instance = new DocumentacionEnBlanco();
        return _instance;
    }

    public void incluye(Documento doc)
    {
        documentos.Add(doc);
    }

    public void excluye(Documento doc)
    {
```

```
            documentos.Remove(doc);
        }
    }
```

La subclase DocumentacionCliente escrita en C# aparece a continuación. Su constructor obtiene la lista de documentos de la documentación en blanco y a continuación los duplica, los rellena y los agrega a un contenedor de la documentación.

```
using System;
using System.Collections.Generic;

public class DocumentacionCliente : Documentacion
{
    public DocumentacionCliente(string informacion)
    {
        documentos = new List<Documento>();
        DocumentacionEnBlanco documentacionEnBlanco =
DocumentacionEnBlanco.Instance();
        IList<Documento> documentosEnBlanco =
          documentacionEnBlanco.documentos;
        foreach (Documento documento in documentosEnBlanco)
        {
            Documento copiaDocumento = documento.duplica();
            copiaDocumento.rellena(informacion);
            documentos.Add(copiaDocumento);
        }
    }

    public void visualiza()
    {
        foreach (Documento documento in documentos)
            documento.visualiza();
    }

    public void imprime()
    {
        foreach (Documento documento in documentos)
                documento.imprime();
    }
}
```

Por último, veamos el código fuente de la clase `Usuario` cuyo método principal (main) comienza construyendo la documentación en blanco y, en particular, su contenido. A continuación este método crea y visualiza la documentación de ambos clientes.

```
using System;

public class Usuario
{
    static void Main(string[] args)
    {
        DocumentacionEnBlanco documentacionEnBlanco =
DocumentacionEnBlanco.Instance();
        documentacionEnBlanco.incluye(new OrdenDePedido());
        documentacionEnBlanco.incluye(new CertificadoCesion());
        documentacionEnBlanco.incluye(new
SolicitudMatriculacion());
        // creación de documentación nueva para dos clientes
        DocumentacionCliente documentacionCliente1 = new
DocumentacionCliente("Martín");
        DocumentacionCliente documentacionCliente2 = new
DocumentacionCliente("Simón");
        documentacionCliente1.visualiza();
        documentacionCliente2.visualiza();
    }
}
```

El resultado de la ejecución es el siguiente:

```
Muestra la orden de pedido: Martín
Muestra el certificado de cesión: Martín
Muestra la solicitud de matriculación: Martín
Muestra la orden de pedido: Simón
Muestra el certificado de cesión: Simón
Muestra la solicitud de matriculación: Simón
```

Capítulo 2-6
El patrón Singleton

1. Descripción

El patrón `Singleton` tiene como objetivo asegurar que una clase sólo posee una instancia y proporcionar un método de clase único que devuelva esta instancia.

En ciertos casos es útil gestionar clases que posean una única instancia. En el marco de los patrones de construcción, podemos citar el caso de una fábrica de productos (patrón `Abstract Factory`) del que sólo es necesario crear una instancia.

2. Ejemplo

En el sistema de venta online de vehículos, debemos gestionar clases que poseen una sola instancia.

El sistema de documentación que debe entregarse al cliente tras la compra de un vehículo (como el certificado de cesión, la solicitud de matriculación y la orden de pedido) utiliza la clase `DocumentaciónEnBlanco` que sólo posee una instancia. Esta instancia referencia todos los documentos necesarios para el cliente. Esta instancia única se llama la documentación en blanco pues los documentos a los que hace referencia están todos en blanco. El uso completo de la clase `DocumentaciónEnBlanco` se explica en el capítulo dedicado al patrón `Prototype`.

La figura 2-6.1 ilustra el uso del patrón `Singleton` para la clase `DocumentaciónEnBlanco`. El atributo de clase `instance` contiene o bien `null` o bien la única instancia de la clase `DocumentaciónEnBlanco`. El método de clase `Instance` reenvía esta instancia única devolviendo el valor del atributo `instance`. Si este atributo tiene el valor inicial `null`, a continuación contiene una referencia hacia la instancia única cuando esta última se crea.

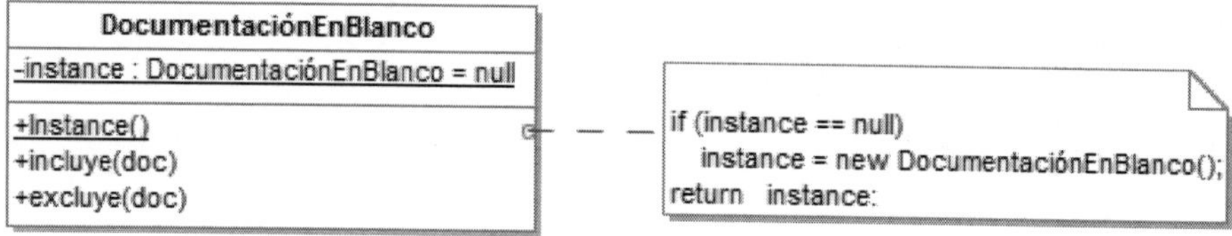

Figura 2-6.1 - El patrón `Singleton` aplicado a la clase `DocumentaciónEnBlanco`

3. Estructura

3.1 Diagrama de clases

La figura 2-6.2 detalla la estructura genérica del patrón.

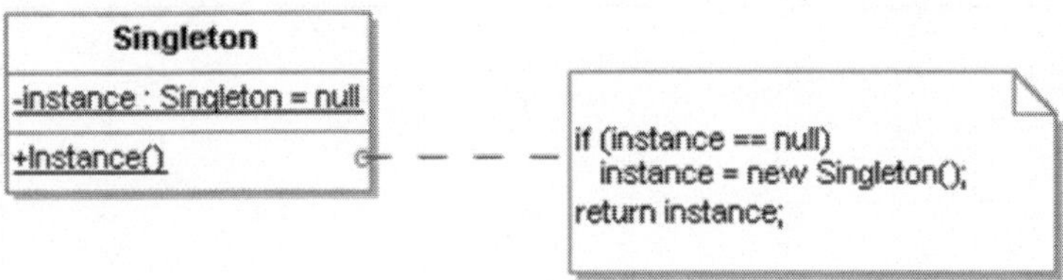

Figura 2-6.2 - Estructura del patrón `Singleton`

3.2 Participante

El único participante es la clase `Singleton` que ofrece acceso a la instancia única mediante el método de clase `Instance`.

Por otro lado, la clase `Singleton` posee un mecanismo que asegura que sólo puede existir una única instancia. Este mecanismo bloquea la creación de otras instancias.

3.3 Colaboración

Cada cliente de la clase `Singleton` accede a la instancia única mediante el método de clase `Instance`. No puede crear nuevas instancias utilizando el operador habitual de instanciación (operador `new`) que está bloqueado.

4. Dominio de uso

El patrón se utiliza en el siguiente caso:

- Solo debe existir una única instancia de una clase.
- Esta instancia sólo debe estar accesible mediante un método de clase.

Observación

El uso del patrón `Singleton` ofrece a su vez la posibilidad de utilizar únicamente variables globales.

5. Ejemplos en C#

5.1 Documentación en blanco

El código C# completo de la clase `DocumentaciónEnBlanco` aparece en el capítulo dedicado al patrón `Prototype`. La sección de esta clase relativa al uso del patrón `Singleton` se muestra a continuación.

El constructor de esta clase tiene una visibilidad privada de modo que sólo pueda utilizarlo el método `Instance`. De este modo, ningún objeto externo a la clase `DocumentacionEnBlanco` puede crear una instancia utilizando el operador `new`.

Del mismo modo, el atributo `_instance` también tiene una visibilidad privada para que sólo sea posible acceder a él desde el método de clase `Instance`.

```
using System.Collections.Generic;

public class DocumentaciónEnBlanco : Documentacion
{
    private static DocumentaciónEnBlanco _instance = null;

    private DocumentaciónEnBlanco()
    {
        documentos = new List<Documento>();
    }
```

```
    public static DocumentaciónEnBlanco Instance()
    {
        if (_instance == null)
            _instance = new DocumentaciónEnBlanco();
        return _instance;
    }

    ...
}
```

El único cliente de la clase DocumentaciónEnBlanco es la clase DocumentaciónCliente que, en su constructor, obtiene una referencia a la documentación en blanco invocando al método Instance. A continuación, el constructor accede a la lista de documentos en blanco.

```
    DocumentaciónEnBlanco documentaciónEnBlanco =
DocumentaciónEnBlanco.Instance();
    IList<Documento> documentosEnBlanco =
          documentaciónEnBlanco.documentos;
```

5.2 La clase Comercial

En el sistema de venta de vehículos, queremos representar el vendedor mediante una clase que permita memorizar su información en lugar de utilizar variables globales que contienen respectivamente su nombre, su dirección, etc.

La clase Comercial se describe a continuación.

```
using System;

public class Comercial
{
  public string nombre { get; set; }
  public string direccion { get; set; }
  public string email { get; set; }

  private static Comercial _instance = null;

  private Comercial(){}

  public static Comercial Instance()
  {
```

```
      if (_instance == null)
        _instance = new Comercial();
      return _instance;
    }

    public void visualiza()
    {
      Console.WriteLine("Nombre: " + nombre);
      Console.WriteLine("Dirección: " + direccion);
      Console.WriteLine("Email: " + email);
    }

  }
```

El programa principal siguiente utiliza la clase `Comercial`.

```
public class TestComercial
{
  static void Main(string[] args)
  {
    // inicialización del comercial en el sistema
    Comercial elComercial = Comercial.Instance();
    elComercial.nombre = "Comercial Auto";
    elComercial.direccion = "Madrid";
    elComercial.email = "comercial@comerciales.com";
    // muestra el comercial del sistema
    visualiza();
  }

  public static void visualiza()
  {
    Comercial elComercial = Comercial.Instance();
    elComercial.visualiza();
  }
}
```

Su ejecución muestra que sólo existe una instancia debido a que el método `visualiza` de `TestComercial` no recibe ningún parámetro.

```
Nombre: Comercial Auto
Dirección: Madrid
Email: comercial@comerciales.com
```

Parte 3
Patrones de estructuración

Capítulo 3-1
Introducción a los patrones de estructuración

1. Presentación

El objetivo de los patrones de estructuración es facilitar la independencia de la interfaz de un objeto o de un conjunto de objetos respecto a su implementación. En el caso de un conjunto de objetos, se trata también de hacer que esta interfaz sea independiente de la jerarquía de clases y de la composición de los objetos.

Proporcionando interfaces, los patrones de estructuración encapsulan la composición de objetos, aumentan el nivel de abstracción del sistema de forma similar a como los patrones de creación encapsulan la creación de objetos. Los patrones de estructuración ponen de relieve las interfaces.

La encapsulación de la composición no se realiza estructurando el objeto en sí mismo sino transfiriendo esta estructuración a un segundo objeto. Éste queda íntimamente ligado al primero. Esta transferencia de estructuración significa que el primer objeto posee la interfaz de cara a los clientes y administra la relación con el segundo objeto que gestiona la composición y no tiene ninguna interfaz con los clientes externos.

Esta realización ofrece otra mejora que es la flexibilidad de la composición, la cual puede modificarse de manera dinámica. En efecto, es sencillo sustituir un objeto por otro siempre que sea de la misma clase o que respete la misma interfaz. Los patrones `Composite`, `Decorator` y `Bridge` son un buen ejemplo de este mecanismo.

2. Composición estática y dinámica

Tomemos el ejemplo de los aspectos de implementación de una clase. Situémonos en un marco en el que es posible tener varias implementaciones posibles. La solución clásica consiste en diferenciarlas a nivel de las subclases. Es el caso de uso de la herencia de una interfaz en varias clases de implementación como ilustra el diagrama de clases de la figura 3-1.1.

Esta solución consiste en realizar una composición estática. En efecto, una vez se ha escogido la clase de implementación de un objeto, no es posible cambiarla.

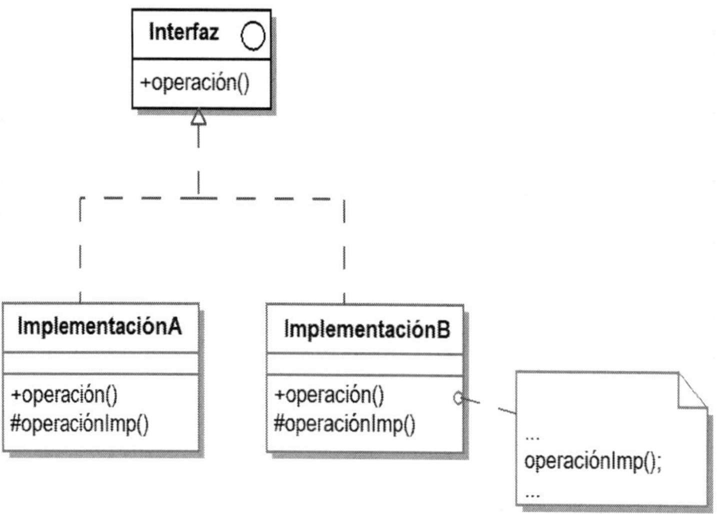

Figura 3-1.1 - Implementación de un objeto mediante herencia

Como se ha explicado en la sección anterior, otra solución consiste en separar el aspecto de implementación en otro objeto tal y como ilustra la figura 3-1.2. Las secciones correspondientes a la implementación se gestionan mediante una instancia de la clase `ImplementaciónConcretaA` o mediante una instancia de la clase `ImplementaciónConcretaB`. Esta instancia está referenciada por el atributo `implementación`. Puede sustituirse fácilmente por otra instancia durante la ejecución. Por ello, se dice que la composición es dinámica.

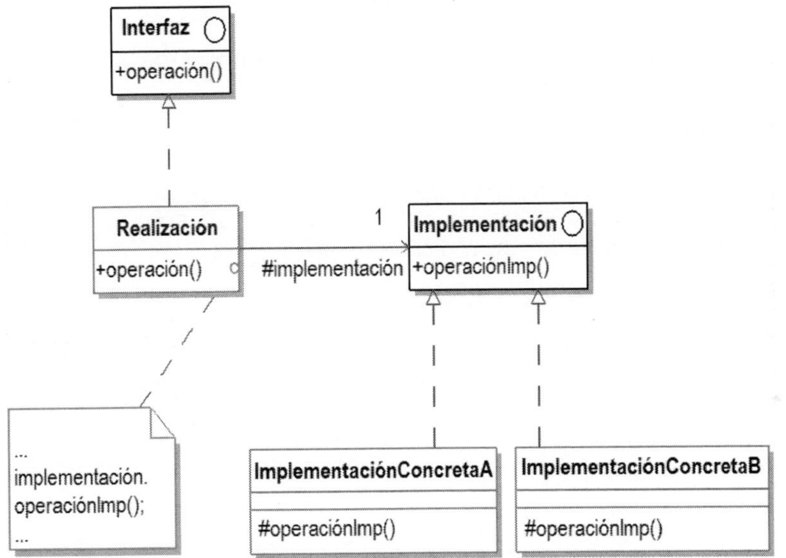

Figura 3-1.2 - Implementación de un objeto mediante asociación

La solución de la figura 3-1.2 se detalla en el capítulo dedicado al patrón `Bridge`.

Observación

Esta solución presenta también la ventaja de encapsular la sección de implementación y la vuelve totalmente transparente a los clientes.

Todos los patrones de estructuración están basados en el uso de uno o varios objetos que determinan la estructuración. La siguiente lista describe la función que cumple este objeto en cada patrón.

- **Adapter**: adapta un objeto existente.
- **Bridge**: implementa un objeto.
- **Composite**: organiza la composición jerárquica de un objeto.
- **Decorator**: se sustituye el objeto existente agregándole nuevas funcionalidades.
- **Facade**: se sustituye un conjunto de objetos existentes confiriéndoles una interfaz unificada.
- **Flyweight**: está destinado a la compartición y guarda un estado independiente de los objetos que lo referencian.
- **Proxy**: se sustituye el objeto existente otorgando un comportamiento adaptado a necesidades de optimización o de protección.

Capítulo 3-2
El patrón Adapter

1. Descripción

El objetivo del patrón `Adapter` es convertir la interfaz de una clase existente en la interfaz esperada por los clientes también existentes de modo que puedan trabajar de manera conjunta. Se trata de conferir a una clase existente una nueva interfaz para responder a las necesidades de los clientes.

2. Ejemplo

El servidor Web del sistema de venta de vehículos crea y administra los documentos destinados a los clientes. La interfaz `Documento` se ha definido para realizar esta gestión. La figura 3-2.1 muestra su representación UML así como los tres métodos `setContenido`, `dibuja` e `imprime`. Se ha realizado una primera clase de implementación de esta interfaz: la clase `DocumentoHtml` que implementa estos tres métodos. Los objetos clientes de esta interfaz y esta clase cliente ya se han diseñado.

Por otro lado, la agregación de documentos PDF supone un problema pues se trata de documentos más complejos de construir y de administrar que los documentos HTML. Para ello se ha escogido un producto del mercado, aunque su interfaz no se corresponde con la interfaz `Documento`. La figura 3-2.1 muestra el componente `ComponentePdf` cuya interfaz incluye más métodos y la nomenclatura es bien diferente (con el prefijo pdf).

El patrón `Adapter` proporciona una solución que consiste en crear la clase `DocumentoPdf` que implemente la interfaz `Documento` y posea una asociación con `ComponentePdf`. La implementación de los tres métodos de la interfaz `Documento` consiste en delegar correctamente las llamadas al componente PDF. Esta solución se muestra en la figura 3-2.1, el código de los métodos se detalla con ayuda de notas.

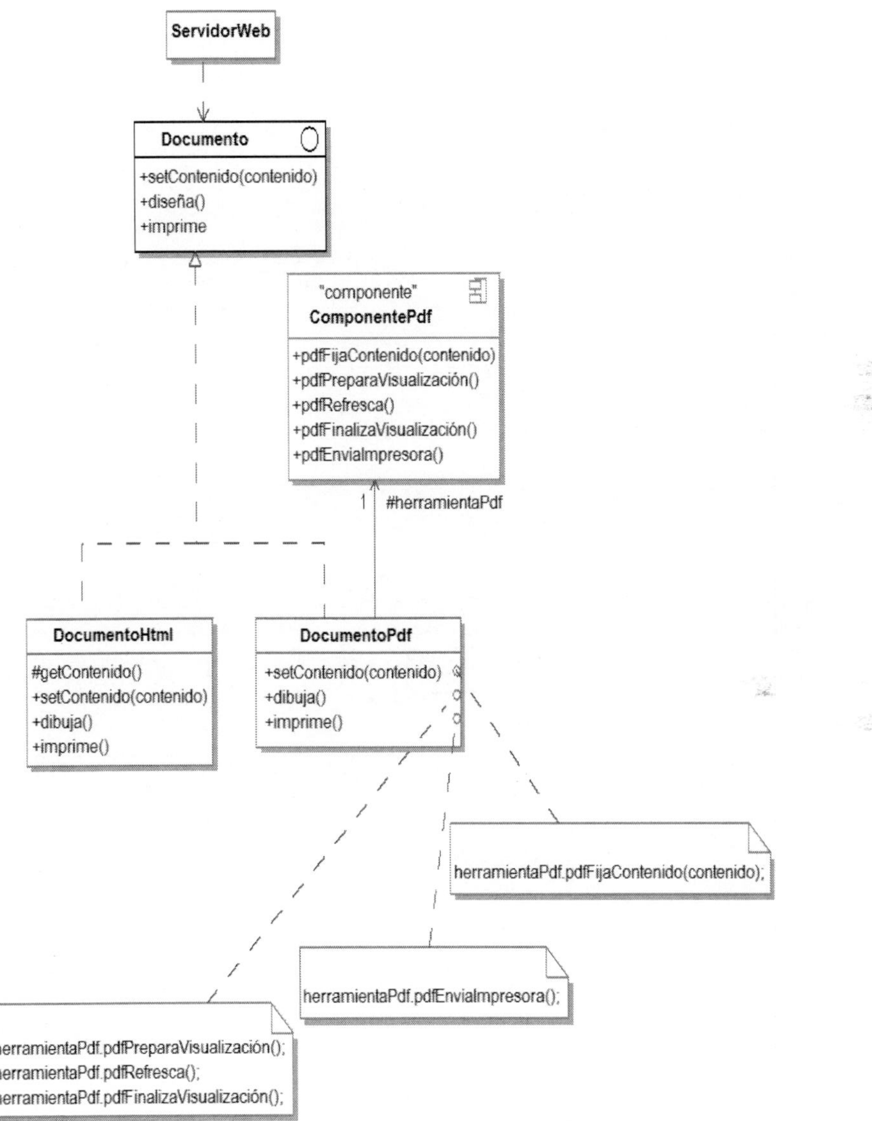

Figura 3-2.1 - El patrón `Adapter` *aplicado a un componente de documentos PDF*

3. Estructura

3.1 Diagrama de clases

La figura 3-2.2 detalla la estructura genérica del patrón.

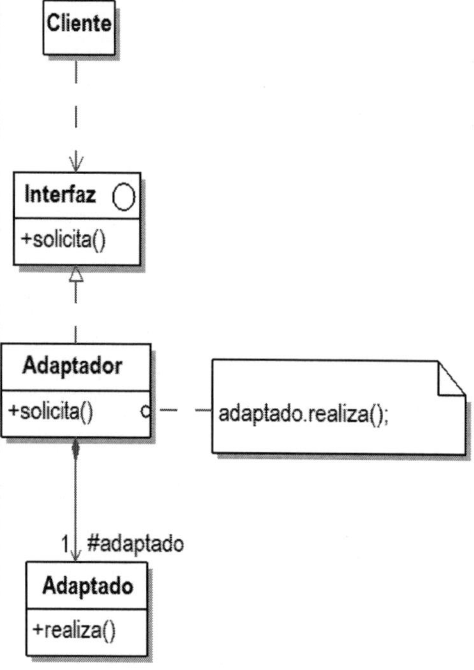

Figura 3-2.2 - Estructura del patrón `Adapter`

3.2 Participantes

Los participantes del patrón son los siguientes:

- `Interfaz (Documento)` incluye la firma de los métodos del objeto.
- `Cliente (ServidorWeb)` interactúa con los objetos respondiendo a la interfaz `Interfaz`.
- `Adaptador (DocumentoPdf)` implementa los métodos de la interfaz `Interfaz` invocando a los métodos del objeto adaptado.
- `Adaptado (ComponentePdf)` incluye el objeto cuya interfaz ha sido adaptada para corresponder a la interfaz `Interfaz`.

3.3 Colaboraciones

El cliente invoca el método `solicitud` del adaptador que, en consecuencia, interactúa con el objeto adaptado invocando el método `realiza`. La figura 3-2.3 ilustra estas colaboraciones.

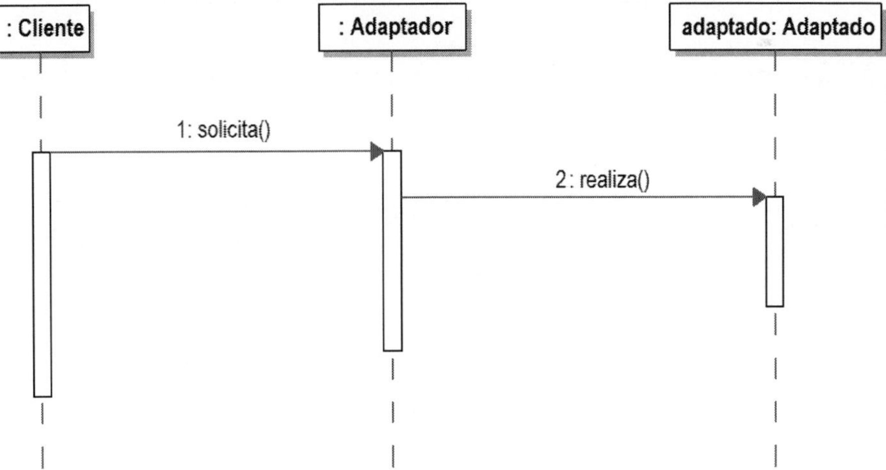

Figura 3-2.3 - Diagrama de secuencia del patrón `Adapter`

4. Dominios de aplicación

El patrón se utiliza en los siguientes casos:

- Para integrar en el sistema un objeto cuya interfaz no se corresponde con la interfaz requerida en el interior de este sistema.
- Para proveer interfaces múltiples a un objeto en su etapa de diseño.

5. Ejemplo en C#

A continuación presentamos el código del ejemplo escrito en C#.

Comenzamos por la interfaz `Documento`:

```
using System;

public interface Documento
{
  string contenido { set; }
  void dibuja();
  void imprime();
}
```

La clase `DocumentoHtml` es el ejemplo de clase que implementa la interfaz `Documento`.

```
using System;

public class DocumentoHtml : Documento
{
  protected string _contenido;

  public string contenido
  {
     protected get
     {
        return _contenido;
     }
     set
     {
        _contenido = value;
     }
```

```
    }

    public void dibuja()
    {
      Console.WriteLine("Dibuja el documento HTML: " +
           contenido);
    }

    public void imprime()
    {
      Console.WriteLine("Imprime el documento HTML: " +
        contenido);
    }
  }
```

La clase `ComponentePdf` representa el componente existente que se quiere integrar en la aplicación. Su diseño es independiente de la aplicación y, en particular, de la interfaz `Documento`. Esta clase tendrá que adaptarse a continuación.

```
using System;

public class ComponentePdf
{
  protected string contenido;

  public void pdfFijaContenido(string contenido)
  {
    this.contenido = contenido;
  }

  public void pdfPreparaVisualizacion()
  {
    Console.WriteLine("Visualiza PDF: Comienzo");
  }

  public void pdfRefresca()
  {
    Console.WriteLine("Visualiza contenido PDF: " +
      contenido);
  }

  public void pdfFinalizaVisualizacion()
```

```
    {
      Console.WriteLine("Visualiza PDF: Fin");
    }

    public void pdfEnviaImpresora()
    {
      Console.WriteLine("Impresión PDF: " + contenido);
    }
}
```

La clase DocumentoPdf representa el adaptador. Está asociada a la clase ComponentePdf mediante el atributo herramientaPdf que se asocia con el objeto adaptado.

Implementa la interfaz Documento y cada uno de sus métodos invoca a los métodos necesarios del objeto adaptado para realizar la adaptación entre ambas interfaces.

```
using System;

public class DocumentoPdf : Documento
{
  protected ComponentePdf herramientaPdf = new ComponentePdf();

  public string contenido
  {
     set
     {
       herramientaPdf.pdfFijaContenido(value);
     }
  }

  public void dibuja()
  {
     herramientaPdf.pdfPreparaVisualizacion();
     herramientaPdf.pdfRefresca();
     herramientaPdf.pdfFinalizaVisualizacion();
  }

  public void imprime()
  {
     herramientaPdf.pdfEnviaImpresora();
  }
}
```

El programa principal se corresponde con la clase `ServidorWeb` que crea un documento HTML, fija el contenido y a continuación lo dibuja.

A continuación, el programa realiza las mismas acciones con un documento PDF.

```
using System;

public class ServidorWeb
{
  static void Main(string[] args)
  {
    Documento documento1, documento2;
    documento1 = new DocumentoHtml();
    documento1.contenido = "Hello";
    documento1.dibuja();
    Console.WriteLine();
    documento2 = new DocumentoPdf();
    documento2.contenido = "Hola";
    documento2.dibuja();
  }
}
```

La ejecución de este programa principal da el resultado siguiente.

```
Dibuja documento HTML: Hello

Visualiza PDF: Comienzo
Visualiza contenido PDF: Hola
Visualiza PDF: Fin
```

Capítulo 3-3
El patrón Bridge

1. Descripción

El objetivo del patrón `Bridge` es separar el aspecto de implementación de un objeto de su aspecto de representación y de interfaz.

De este modo, por un lado la implementación puede encapsularse por completo y por otro lado la implementación y la representación pueden evolucionar de manera independiente y sin que ninguna suponga restricción alguna sobre la otra.

2. Ejemplo

Para realizar la solicitud de matriculación de un vehículo de ocasión, conviene precisar sobre esta solicitud cierta información importante como el número de placa existente. El sistema muestra un formulario para solicitar esta información.

Existen dos implementaciones de los formularios:

- formularios HTML;
- formularios basados en un applet.

Por tanto es posible introducir una clase abstracta `FormularioMatriculación` y dos subclases concretas `FormularioMatriculaciónHtml` y `FormularioMatriculaciónApplet`.

En una primera etapa, las solicitudes de matriculación sólo afectan a España. A continuación, se hace necesario introducir una nueva subclase de `FormularioMatriculación` correspondiente a las solicitudes de matriculación de Portugal, subclase llamada `FormularioMatriculaciónPortugal`. Esta subclase debe a su vez ser abstracta y tener dos subclases concretas por cada implementación. La figura 3-3.1 muestra el diagrama de clases correspondiente.

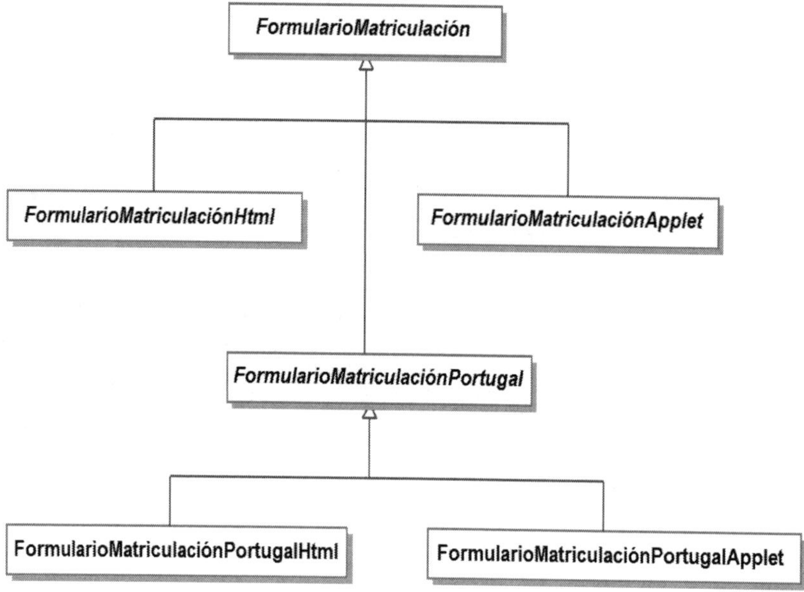

Figura 3-3.1 - Jerarquía de formularios integrando las subclases de implementación

Este diagrama pone de manifiesto dos problemas:

- La jerarquía mezcla al mismo nivel subclases de implementación y una subclase de representación: `FormularioMatriculaciónPortugal`. Además para cada representación es preciso introducir dos subclases de implementación, lo cual conduce rápidamente a una jerarquía muy compleja.
- Los clientes son dependientes de la implementación. En efecto, deben interactuar con las clases concretas de implementación.

La solución del patrón `Bridge` consiste en separar aquellos aspectos de representación de los de implementación y en crear dos jerarquías de clases tal y como ilustra la figura 3-3.2. Las instancias de la clase `FormularioMatriculación` mantienen el enlace `implementación` hacia una instancia que responde a la interfaz `FormularioImpl`.

La implementación de los métodos de `FormularioMatriculación` está basada en el uso de los métodos descritos en `FormularioImpl`.

En cuanto a la clase `FormularioMatriculación`, ahora es abstracta y existe una subclase concreta para cada país (`FormularioMatriculaciónEspaña` y `FormularioMatriculaciónPortugal`).

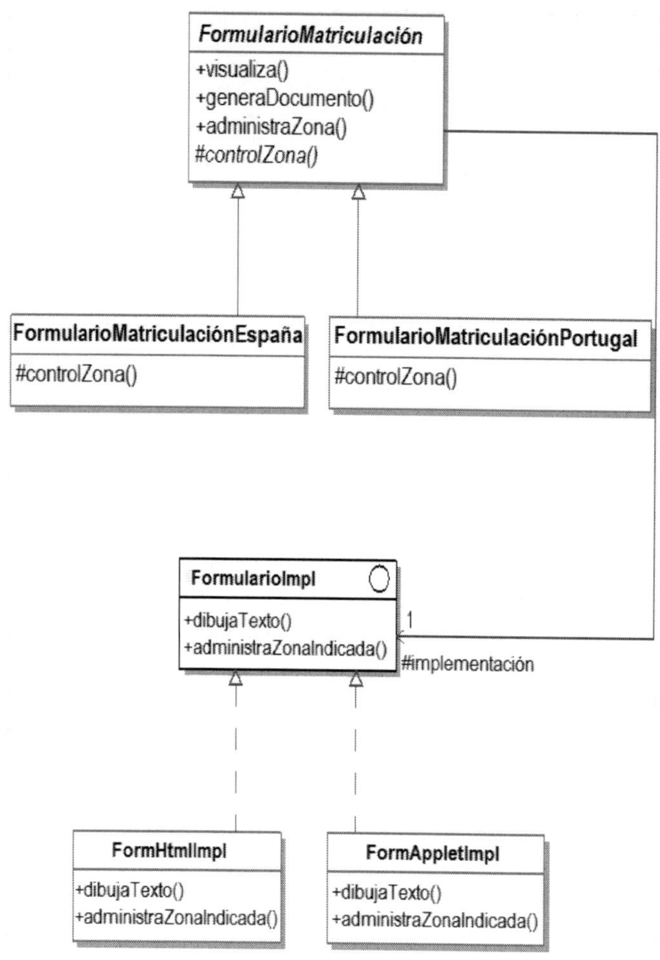

Figura 3-3.2 - El patrón `Bridge` *aplicado a la implementación de formularios*

3. Estructura

3.1 Diagrama de clases

La figura 3-3.3 detalla la estructura genérica del patrón.

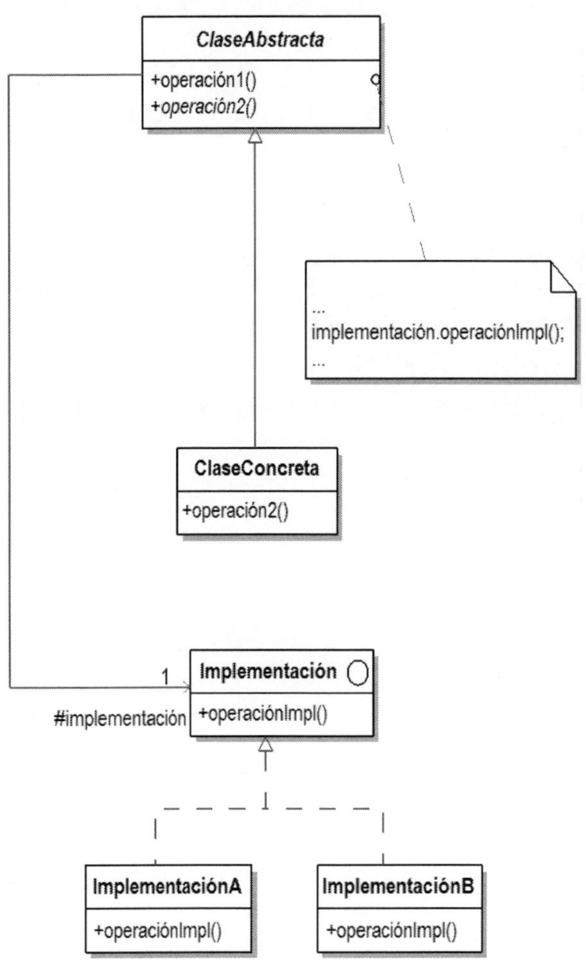

Figura 3-3.3 - Estructura del patrón `Bridge`

3.2 Participantes

Los participantes del patrón son los siguientes:

- ClaseAbstracta (FormularioMatriculación) es la clase abstracta que representa los objetos de dominio. Mantiene la interfaz para los clientes y contiene una referencia hacia un objeto que responde a la interfaz Implementación.
- ClaseConcreta (FormularioMatriculaciónEspaña y FormularioMatriculaciónPortugal) es la clase concreta que implementa los métodos de ClaseAbstracta.
- Implementación (FormularioImpl) define la interfaz de las clases de implementación. Los métodos de esta interfaz no deben corresponder con los métodos de ClaseAbstracta. Ambos conjuntos de métodos son diferentes. La implementación incluye por lo general métodos de bajo nivel y los métodos de ClaseAbstracta son de alto nivel.
- ImplementaciónA, ImplementaciónB (FormHtmlImpl, FormAppletImpl) son clases concretas que realizan los métodos incluidos en la interfaz Implementación.

3.3 Colaboraciones

Las operaciones de ClaseAbstracta y de sus subclases invocan a los métodos incluidos en la interfaz Implementación.

4. Dominios de aplicación

El patrón se utiliza en los siguientes casos:

- Para evitar que exista un vínculo demasiado fuerte entre la representación de los objetos y su implementación, en especial cuando la implementación se selecciona en el curso de ejecución de la aplicación.

- Para que los cambios en la implementación de los objetos no tengan impacto en las interacciones entre los objetos y sus clientes.
- Para permitir a la representación de los objetos y a su implementación conservar su capacidad de extensión mediante la creación de nuevas subclases.
- Para evitar obtener jerarquías de clases demasiado complejas como ilustra la figura 3-3.1.

5. Ejemplo en C#

A continuación presentamos un ejemplo escrito en C# basado en el diagrama de clases de la figura 3-3.2.

Comenzamos por la interfaz que describe la implementación de los formularios que contienen dos métodos, uno para visualizar un texto y otro para administrar una zona concreta.

```
using System;

public interface FormularioImpl
{
    void dibujaTexto(string texto);
    string administraZonaIndicada();
}
```

Mostramos a continuación la clase de implementación `FormHtmlImpl` que simula la visualización y la introducción manual mediante un formulario HTML.

```
using System;

public class FormHtmlImpl : FormularioImpl
{

    public void dibujaTexto(string texto)
    {
        Console.WriteLine("HTML: " + texto);
    }

    public string administraZonaIndicada()
```

```
        {
            return Console.ReadLine();
        }
    }
```

A continuación se detalla la clase de implementación `FormAppletImpl` que simula la visualización y la introducción manual mediante un formulario basado en un applet.

```
using System;

public class FormAppletImpl : FormularioImpl
{

    public void dibujaTexto(string texto)
    {
        Console.WriteLine("Applet: " + texto);
    }

    public string administraZonaIndicada()
    {
        return Console.ReadLine();
    }
}
```

Pasemos a la clase abstracta `FormularioMatriculacion`.

Su constructor toma como parámetro una instancia que gestiona la implementación y que se utiliza en otros métodos para dibujar el texto o gestionar la introducción manual por teclado.

Preste atención al método `controlZona` que verifica que el número de matrícula es correcto, lo cual depende del país. Este método es por tanto abstracto y se implementa en cada subclase.

```
using System;

public abstract class FormularioMatriculacion
{
    protected string contenido;
    protected FormularioImpl implementacion;

    public FormularioMatriculacion(FormularioImpl
        implementacion)
    {
        this.implementacion = implementacion;
    }

    public void visualiza()
    {
        implementacion.dibujaTexto(
        "número de matrícula existente: ");
    }

    public void generaDocumento()
    {
       implementacion.dibujaTexto("Solicitud de matriculación");
       implementacion.dibujaTexto("número de matrícula: " +
       contenido);
    }

    public bool administraZona()
    {
        contenido = implementacion.administraZonaIndicada();
        return this.controlZona(contenido);
    }

    protected abstract bool controlZona(string matricula);
}
```

La subclase concreta de formulario de matriculación en España implementa el método `controlZona` que verifica que el número de matrícula tiene una longitud igual a 7.

```
using System;

public class FormularioMatriculacionEspaña :
  FormularioMatriculacion
{
    public FormularioMatriculacionEspaña(FormularioImpl
    implementacion) : base(implementacion) { }

    protected override bool controlZona(string matricula)
    {
        return matricula.Length == 7;
    }
}
```

La subclase concreta de formulario de matriculación en Portugal implementa el método `controlZona` que verifica que el número de matrícula tiene una longitud igual a 6.

```
using System;

public class FormularioMatriculacionPortugal :
  FormularioMatriculacion
{
    public FormularioMatriculacionPortugal(FormularioImpl
    implementacion) : base(implementacion) { }

    protected override bool controlZona(string matricula)
    {
        return matricula.Length == 6;
    }
}
```

Por último, presentamos el programa principal de la clase `Usuario` que crea un formulario que permite generar un documento de solicitud de matriculación para Portugal y, si los datos introducidos son correctos, muestra el documento por pantalla.

A continuación, el programa realiza la misma acción con un documento de solicitud de matriculación para España.

```
using System;

public class Usuario
{
    static void Main(string[] args)
    {
        FormularioMatriculacionPortugal formulario1 = new
           FormularioMatriculacionPortugal(new FormHtmlImpl());
        formulario1.visualiza();
        if (formulario1.administraZona())
            formulario1.generaDocumento();
        Console.WriteLine();
        FormularioMatriculacionEspaña formulario2 = new
           FormularioMatriculacionEspaña(new FormAppletImpl());
        formulario2.visualiza();
        if (formulario2.administraZona())
            formulario2.generaDocumento();
    }
}
```

A continuación se muestra un ejemplo de ejecución (los números de matrícula introducidos son 5555XY y 2345BCD).

```
HTML: número de matrícula existente:
5555XY
HTML: Solicitud de matriculación
HTML: número de matrícula: 5555XY

Applet: número de matrícula existente:
2345BCD
Applet: Solicitud de matriculación
Applet: número de matrícula: 2345BCD
```

Capítulo 3-4
El patrón Composite

1. Descripción

El objetivo del patrón `Composite` es ofrecer un marco de diseño de una composición de objetos de profundidad variable, diseño que estará basado en un árbol.

Por otro lado, esta composición está encapsulada respecto a los clientes de los objetos que pueden interactuar sin tener que conocer la profundidad de la composición.

2. Ejemplo

En nuestro sistema de venta de vehículos, queremos representar las empresas cliente, en especial para conocer el número de vehículos de los que disponen y proporcionarles ofertas de mantenimiento para su parque de vehículos.

Las empresas que posean filiales solicitan ofertas de mantenimiento que tengan en cuenta el parque de vehículos de sus filiales.

Una solución inmediata consiste en procesar de forma diferente las empresas sin filiales y las que posean filiales. No obstante esta diferencia en el procesado entre ambos tipos de empresa vuelve a la aplicación más compleja y dependiente de la composición interna de las empresas cliente.

El patrón `Composite` resuelve este problema unificando ambos tipos de empresa y utilizando la composición recursiva. Esta composición recursiva es necesaria puesto que una empresa puede tener filiales que posean ellas mismas otras filiales. Se trata de una composición en árbol (tomamos la hipótesis de la ausencia de una filial común entre dos empresas) tal y como se ilustra en la figura 3-4.1 donde las empresas madre se sitúan sobre sus filiales.

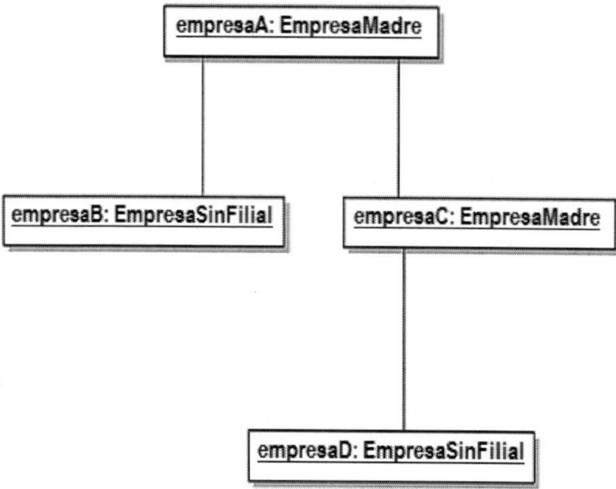

Figura 3-4.1 - Árbol de empresas madres y de sus filiales

La figura 3-4.2 presenta el diagrama de clases correspondiente. La clase abstracta `Empresa` contiene la interfaz destinada a los clientes. Posee dos subclases concretas, a saber `EmpresaSinFilial` y `EmpresaMadre`, esta última guarda una relación de agregación con la clase `Empresa` representando los enlaces con sus filiales.

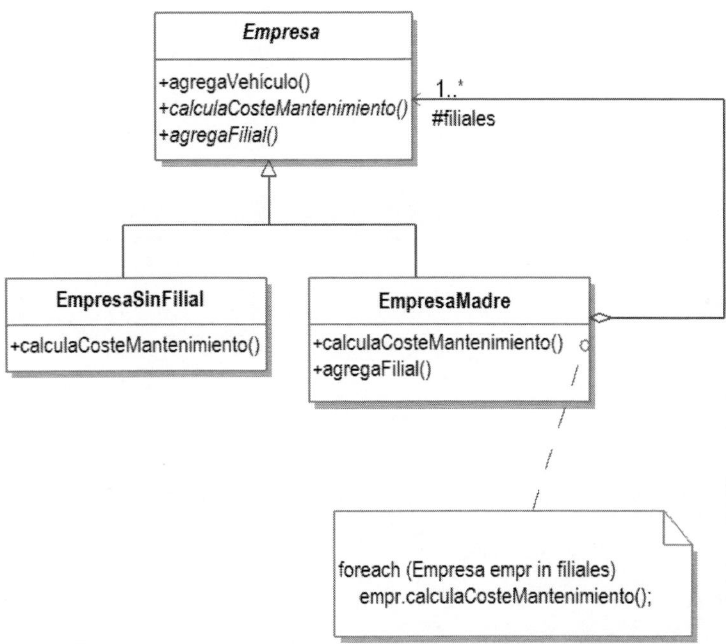

Figura 3-4.2 - El patrón `Composite` *aplicado a la representación de empresas y sus filiales*

La clase `Empresa` posee tres métodos públicos de los cuales sólo uno es concreto y los otros dos son abstractos. El método concreto es el método `agregaVehículo` que no depende de la composición en filiales de la empresa. En cuanto a los otros dos métodos, se implementan en las subclases concretas (`agregaFilial` sólo tiene una implementación vacía en `EmpresaSinFilial` y por tanto no se representa en el diagrama de clases).

3. Estructura

3.1 Diagrama de clases

La figura 3-4.3 detalla la estructura genérica del patrón.

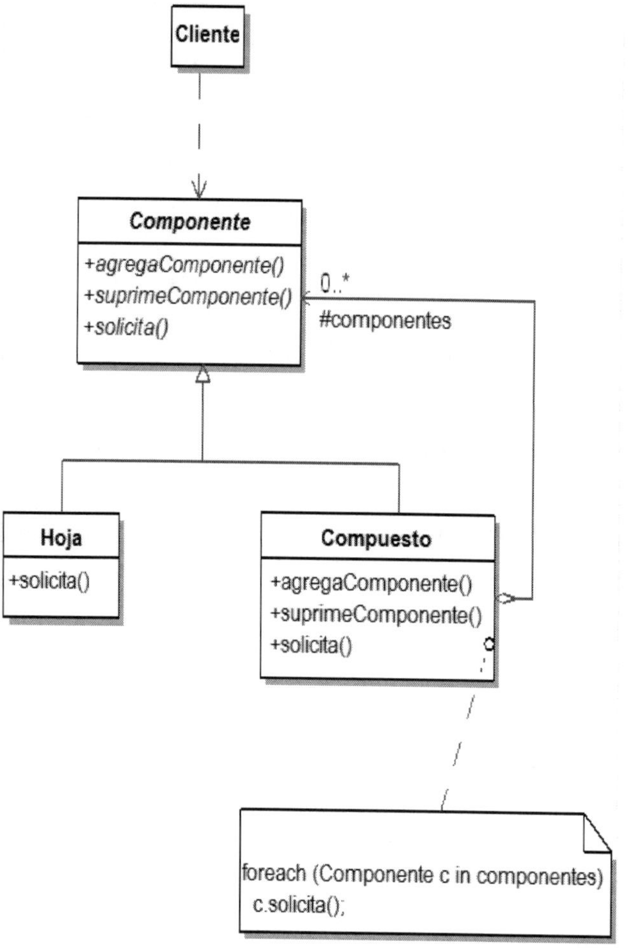

Figura 3-4.3 - Estructura del patrón `Composite`

3.2 Participantes

Los participantes del patrón son los siguientes:

- `Componente (Empresa)` es la clase abstracta que contiene la interfaz de los objetos de la composición, implementa los métodos comunes e introduce la firma de los métodos que gestionan la composición agregando o suprimiendo componentes.
- `Hoja (EmpresasSinFilial)` es la clase concreta que describe las hojas de la composición (una hoja no posee componentes).
- `Compuesto (EmpresaMadre)` es la clase concreta que describe los objetos compuestos de la jerarquía. Esta clase posee una asociación de agregación con la clase `Componente`.
- `Cliente` es la clase de los objetos que acceden a los objetos de la composición y que los manipulan.

3.3 Colaboraciones

Los clientes envían sus peticiones a los componentes a través de la interfaz de la clase `Componente`.

Cuando un componente recibe una petición, reacciona en función de su clase. Si el componente es una hoja, procesa la petición tal y como se ilustra en la figura 3-4.4.

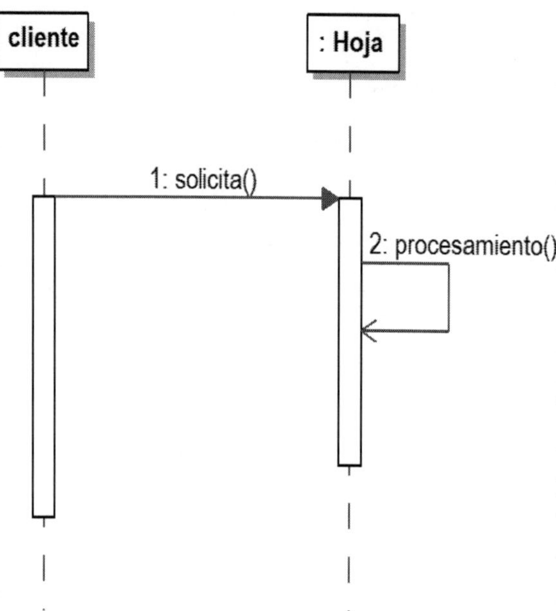

Figura 3-4.4 - Procesado de un mensaje por parte de una hoja

Si el componente es una instancia de la clase `Compuesto`, realiza un procesado previo, generalmente envía un mensaje a cada uno de sus componentes y realiza un procesamiento posterior. La figura 3-4.5 ilustra este comportamiento de llamada recursiva a otros componentes que van a procesar, en su turno, esta petición bien como hoja o bien como compuesto.

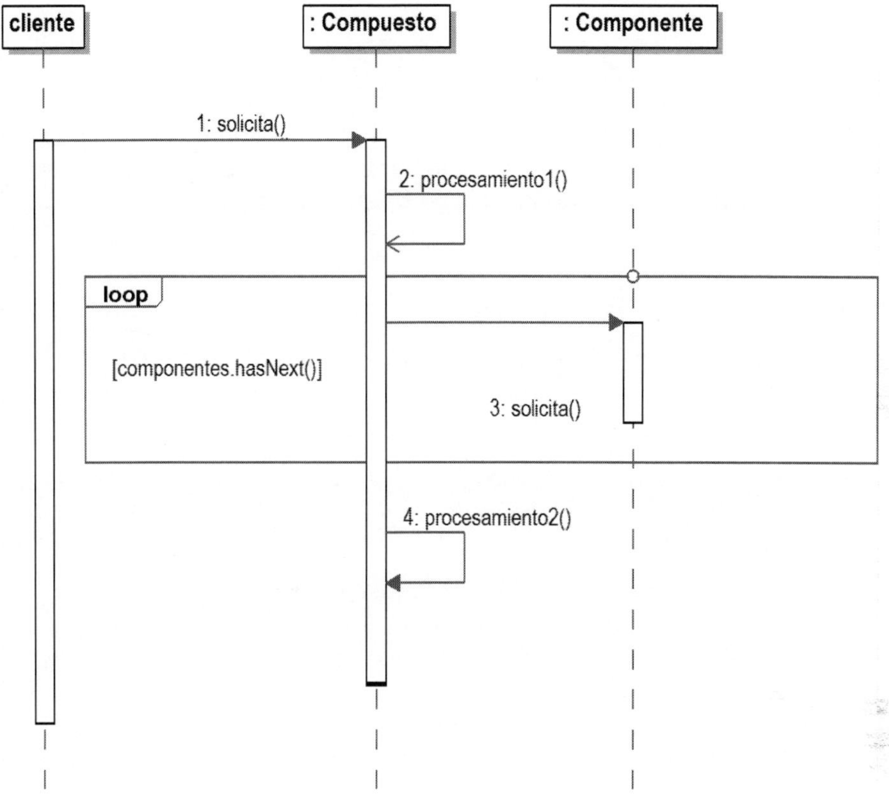

Figura 3-4.5 - Procesado de un mensaje por parte de un compuesto

4. Dominios de aplicación

El patrón se utiliza en los siguientes casos:

- Es necesario representar jerarquías de composición en un sistema.
- Los clientes de una composición deben ignorar si se comunican con objetos compuestos o no.

5. Ejemplo en C#

Retomemos el ejemplo de las empresas y la gestión de su parque de vehículos.

El código fuente en C# de la clase abstracta `Empresa` aparece a continuación. Conviene observar que el método `agregaFilial` reenvía un resultado booleano que indica si ha sido posible realizar o no la agregación.

```
using System;

public abstract class Empresa
{
    protected static double costeUnitarioVehiculo = 5.0;
    protected int nVehiculos;

    public void agregaVehiculo()
    {
        nVehiculos = nVehiculos + 1;
    }

    public abstract double calculaCosteMantenimiento();

    public abstract bool agregaFilial(Empresa filial);
}
```

El código fuente de la clase `EmpresaSinFilial` aparece a continuación. Las instancias de esta clase no pueden agregar filiales.

```
using System;

public class EmpresaSinFilial : Empresa
{
    public override bool agregaFilial(Empresa filial)
    {
        return false;
    }

    public override double calculaCosteMantenimiento()
    {
        return nVehiculos * costeUnitarioVehiculo;
    }
}
```

A continuación, aparece el código fuente escrito en C# de la clase `EmpresaMadre`. El método interesante es `calculaCosteMantenimiento` cuyo resultado es la suma del coste de las filiales de la empresa madre.

```
using System;
using System.Collections.Generic;

public class EmpresaMadre : Empresa
{
    protected IList<Empresa> filiales =
      new List<Empresa>();

    public override bool agregaFilial(Empresa filial)
    {
        filiales.Add(filial);
        return true;
    }

    public override double calculaCosteMantenimiento()
    {
        double coste = 0.0;
        foreach (Empresa filial in filiales)
            coste = coste + filial.calculaCosteMantenimiento();
        return coste + nVehiculos * costeUnitarioVehiculo;
    }
}
```

Por último, mostramos el código fuente de un cliente. Éste crea una empresa madre que posee un vehículo y dos filiales. La primera filial posee un vehículo mientras que la segunda filial posee dos. La empresa madre posee por tanto cuatro vehículos, con un coste de mantenimiento total de 20 (el coste de un vehículo es de 5).

```
using System;

public class Usuario
{
    static void Main(string[] args)
    {
        Empresa empresa1 = new EmpresaSinFilial();
        empresa1.agregaVehiculo();
        Empresa empresa2 = new EmpresaSinFilial();
        empresa2.agregaVehiculo();
```

```
        empresa2.agregaVehiculo();
        Empresa grupo = new EmpresaMadre();
        grupo.agregaFilial(empresa1);
        grupo.agregaFilial(empresa2);
        grupo.agregaVehiculo();
        Console.WriteLine(
            "Coste de mantenimiento total del grupo: " +
        grupo.calculaCosteMantenimiento());
    }
}
```

La ejecución del programa proporciona el siguiente resultado de 20:

```
Coste de mantenimiento total del grupo: 20
```

Capítulo 3-5
El patrón Decorator

1. Descripción

El objetivo del patrón `Decorator` es agregar dinámicamente funcionalidades suplementarias a un objeto. Esta agregación de funcionalidades no modifica la interfaz del objeto y es transparente de cara a los clientes.

El patrón `Decorator` constituye una alternativa respecto a la creación de una subclase para enriquecer el objeto.

2. Ejemplo

El sistema de venta de vehículos dispone de una clase `VistaCatálogo` que muestra, bajo el formato de un catálogo electrónico, los vehículos disponibles en una página Web.

Queremos a continuación visualizar datos suplementarios para los vehículos "de alta gama", a saber la información técnica ligada al modelo. Para agregar esta funcionalidad, podemos crear una subclase de visualización específica para los vehículos "de alta gama". Así mismo, queremos mostrar el logotipo de la marca en los vehículos "de gamas media y alta". Conviene crear una nueva subclase para estos vehículos, superclase de la clase de vehículos "de alta gama", lo cual se vuelve rápidamente complejo.

Es fácil darse cuenta de que la herencia no está adaptada a lo que se demanda por dos motivos:

- La herencia es una herramienta demasiado potente para agregar esta funcionalidad,
- La herencia es un mecanismo estático.

El patrón `Decorator` proporciona otro enfoque que consiste en agregar un nuevo objeto llamado decorador que se sustituye por el objeto inicial y que lo referencia. Este decorador posee la misma interfaz lo cual vuelve a la sustitución transparente de cara a los clientes. En nuestro caso, el método `visualiza` lo intercepta el decorador que solicita al objeto inicial su visualización y a continuación la enriquece con información complementaria.

La figura 3-5.1 ilustra el uso del patrón `Decorator` para enriquecer la visualización de vehículos. La interfaz `ComponenteGráficoVehículo` constituye la interfaz común a la clase `VistaVehículo`, que queremos enriquecer, y a la clase abstracta `Decorador`, interfaz constituida únicamente por el método `visualiza`.

La clase `Decorador` posee una referencia hacia un componente gráfico. Esta referencia la utiliza el método `visualiza` que delega la visualización en este componente.

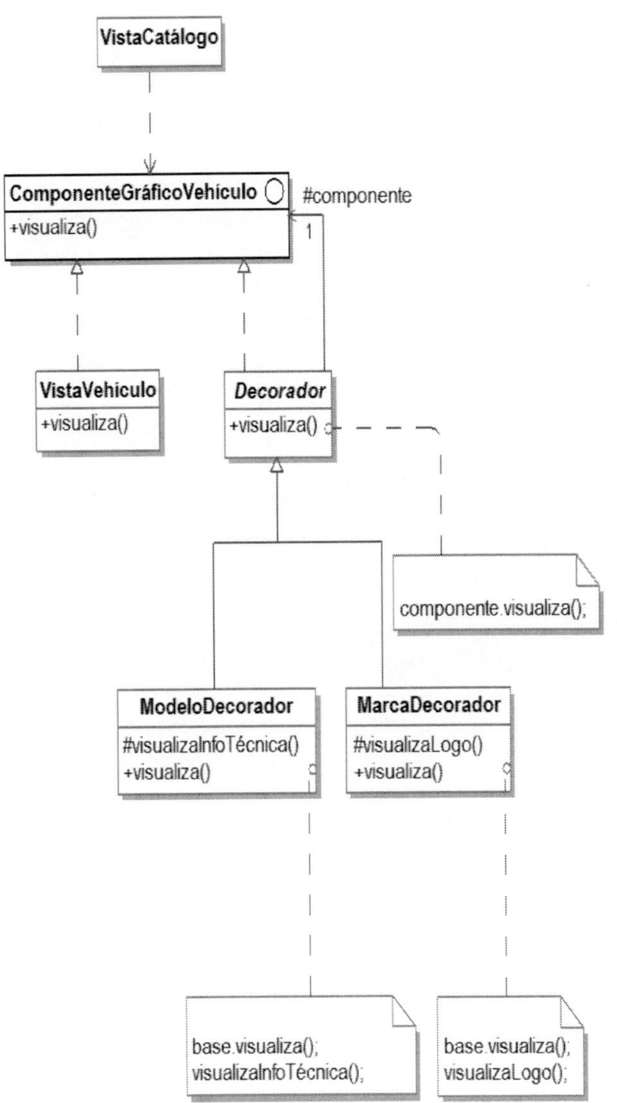

Figura 3-5.1 - El patrón `Decorator` *para la visualización de vehículos en un catálogo electrónico*

Existen dos clases concretas de decorador, subclases de `Decorador`. Su método `visualiza` empieza llamando al método `visualiza` de `Decorador` y a continuación muestra los datos complementarios tales como la información técnica del vehículo o el logotipo de la marca.

La figura 3-5.2 muestra la secuencia de llamadas de mensaje destinadas a la visualización de un vehículo para el cual se tiene que mostrar el logo de la marca.

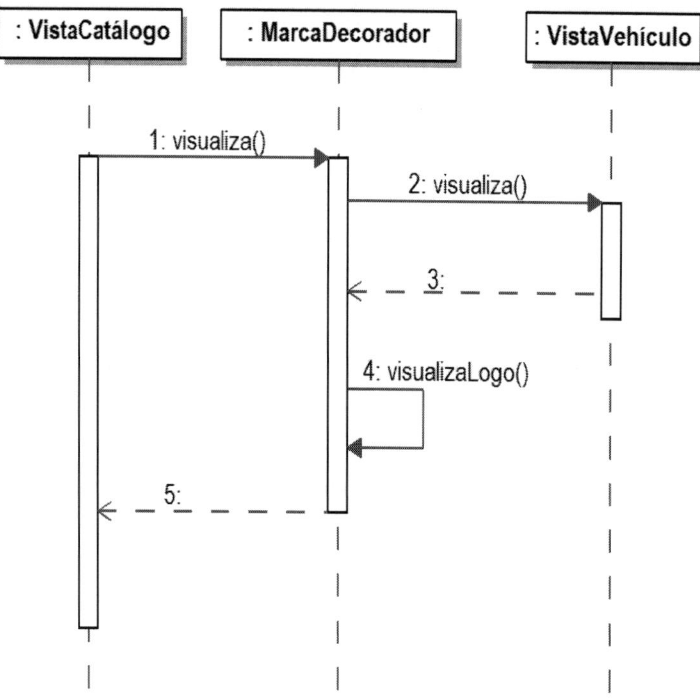

Figura 3-5.2 - Diagrama de secuencia de visualización de un vehículo con el logotipo de su marca

La figura 3-5.3 muestra la secuencia de llamadas de mensaje destinadas a la visualización de un vehículo para el cual se tiene que mostrar la información técnica del modelo y el logotipo de su marca.

Esta figura ilustra bien el hecho de que los decoradores son componentes puesto que pueden transformar el componente en un nuevo decorador, lo cual da lugar a una cadena de decoradores. Esta posibilidad de encadenar componentes en la que es posible agregar o eliminar dinámicamente un decorador proporciona una gran flexibilidad.

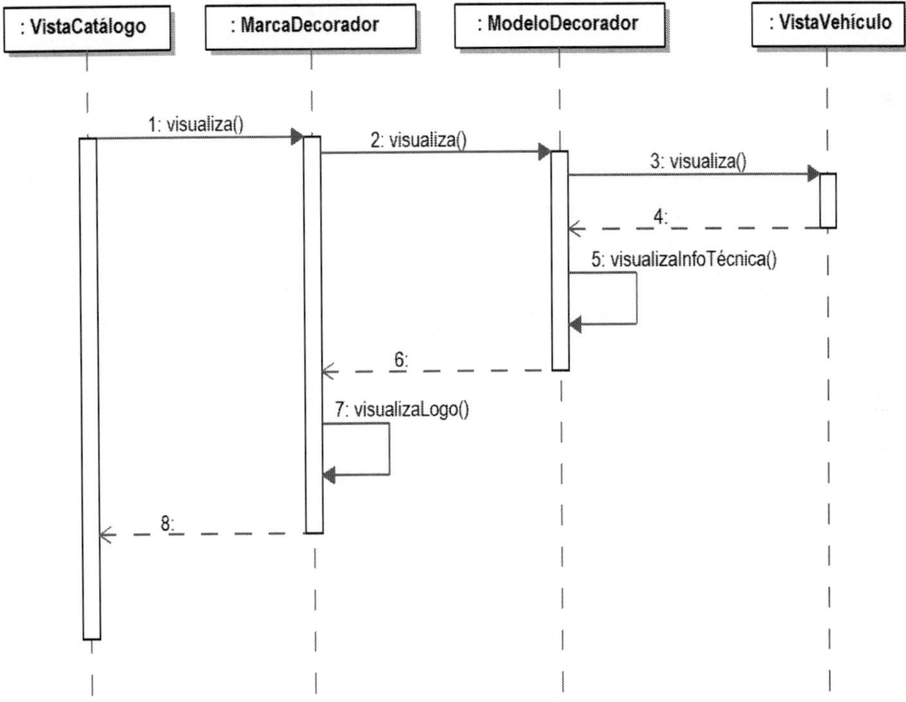

Figura 3-5.3 - Diagrama de secuencia de la visualización de un vehículo con información técnica de su modelo y el logotipo de su marca

3. Estructura

3.1 Diagrama de clases

La figura 3-5.4 detalla la estructura genérica del patrón.

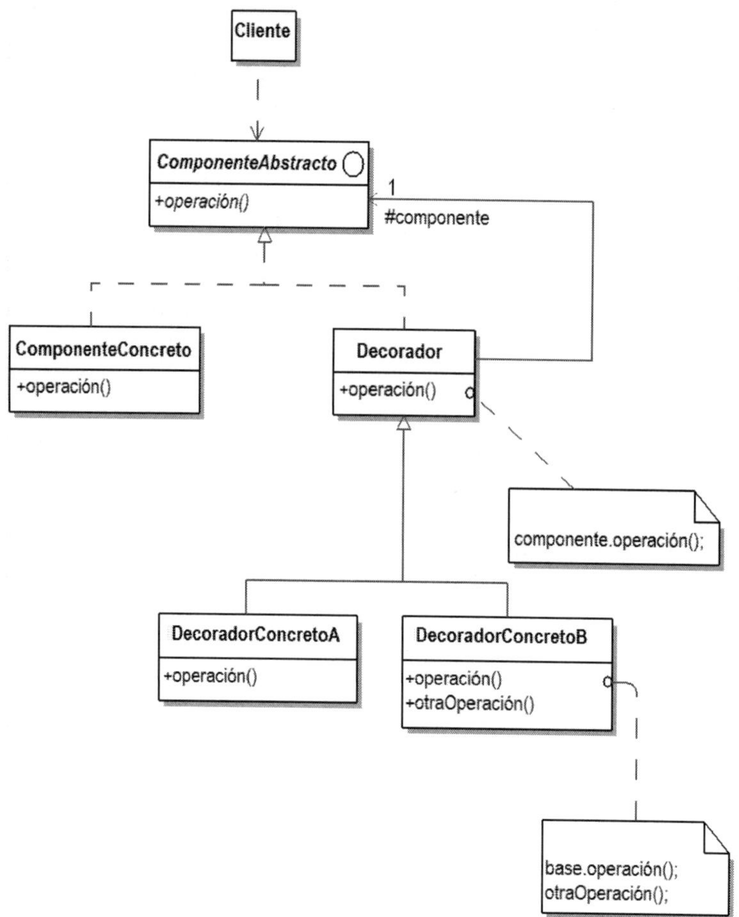

Figura 3-5.4 - Estructura del patrón `Decorator`

3.2 Participantes

Los participantes del patrón son los siguientes:

- ComponenteAbstracto (ComponenteGráficoVehículo) es la interfaz común al componente y a los decoradores.
- ComponenteConcreto (VistaVehículo) es el objeto inicial al que se deben agregar las nuevas funcionalidades.
- Decorador es una clase abstracta que guarda una referencia hacia el componente.
- DecoradorConcretoA y DecoradorConcretoB (ModeloDecorador y MarcaDecorador) son subclases concretas de Decorador que tienen como objetivo implementar las funcionalidades agregadas al componente.

3.3 Colaboraciones

El decorador se sustituye por el componente. Cuando recibe un mensaje destinado a este último, lo redirige al componente realizando operaciones previas o posteriores a esta redirección.

4. Dominios de aplicación

El patrón Decorator puede utilizarse en los siguientes dominios:

- Un sistema agrega dinámicamente funcionalidades a un objeto, sin modificar su interfaz, es decir sin que los clientes de este objeto tengan que verse modificados.
- Un sistema gestiona funcionalidades que pueden eliminarse dinámicamente.
- El uso de la herencia para extender los objetos no es práctico, lo cual puede ocurrir cuando su jerarquía ya es de por sí compleja.

5. Ejemplo en C#

Presentamos a continuación el código fuente en C# del ejemplo, comenzando por la interfaz ComponenteGraficoVehiculo.

```
public interface ComponenteGraficoVehiculo
{
    void visualiza();
}
```

La clase VistaVehiculo implementa el método visualiza de la interfaz ComponenteGraficoVehiculo.

```
using System;

public class VistaVehiculo : ComponenteGraficoVehiculo
{
    public void visualiza()
    {
        Console.WriteLine("Visualización del vehículo");
    }
}
```

La clase Decorador implementa a su vez el método visualiza delegando la llamada. Tiene un atributo que contiene una referencia hacia un componente. Este último se pasa como parámetro al constructor de Decorador.

```
public abstract class Decorador :
  ComponenteGraficoVehiculo
{
    protected ComponenteGraficoVehiculo componente;

    public Decorador(ComponenteGraficoVehiculo componente)
    {
        this.componente = componente;
    }

    public virtual void visualiza()
    {
        componente.visualiza();
    }
}
```

El método `visualiza` del decorador concreto `ModeloDecorador` llama a la visualización del componente (mediante el método `visualiza` de `Decorador`) y a continuación muestra la información técnica del modelo.

```
using System;

public class ModeloDecorador : Decorador
{
    public ModeloDecorador(ComponenteGraficoVehiculo
    componente)
        : base(componente) { }

    protected void visualizaInformacionTecnica()
    {
        Console.WriteLine("Información técnica del modelo");
    }

    public override void visualiza()
    {
        base.visualiza();
        this.visualizaInformacionTecnica();
    }
}
```

El método `visualiza` del decorador concreto `MarcaDecorador` llama a la visualización del componente y a continuación muestra el logotipo de la marca.

```
using System;

public class MarcaDecorador : Decorador
{
    public MarcaDecorador(ComponenteGraficoVehiculo
    componente)
        : base(componente) { }

    protected void visualizaLogo()
    {
        Console.WriteLine("Logotipo de la marca");
    }

    public override void visualiza()
    {
        base.visualiza();
```

```
        this.visualizaLogo();
    }
}
```

Por último, la clase `VistaCatalogo` es el programa principal. Este programa crea un vehículo, un decorador de modelo que toma la vista como componente, y un decorador de marca que toma el decorador de modelo como componente. A continuación, este programa solicita la visualización al decorador de marca.

```
using System;

public class VistaCatalogo
{
    static void Main(string[] args)
    {
        VistaVehiculo vistaVehiculo = new VistaVehiculo();
        ModeloDecorador modeloDecorador = new
          ModeloDecorador(vistaVehiculo);
        MarcaDecorador marcaDecorador = new
          MarcaDecorador(modeloDecorador);
        marcaDecorador.visualiza();
    }
}
```

El resultado es el siguiente:

```
Visualización del vehículo
Información técnica del modelo
Logotipo de la marca
```

Capítulo 3-6
El patrón Facade

1. Descripción

El objetivo del patrón `Facade` es agrupar las interfaces de un conjunto de objetos en una interfaz unificada volviendo a este conjunto más fácil de usar por parte de un cliente.

El patrón `Facade` encapsula la interfaz de cada objeto considerada como interfaz de bajo nivel en una interfaz única de nivel más elevado. La construcción de la interfaz unificada puede necesitar implementar métodos destinados a componer las interfaces de bajo nivel.

2. Ejemplo

Queremos ofrecer la posibilidad de acceder al sistema de venta de vehículos como servicio Web. El sistema está arquitecturizado bajo la forma de un conjunto de componentes que poseen su propia interfaz como:

- el componente `Catálogo`;
- el componente `GestiónDocumento`;
- el componente `RecogidaVehículo`.

Es posible dar acceso al conjunto de la interfaz de estos componentes a los clientes del servicio Web aunque esta posibilidad presenta dos inconvenientes principales:

- Algunas funcionalidades no las utilizan los clientes del servicio Web, como por ejemplo las funcionalidades de visualización del catálogo.
- La arquitectura interna del sistema responde a las exigencias de modularidad y evolución que no forman parte de las necesidades de los clientes del servicio Web para los que estas exigencias suponen una complejidad inútil.

El patrón `Facade` resuelve este problema proporcionando una interfaz unificada más sencilla y con un nivel de abstracción más elevado. Una clase se encarga de implementar esta interfaz unificada utilizando los componentes del sistema.

Esta solución se ilustra en la figura 3-6.1. La clase `WebServiceAuto` ofrece una interfaz a los clientes del servicio Web. Esta clase y su interfaz constituyen una fachada de cara a los clientes.

La interfaz de la clase `WebServiceAuto` está constituida por el método `buscaVehículos(precioMedio, desviaciónMax)` cuyo código consiste en invocar al método `buscaVehículos(precioMin, precioMax)` del catálogo adaptando el valor de los argumentos de este método en función del precio medio y de la desviación máxima.

Observación

Conviene observar que si bien la idea del patrón es construir una interfaz de más alto nivel de abstracción, nada nos impide proporcionar en la fachada accesos directos a ciertos métodos de los componentes del sistema.

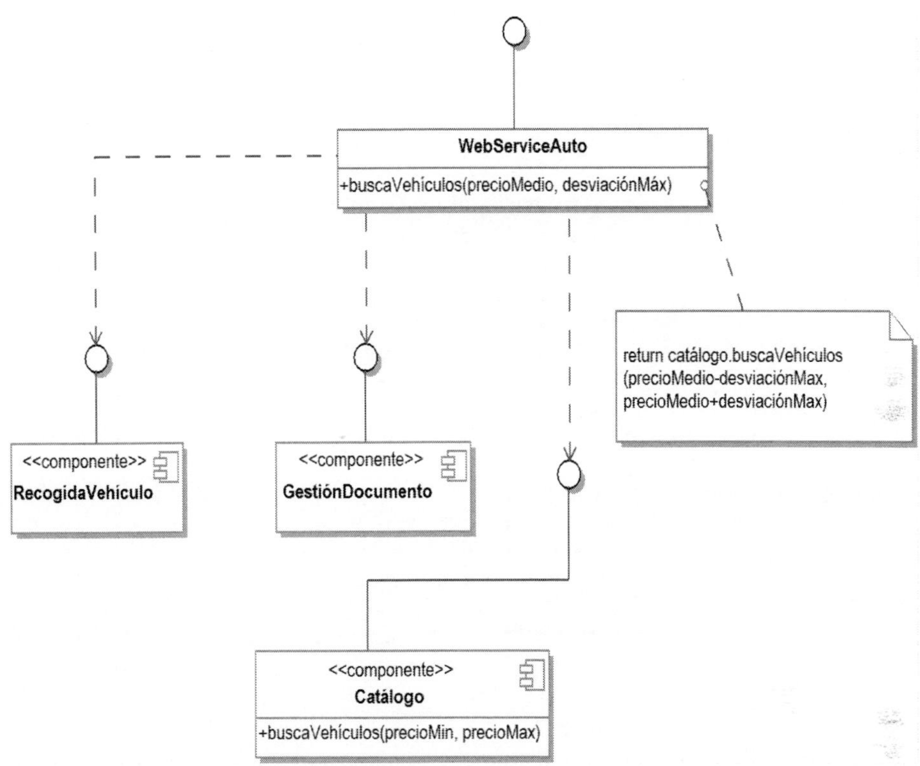

Figura 3-6.1 - Aplicación del patrón Facade *a la implementación del servicio Web del sistema de venta de vehículos*

3. Estructura

3.1 Diagrama de clases

La figura 3-6.2 detalla la estructura genérica del patrón.

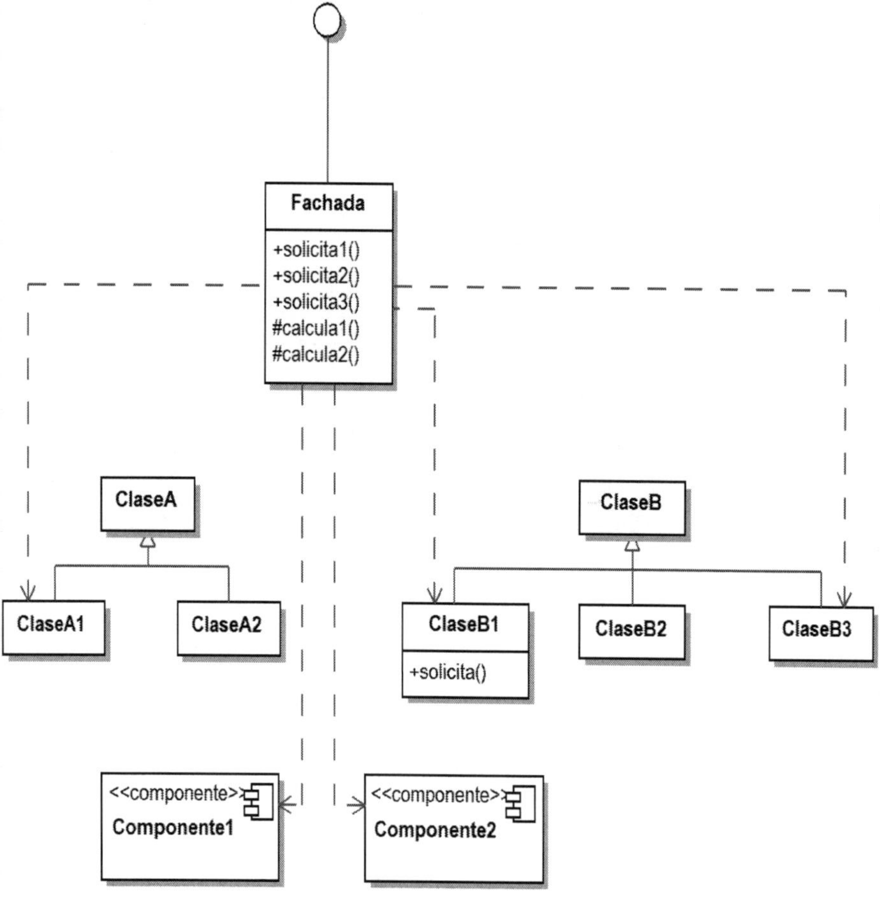

Figura 3-6.2 - Estructura del patrón `Facade`

3.2 Participantes

Los participantes del patrón son los siguientes:

- `Fachada` (`WebServiceAuto`) y su interfaz constituyen la parte abstracta expuesta a los clientes del sistema. Esta clase posee referencias hacia las clases y componentes que forman el sistema y cuyos métodos se utilizan en la fachada para implementar la interfaz unificada;
- las clases y componentes del sistema (`RecogidaVehículo`, `GestiónDocumento` y `Catálogo`) implementan las funcionalidades del sistema y responden a las consultas de la fachada. No necesitan a la fachada para trabajar.

3.3 Colaboraciones

Los clientes se comunican con el sistema a través de la fachada que se encarga, de forma interna, de invocar a las clases y los componentes del sistema. La fachada no puede limitarse a transmitir las invocaciones. También debe realizar la adaptación entre su interfaz y la interfaz de los objetos del sistema mediante código específico. El diagrama de secuencia de la figura 3-6.3 ilustra esta adaptación para un ejemplo cuyo código específico a la fachada debe ser invocado (métodos `calcula1` y `calcula2`).

Observación

Los clientes que utilizan la fachada no deben acceder directamente a los objetos del sistema.

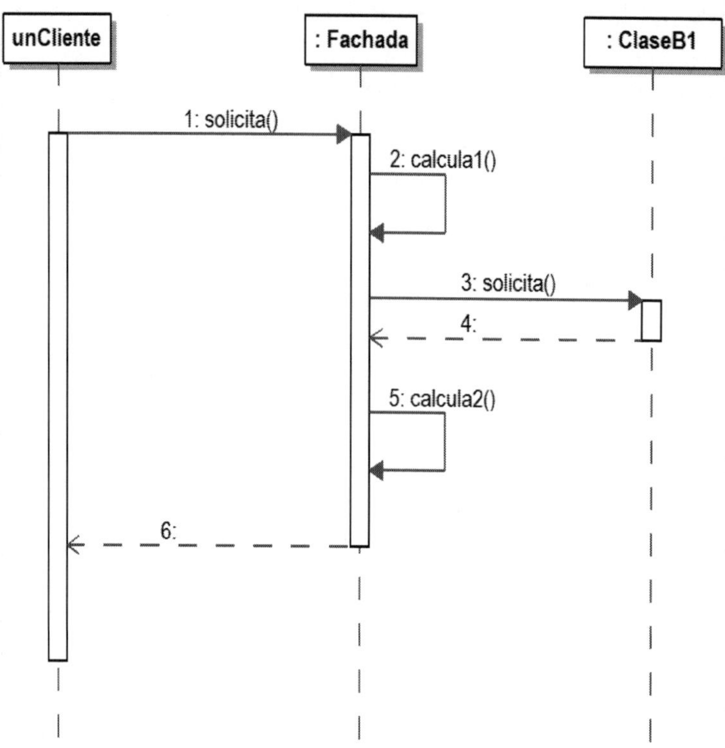

Figura 3-6.3 - Llamada al código específico necesaria para la adaptación de los métodos de la fachada

4. Dominios de aplicación

El patrón se utiliza en los siguientes casos:

– Para proveer una interfaz simple de un sistema complejo. La arquitectura de un sistema puede estar basada en numerosas clases pequeñas, que ofrecen una buena modularidad y capacidad de evolución. No obstante estas propiedades tan estupendas no interesan en absoluto a los clientes, que sólo necesitan un acceso simple que responda a sus exigencias.

- Para dividir un sistema en subsistemas, la comunicación entre subsistemas se define de forma abstracta a su implementación gracias a las fachadas.
- Para sistematizar la encapsulación de la implementación de un sistema de cara al exterior.

5. Ejemplo en C#

Retomamos el ejemplo del servicio Web que vamos a simular con ayuda de un pequeño programa escrito en C#. Se muestra en primer lugar el código fuente de los componentes del sistema, comenzando por la clase `ComponenteCatalogo` y su interfaz `Catalogo`.

La base de datos que constituye el catálogo se reemplaza por una sencilla tabla de objetos. El método `buscaVehiculos` realiza la búsqueda de uno o de varios vehículos en función de su precio gracias a un simple bucle.

```
using System;
using System.Collections.Generic;

public interface Catalogo
{
    IList<string> buscaVehiculos(int precioMin, int
      precioMax);
}



using System;
using System.Collections.Generic;

public class ComponenteCatalogo : Catalogo
{
    protected object[] descripcionVehiculo =
  {
    "Berlina 5 puertas", 6000, "Compacto 3 puertas", 4000,
    "Espace 5 puertas", 8000, "Break 5 puertas", 7000,
    "Coupé 2 puertas", 9000, "Utilitario 3 puertas", 5000
  };

    public IList<string> buscaVehiculos(int precioMin,
      int precioMax)
    {
```

```
        int indice, tamaño;
        IList<string> resultado = new List<string>();
        tamaño = descripcionVehiculo.Length / 2;
        for (indice = 0; indice < tamaño; indice++)
        {
            int precio = (int)descripcionVehiculo[2 * indice + 1];
            if ((precio >= precioMin) && (precio <= precioMax))
                resultado.Add((string)descripcionVehiculo[2 *
                indice]);
        }
        return resultado;
    }
}
```

Continuamos con el componente de gestión de documentos constituido por la interfaz `GestionDocumento` y la clase `ComponenteGestionDocumento`. Este componente constituye la simulación de una base de documentos.

```
using System;

public interface GestionDocumento
{
  string documento(int indice);
}


using System;

public class ComponenteGestionDocumento : GestionDocumento
{

    public string documento(int indice)
    {
        return "Documento número " + indice;
    }
}
```

La interfaz de la fachada llamada `WebServiceAuto` define la firma de dos métodos destinados a los clientes del servicio Web.

```
using System;
using System.Collections.Generic;

public interface WebServiceAuto
{
  string documento(int indice);
  IList<string> buscaVehiculos(int precioMedio, int
    desviacionMax);
}
```

La clase `WebServiceAutoImpl` implementa ambos métodos. Destacamos el cálculo del precio mínimo y máximo para poder invocar al método `busca-Vehiculos` de la clase `ComponenteCatalogo`.

```
using System;
using System.Collections.Generic;

public class WebServiceAutoImpl : WebServiceAuto
{
    protected Catalogo catalogo = new ComponenteCatalogo();
    protected GestionDocumento gestionDocumento = new
      ComponenteGestionDocumento();

    public string documento(int indice)
    {
        return gestionDocumento.documento(indice);
    }

    public IList<string> buscaVehiculos(int precioMedio,
      int desviacionMax)
    {
        return catalogo.buscaVehiculos(precioMedio -
          desviacionMax, precioMedio + desviacionMax);
    }
}
```

Por último, un cliente del servicio Web puede escribirse en C# como sigue:

```
using System;
using System.Collections.Generic;

public class UsuarioWebService
{
  static void Main(string[] args)
  {
    WebServiceAuto webServiceAuto = new
      WebServiceAutoImpl();
    Console.WriteLine(webServiceAuto.documento(0));
    Console.WriteLine(webServiceAuto.documento(1));
    IList<string> resultados =
      webServiceAuto.buscaVehiculos(6000, 1000);
    if (resultados.Count > 0)
    {
      Console.WriteLine(
        "Vehículo(s) cuyo precio está comprendido "+
        "entre 5000 y 7000");
      foreach (string resultado in resultados)
        Console.WriteLine("    " + resultado);
    }
  }
}
```

Este cliente muestra dos documentos así como los vehículos cuyo precio está comprendido entre 5.000 y 7.000. El resultado de la ejecución de este programa principal es el siguiente:

```
Documento número 0
Documento número 1
Vehículo(s) cuyo precio está comprendido entre 5000 y 7000
   Berlina 5 puertas
   Break 5 puertas
   Utilitario 3 puertas
```

Capítulo 3-7 El patrón Flyweight

1. Descripción

El objetivo del patrón `Flyweight` es compartir de forma eficaz un conjunto de objetos de granularidad fina.

2. Ejemplo

En el sistema de venta de vehículos, es necesario administrar las opciones que el comprador puede elegir cuando está comprando un nuevo vehículo.

Estas opciones están descritas por la clase `OpciónVehículo` que contiene varios atributos tales como el nombre, la explicación, un logotipo, el precio estándar, las incompatibilidades con otras opciones, con ciertos modelos, etc.

Por cada vehículo solicitado, es posible asociar una nueva instancia de esta clase. No obstante a menudo existe un gran número de opciones para cada vehículo solicitado, lo cual obliga al sistema a gestionar un conjunto enorme de objetos de pequeño tamaño (de granularidad fina). Este enfoque presenta sin embargo la ventaja de poder almacenar a nivel de opción la información específica a sí misma y al vehículo, como por ejemplo el precio de venta de la opción que puede diferir de un vehículo a otro.

Esta solución se presenta con un pequeño ejemplo en la figura 3-7.1 y es fácil darse cuenta de que es necesario gestionar un gran número de instancias de `OpciónVehículo` mientras que entre ellas contienen datos idénticos.

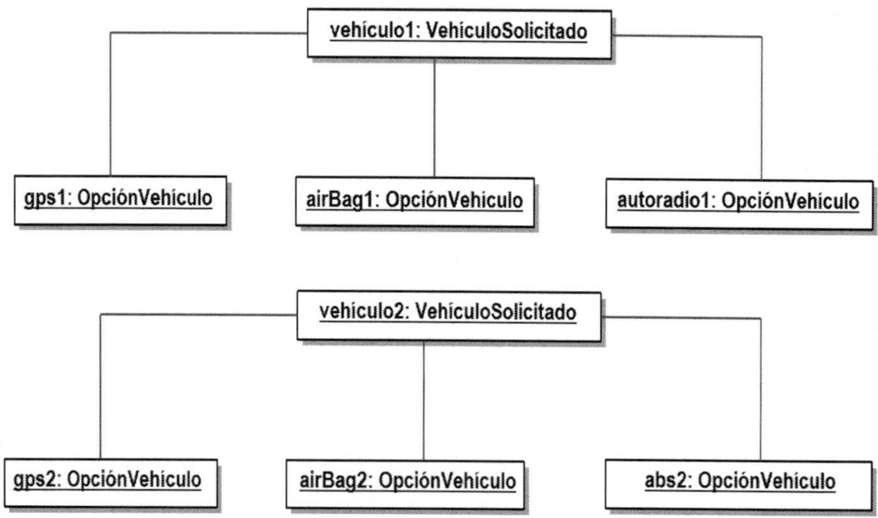

Figura 3-7.1 - Ejemplo de ausencia de compartición en objetos de granularidad fina

El patrón `Flyweight` proporciona una solución a este problema compartiendo las opciones:

- La compartición se realiza mediante una fábrica a la que el sistema se dirige para obtener una referencia hacia una opción. Si esta opción no se ha creado hasta ahora, la fábrica procede a su creación antes de enviar la referencia.
- Los atributos de una opción contienen solamente su información específica independientemente de los vehículos solicitados: esta información constituye el **estado intrínseco** de las opciones.
- La información particular a una opción y a un vehículo se almacena a nivel de vehículo: esta información constituye el **estado extrínseco** de las opciones. Se pasan como parámetros en las llamadas a los métodos de las opciones.

Observación

En el marco de este patrón, las opciones son los objetos llamados flyweights (peso mosca en castellano).

La figura 3-7.2 ilustra el diagrama de clases de esta solución.

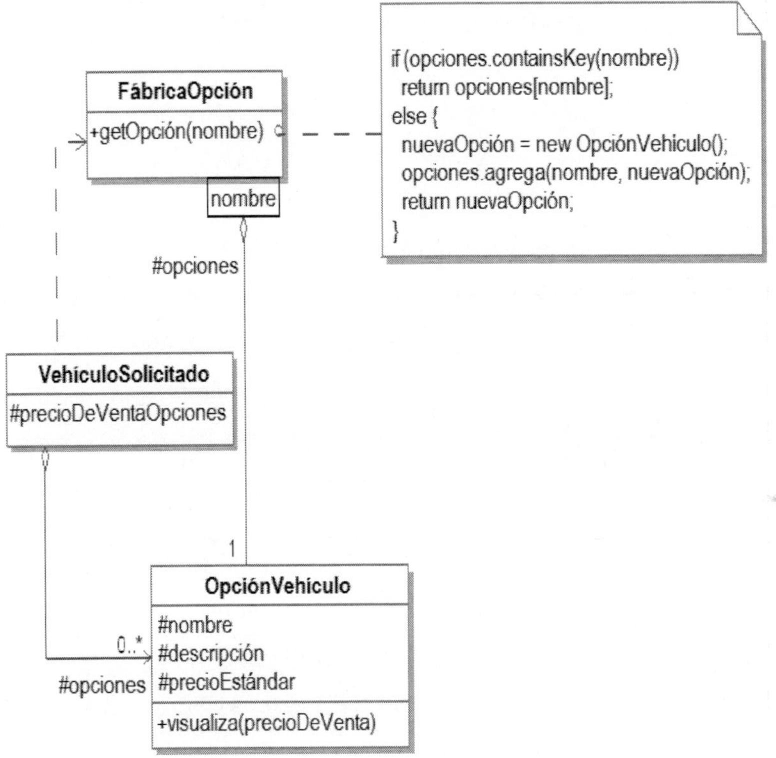

Figura 3-7.2 - El patrón `Flyweight` aplicado a las opciones de un vehículo

Este diagrama de clases incluye las siguientes clases:

- `OpciónVehículo` cuyos atributos contienen el estado intrínseco de una opción. El método `visualiza` recibe como parámetro el `precioDeVenta` que representa el estado extrínseco de una opción.

- `FábricaOpción` cuyo método `getOpción` reenvía una opción a partir de su nombre. Su funcionamiento consiste en buscar la opción en la asociación cualificada y en crearla en caso contrario.
- `VehículoSolicitado` que posee una lista de las opciones seleccionadas así como su precio de venta.

3. Estructura

3.1 Diagrama de clases

La figura 3-7.3 detalla la estructura genérica del patrón.

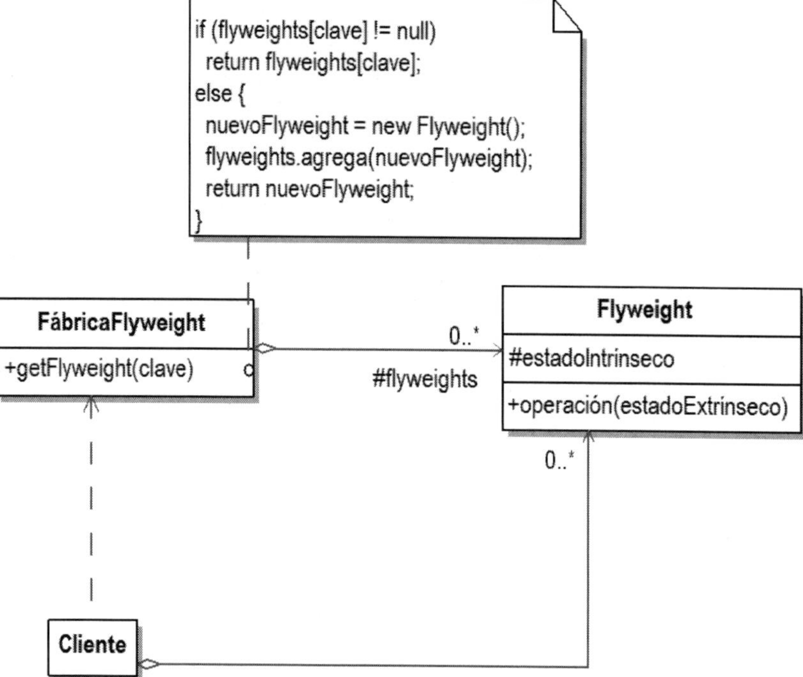

Figura 3-7.3 - Estructura del patrón `Flyweight`

3.2 Participantes

Los participantes del patrón son los siguientes:

- `FábricaFlyweight` (`FábricaOpción`) crea y administra los flyweights. La fábrica se asegura de que los flyweights se comparten gracias al método `getFlyweight` que devuelve la referencia hacia los flyweights.
- `Flyweight` (`OpciónVehículo`) mantiene el estado intrínseco e implementa los métodos. Estos métodos reciben y determinan a su vez el estado extrínseco de los flyweights.
- `Cliente` (`VehículoSolicitado`) contiene un conjunto de referencias hacia los flyweights que utiliza. El cliente debe a su vez guardar el estado extrínseco de estos flyweights.

3.3 Colaboraciones

Los clientes no deben crear ellos mismos los flyweights sino utilizar el método `getFlyweight` de la clase `FábricaFlyweight` que garantiza que los flyweights se comparten.

Cuando un cliente invoca un método de un flyweight, debe transmitirle su estado extrínseco.

4. Dominio de aplicación

El dominio de aplicación del patrón `Flyweight` es la posibilidad de compartir pequeños objetos (pesos mosca). Los criterios de uso son los siguientes:

- El sistema utiliza un gran número de objetos.
- El almacenamiento de los objetos es costoso porque existe una gran cantidad de objetos.
- Existen numerosos conjuntos de objetos que pueden reemplazarse por algunos objetos compartidos una vez que parte de su estado se vuelve extrínseco.

5. Ejemplo en C#

La clase OpcionVehiculo posee un constructor que permite definir el estado intrínseco de la opción. En este ejemplo, a parte del nombre, los demás atributos toman valores constantes o que están basados directamente en el nombre. Normalmente, estos valores deberían provenir de una base de datos.

El método visualiza recibe el precio de venta como parámetro, que constituye el estado extrínseco.

```
using System;

public class OpcionVehiculo
{
    protected string nombre;
    protected string descripcion;
    protected int precioEstandar;

    public OpcionVehiculo(string nombre)
    {
        this.nombre = nombre;
        this.descripcion = "Descripción de " + nombre;
        this.precioEstandar = 100;
    }

    public void visualiza(int precioDeVenta)
    {
        Console.WriteLine("Opción");
        Console.WriteLine("Nombre: " + nombre);
        Console.WriteLine(descripcion);
        Console.WriteLine("Precio estándar: " + precioEstandar);
        Console.WriteLine("Precio de venta: " + precioDeVenta);
    }
}
```

La clase FabricaOpcion gestiona la compartición de las opciones con ayuda de un diccionario (Dictionary) cuya clave de acceso es el nombre de la opción. El método getOpcion busca en este diccionario y si no encuentra la opción la crea, la agrega al diccionario y la devuelve.

```
using System;
using System.Collections.Generic;

public class FabricaOpcion
{
    protected IDictionary<string, OpcionVehiculo> opciones
    = new Dictionary<string, OpcionVehiculo>();
    public OpcionVehiculo getOption(string nombre)
    {
        OpcionVehiculo resultado;
        if (opciones.ContainsKey(nombre))
            resultado = opciones[nombre];
        else
        {
            resultado = new OpcionVehiculo(nombre);
            opciones.Add(nombre, resultado);
        }
        return resultado;
    }
}
```

La clase `VehiculoSolicitado` gestiona la lista de opciones así como la lista de los precios de venta. Ambas listas se gestionan en paralelo. El precio de venta de una opción se encuentra con el mismo índice en la lista `precioDeVentaOpciones` que la opción en la lista `opciones`.

La clase `VehiculoSolicitado` introduce dos métodos para gestionar esas listas que no intervienen directamente en el patrón: los métodos `agregaOpciones` y `muestraOpciones`.

El método `agregaOpciones` recibe como parámetros el nombre de la opción (estado intrínseco), el precio de venta (estado extrínseco) y la fábrica de opciones que debe usar.

Cuando se invoca el método `visualiza` de una opción, su precio de venta se pasa como parámetro tal y como se puede ver en el método `muestraOpciones`.

```
using System;
using System.Collections.Generic;

public class VehiculoSolicitado
{
    protected IList<OpcionVehiculo> opciones =
```

```
        new List<OpcionVehiculo>();
    protected IList<int> precioDeVentaOpciones =
        new List<int>();

    public void agregaOpciones(string nombre, int precioDeVenta,
      FabricaOpcion fabrica)
    {
        opciones.Add(fabrica.getOption(nombre));
        precioDeVentaOpciones.Add(precioDeVenta);
    }

    public void muestraOpciones()
    {
        int indice, tamaño;
        tamaño = opciones.Count;
        for (indice = 0; indice < tamaño; indice++)
        {
            opciones[indice].visualiza(
            precioDeVentaOpciones[indice]);
            Console.WriteLine();
        }
    }
}
```

Por último, a continuación se muestra el código fuente de un cliente. Se trata de un programa principal que crea una fábrica de opciones, un vehículo solicitado, le agrega tres opciones y a continuación las muestra.

```
using System;

public class Client
{
    static void Main(string[] args)
    {
        FabricaOpcion fabrica = new FabricaOpcion();
        VehiculoSolicitado vehiculo = new VehiculoSolicitado();
        vehiculo.agregaOpciones("air bag", 80, fabrica);
        vehiculo.agregaOpciones("dirección asistida", 90,
          fabrica);
        vehiculo.agregaOpciones("elevalunas eléctricos", 85,
          fabrica);
        vehiculo.muestraOpciones();
    }
}
```

El resultado de la ejecución de este programa es el siguiente (visualización de las tres opciones, con sus estados intrínseco y extrínseco).

```
Opción
Nombre: air bag
Descripción de air bag
Precio estándar: 100
Precio de venta: 80

Opción
Nombre: dirección asistida
Descripción de dirección asistida
Precio estándar: 100
Precio de venta: 90

Opción
Nombre: elevalunas eléctricos
Descripción de elevalunas eléctricos
Precio estándar: 100
Precio de venta: 85
```

Capítulo 3-8
El patrón Proxy

1. Descripción

El patrón `Proxy` tiene como objetivo el diseño de un objeto que sustituye a otro objeto (el sujeto) y que controla el acceso.

El objeto que realiza la sustitución posee la misma interfaz que el sujeto, volviendo la sustitución transparente de cara a los clientes.

2. Ejemplo

Queremos ofrecer para cada vehículo del catálogo la posibilidad de visualizar un pequeño vídeo de presentación del vehículo. Un clic sobre la fotografía de la presentación del vehículo permitirá reproducir este vídeo.

Una página del catálogo contiene numerosos vehículos y es muy pesado guardar en memoria todos los objetos de animación, pues los vídeos necesitan gran cantidad de memoria, y su transferencia a través de la red toma bastante tiempo.

El patrón `Proxy` ofrece una solución a este problema difiriendo la creación de los sujetos hasta el momento en que el sistema tiene necesidad de ellos, en este caso tras un clic en la fotografía del vehículo.

Esta solución aporta dos ventajas:

- La página del catálogo se carga mucho más rápidamente, sobretodo si tiene que cargarse a través de una red como Internet.
- Solo aquellos vídeos que van a visualizarse se crean, cargan y reproducen.

El objeto fotografía se llama el proxy del vídeo. Procede a la creación del sujeto únicamente tras haber hecho clic en ella. Posee la misma interfaz que el objeto vídeo. La figura 3-8.1 muestra el diagrama de clases correspondiente. La clase del proxy, `AnimaciónProxy`, y la clase del vídeo, `Vídeo`, implementan ambas la misma interfaz, a saber `Animación`.

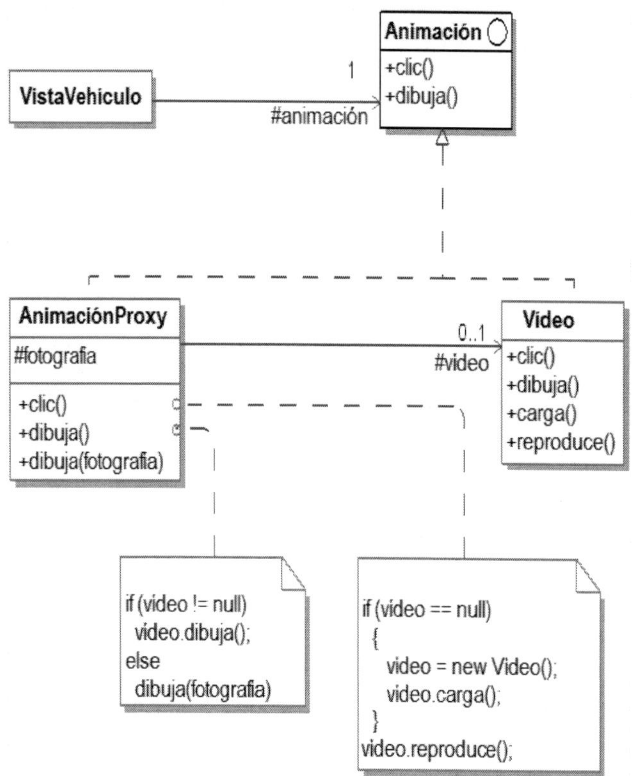

Figura 3-8.1 - El patrón `Proxy` aplicado a la visualización de animaciones

Cuando el proxy recibe el mensaje `dibuja`, muestra el vídeo si ha sido creado y cargado. Cuando el proxy recibe el mensaje `clic`, reproduce el vídeo después de haberlo creado y cargado previamente. El diagrama de secuencia para el mensaje `clic` se detalla en la figura 3-8.2 y en la figura 3-8.3 para el mensaje `dibuja`.

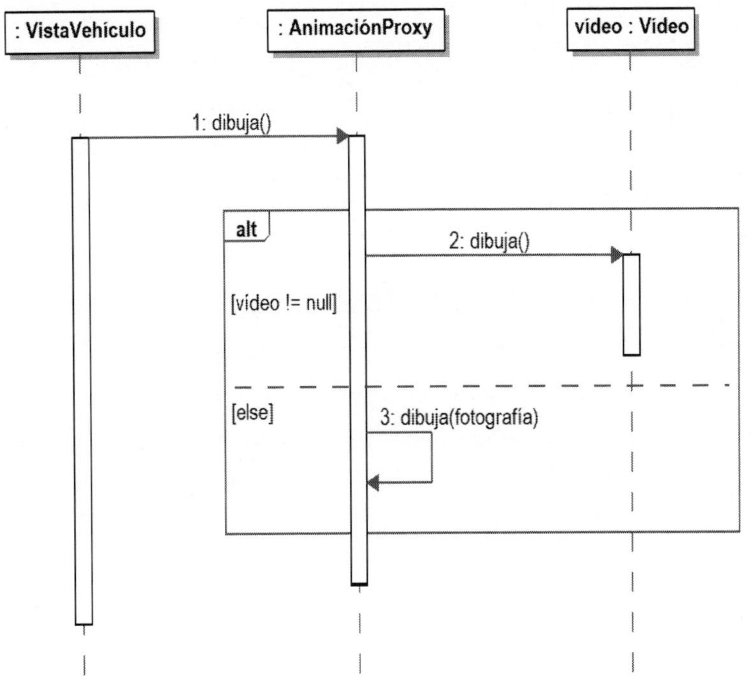

Figura 3-8.2 - Diagrama de secuencia del mensaje `dibuja`

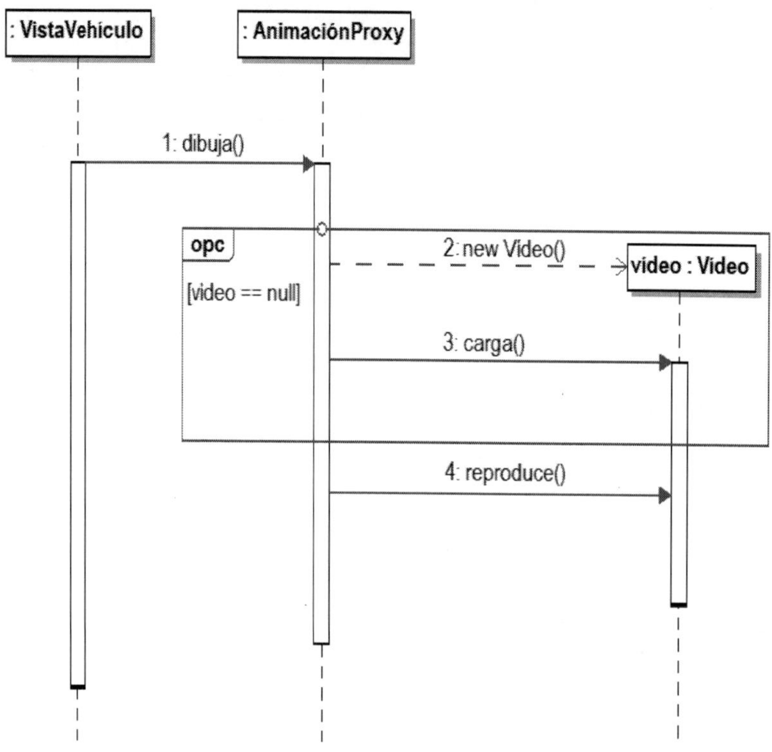

Figura 3-8.3 - Diagrama de secuencia del mensaje `clic`

3. Estructura

3.1 Diagrama de clases

La figura 3-8.4 ilustra la estructura genérica del patrón.

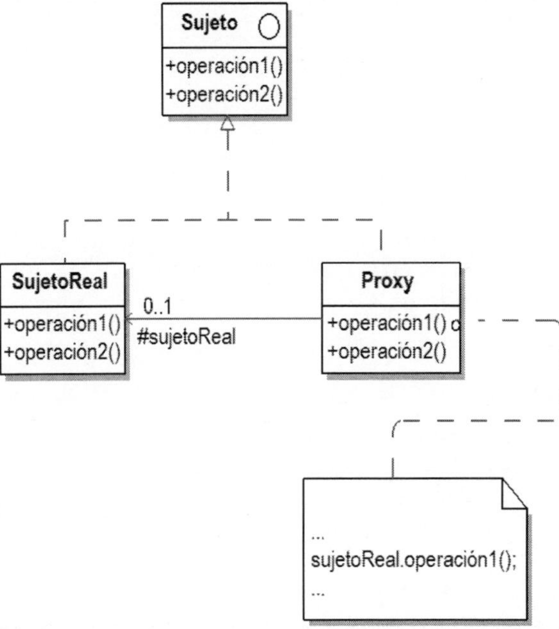

Figura 3-8.4 - Estructura del patrón `Proxy`

Conviene observar que los métodos del proxy tienen dos comportamientos posibles cuando el sujeto real no ha sido creado: o bien crean el sujeto real y a continuación le delegan el mensaje (es el caso del método `clic` del ejemplo), o bien ejecutan un código de sustitución (es el caso del método `dibuja` del ejemplo).

3.2 Participantes

Los participantes del patrón son los siguientes:

- `Sujeto (Animación)` es la interfaz común al proxy y al sujeto real.
- `SujetoReal (Vídeo)` es el objeto que el proxy controla y representa.
- `Proxy (AnimaciónProxy)` es el objeto que se sustituye por el sujeto real. Posee una interfaz idéntica a este último (interfaz `Sujeto`). Se encarga de crear y de destruir al sujeto real y de delegarle los mensajes.

3.3 Colaboraciones

El proxy recibe las llamadas del cliente en lugar del sujeto real. Cuando lo juzga apropiado, delega estos mensajes en el sujeto real. Debe, en este caso, crear previamente el sujeto real si no está creado ya.

4. Dominios de aplicación

Los proxys son muy útiles en programación orientada a objetos. Existen distintos tipos de proxy. Vamos a ilustrar tres:

- Proxy virtual: permite crear un objeto de tamaño importante en el momento adecuado;
- Proxy remoto: permite acceder a un objeto ejecutándose en otro entorno. Este tipo de proxy se implementa en sistemas de objetos remotos (RPC, Java RMI);
- Proxy de protección: permite securizar el acceso a un objeto, por ejemplo mediante técnicas de autenticación.

5. Ejemplo en C#

Retomamos nuestro ejemplo en C#. El código fuente de la interfaz `Animación` aparece a continuación.

```
public interface Animacion
{
    void dibuja();
    void clic();
}
```

El código fuente C# de la clase `Video` que implementa esta interfaz aparece a continuación. En el marco de la simulación cada método muestra simplemente un mensaje, excepto el método `clic` que no realiza ninguna acción.

```
using System;

public class Video : Animacion
{
    public void clic() { }

    public void dibuja()
    {
        Console.WriteLine("Mostrar el vídeo");
    }

    public void carga()
    {
        Console.WriteLine("Cargar el vídeo");
    }

    public void reproduce()
    {
        Console.WriteLine("Reproducir el vídeo");
    }
}
```

El código fuente del proxy, y por tanto de la clase `AnimacionProxy` aparece a continuación. El código de los métodos corresponde al especificado en el diagrama de clases de la figura 3-8.1.

```
using System;

public class AnimacionProxy : Animacion
{
    protected Video video = null;
    protected string foto = "mostrar la foto";

    public void clic()
    {
        if (video == null)
        {
            video = new Video();
            video.carga();
        }
        video.reproduce();
    }

    public void dibuja()
    {
        if (video != null)
            video.dibuja();
        else
            dibuja(foto);
    }

    public void dibuja(string foto)
    {
        Console.WriteLine(foto);
    }
}
```

Por último, la clase `VistaVehiculo` que representa al programa principal se escribe de la siguiente manera.

```
public class VistaVehiculo
{
    static void Main(string[] args)
    {
        Animacion animacion = new AnimacionProxy();
        animacion.dibuja();
        animacion.clic();
        animacion.dibuja();
    }
}
```

La ejecución de este programa muestra la diferencia de comportamiento del método `dibuja` del proxy según el método `clic` haya sido invocado previamente o no.

```
mostrar la foto
Cargar el vídeo
Reproducir el vídeo
Mostrar el vídeo
```

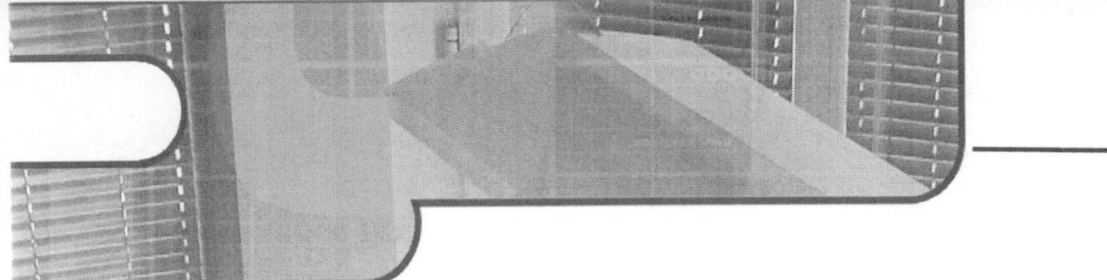

Parte 4
Patrones de comportamiento

Capítulo 4-1
Introducción a los patrones de comportamiento

1. Presentación

El diseñador de un sistema orientado a objetos se enfrenta a menudo al problema del descubrimiento de objetos. Esto puede realizarse a partir de los dos aspectos siguientes:

- La estructuración de los datos.
- La distribución de los procesamientos y de los algoritmos.

Los patrones de estructuración aportan soluciones a los problemas de estructuración de datos y de objetos.

El objetivo de los patrones de comportamiento consiste en proporcionar soluciones para distribuir el procesamiento y los algoritmos entre los objetos.

Estos patrones organizan los objetos así como sus interacciones especificando los flujos de control y de procesamiento en el seno de un sistema de objetos.

2. Distribución por herencia o por delegación

Un primer enfoque para distribuir un procesamiento consiste en repartirlo en subclases. Este reparto se realiza mediante el uso en la clase de métodos abstractos que se implementan en las subclases. Como una clase puede poseer varias subclases, este enfoque habilita la posibilidad de obtener variantes en las partes descritas en las subclases. Esto se lleva a cabo mediante el patrón `Template Method` tal y como ilustra la figura 4-1.1.

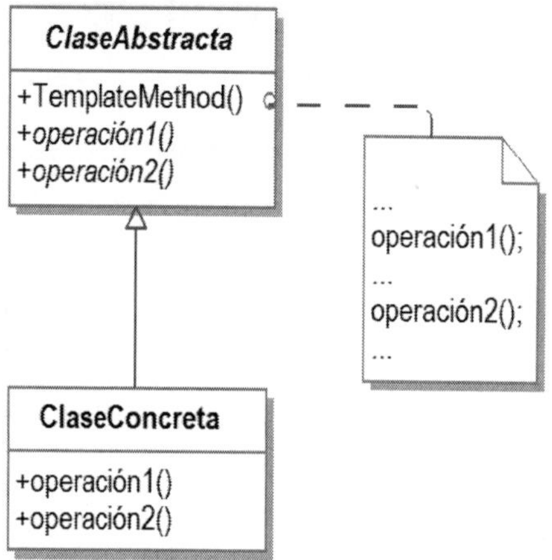

Figura 4-1.1 - Reparto de procesamiento mediante herencia ilustrado por el patrón `Template Method`

Una segunda posibilidad de reparto se lleva a cabo mediante la distribución de procesamiento en los objetos cuyas clases son independientes. En este enfoque, un conjunto de objetos que cooperan entre ellos concurren a la realización de un procesamiento o de un algoritmo. El patrón `Strategy` ilustra este mecanismo en la figura 4-1.2. El método `solicita` de la clase `Entidad` invoca para realizar su procesamiento al método `calcula` especificado mediante la interfaz `Estrategia`. Cabe observar que esta última puede tener varias implementaciones.

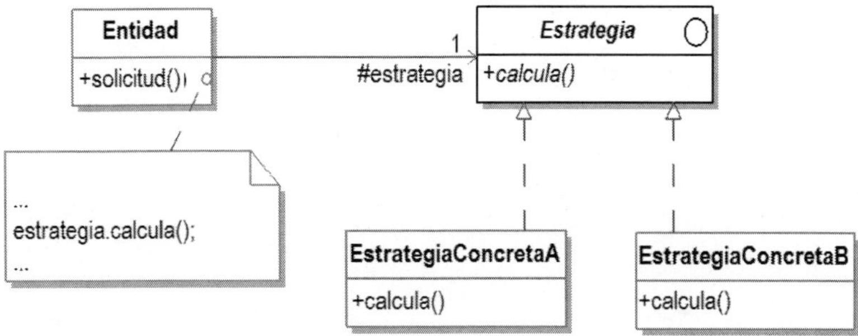

Figura 4-1.2 - Distribución de un procesamiento entre distintos objetos ilustrado por el patrón `Strategy`

La tabla siguiente indica para cada patrón de comportamiento el tipo de reparto utilizado.

Chain of Responsibility	Delegación
Command	Delegación
Interpreter	Herencia
Iterator	Delegación
Mediator	Delegación
Memento	Delegación
Observer	Delegación
State	Delegación
Strategy	Delegación
Template Method	Herencia
Visitor	Delegación

Capítulo 4-2
El patrón Chain of Responsibility

1. Descripción

El patrón `Chain of Responsibility` construye una cadena de objetos tal que si un objeto de la cadena no puede responder a la solicitud, puede transmitirla a su sucesor y así sucesivamente hasta que uno de los objetos de la cadena responde.

2. Ejemplo

Nos situamos en el marco de la venta de vehículos de ocasión. Cuando se muestra el catálogo de vehículos, el usuario puede solicitar una descripción de uno de los vehículos a la venta. Si no se encuentra esta descripción, el sistema debe reenviar la descripción asociada al modelo de este vehículo. Si de nuevo esta descripción no se encuentra, se debe reenviar la descripción asociada a la marca del vehículo. Si tampoco existe una descripción asociada a la marca entonces se envía una descripción por defecto.

De este modo, el usuario recibe la descripción más precisa disponible en el sistema.

El patrón `Chain of Responsibility` proporciona una solución para llevar a cabo este mecanismo. Consiste en enlazar los objetos entre ellos desde el más específico (el vehículo) al más general (la marca) para formar la cadena de responsabilidad. La solicitud de la descripción se transmite a lo largo de la cadena hasta que un objeto pueda procesarla y enviar la descripción.

El diagrama de objetos UML de la figura 4-2.1 ilustra esta situación y muestra las distintas cadenas de responsabilidad (de izquierda a derecha).

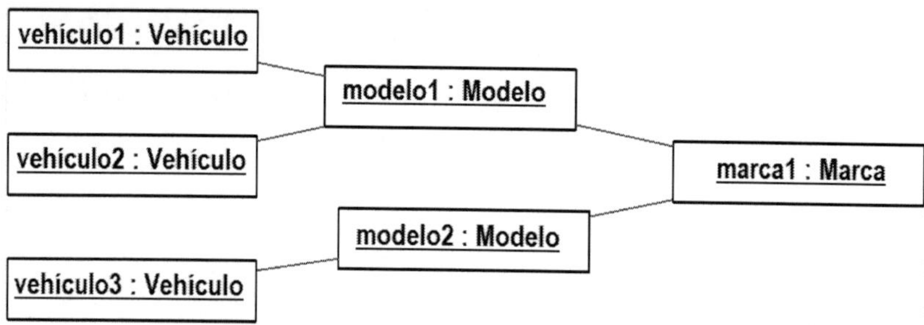

Figura 4-2.1 - Diagrama de objetos de vehículos, modelos y marcas con los enlaces de la cadena de responsabilidad

La figura 4-2.2 representa el diagrama de clases del patrón `Chain of Responsibility` aplicado al ejemplo. Los vehículos, modelos y marcas se describen mediante subclases concretas de la clase `ObjetoBásico`. Esta clase abstracta incluye la asociación `siguiente` que implementa la cadena de responsabilidad. Incluye a su vez tres métodos:

- `getDescripción` es un método abstracto. Está implementado en las subclases concretas. Esta implementación debe devolver la descripción si existe o bien el valor `null` en caso contrario;
- `descripciónPorDefecto` devuelve un valor de descripción por defecto, válido para todos los vehículos del catálogo;

– `devuelveDescripción` es el método público destinado al usuario. Invoca al método `getDescripción`. Si el resultado es `null`, entonces si existe un objeto `siguiente` se invoca a su método `devuelveDescripción`, en caso contrario se utiliza el método `descripciónPorDefecto`.

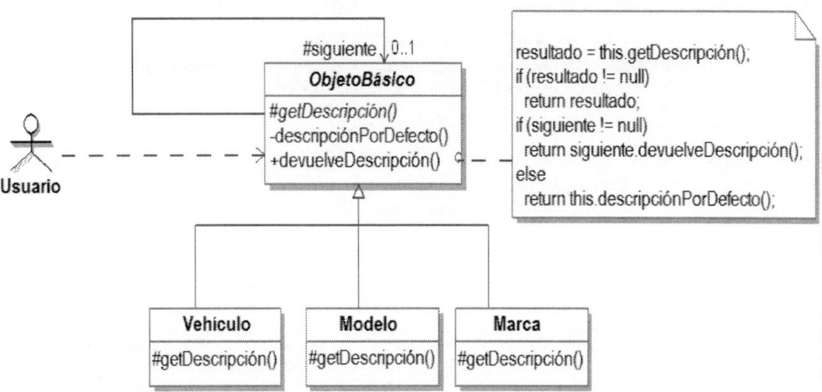

Figura 4-2.2 - El patrón `Chain of Responsibility` *para organizar la descripción de vehículos de ocasión*

La figura 4-2.3 muestra un diagrama de secuencia que es un ejemplo de solicitud de una descripción basada en el diagrama de objetos de la figura 4-2.1.

En este ejemplo, ni el `vehículo1` ni el `modelo1` poseen una descripción. Sólo la `marca1` posee una descripción, la cual se utiliza para el `vehículo1`.

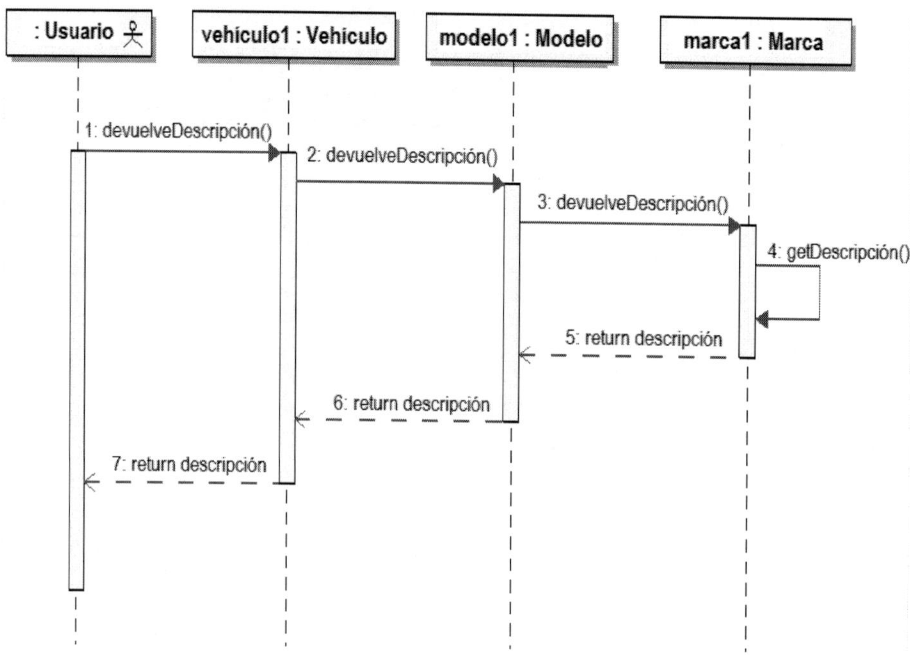

Figura 4-2.3 - Diagrama de secuencia ilustrando un ejemplo del patrón `Chain of Responsibility`

3. Estructura

3.1 Diagrama de clases

La figura 4-2.4 describe la estructura genérica del patrón.

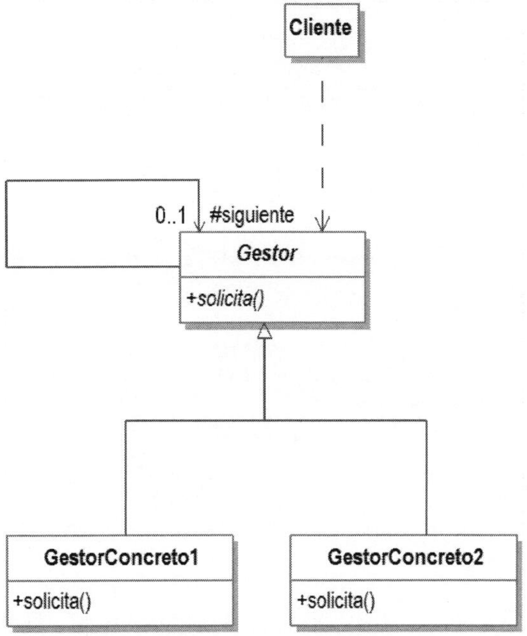

Figura 4-2.4 - Estructura del patrón `Chain of Responsibility`

3.2 Participantes

Los participantes del patrón son los siguientes:

- `Gestor (ObjetoBásico)` es una clase abstracta que implementa bajo la forma de una asociación la cadena de responsabilidad así como la interfaz de las solicitudes.
- `GestorConcreto1` y `GestorConcreto2` (`Vehículo`, `Modelo` y `Marca`) son las clases concretas que implementan el procesamiento de las solicitudes utilizando la cadena de responsabilidad si no pueden procesarlas.
- `Cliente (Usuario)` inicia la solicitud inicial en un objeto de una de las clases `GestorConcreto1` o `GestorConcreto2`.

3.3 Colaboraciones

El cliente realiza la solicitud inicial a un gestor. La solicitud se propaga a lo largo de la cadena de responsabilidad hasta el momento en el que uno de los gestores puede procesarla.

4. Dominios de aplicación

El patrón se utiliza en los casos siguientes:

- Una cadena de objetos gestiona una solicitud según un orden que se define dinámicamente.
- La forma en que una cadena de objetos gestiona una solicitud no tiene por qué conocerse en sus clientes.

5. Ejemplo en C#

Presentamos a continuación un ejemplo escrito en lenguaje C#. La clase `ObjetoBásico` se describe a continuación. Implementa la cadena de responsabilidad mediante la propiedad `siguiente`. Los demás métodos corresponden con las especificaciones presentadas en la figura 4-2.2.

```
using System;

public abstract class ObjetoBasico
{
    public ObjetoBasico siguiente { protected get; set; }

    private string descripcionPorDefecto()
    {
        return "descripción por defecto";
    }

    protected abstract string descripcion { get; }

    public string devuelveDescripcion()
    {
        string resultado;
        resultado = this.descripcion;
        if (resultado != null)
            return resultado;
        if (siguiente != null)
            return siguiente.devuelveDescripcion();
        else
            return this.descripcionPorDefecto();
    }
}
```

Las tres subclases concretas de la clase `ObjetoBásico` son `Vehiculo`, `Modelo` y `Marca`, a continuación presentamos su código fuente C#. La clase `Vehiculo` gestiona una descripción sencilla que se proporciona en el momento de su construcción (se utiliza el parámetro `null` en caso de ausencia de una descripción).

```
using System;

public class Vehiculo : ObjetoBasico
{
```

```
    protected string laDescripcion;

    public Vehiculo(string descripcion)
    {
        this.laDescripcion = descripcion;
    }

    protected override string descripcion
    {
        get
        {
            return laDescripcion;
        }
    }
}
```

La clase `Modelo` gestiona una descripción y un nombre.

```
using System;

public class Modelo : ObjetoBasico
{
    protected string laDescripcion;
    protected string nombre;

    public Modelo(string nombre, string descripcion)
    {
        this.laDescripcion = descripcion;
        this.nombre = nombre;
    }

    protected override string descripcion
    {
        get
        {
            if (laDescripcion != null)
                return "Modelo " + nombre + " : " + laDescripcion;
            else
                return null;
        }
    }
}
```

La clase `Marca` gestiona dos descripciones y un nombre.

```
using System;

public class Marca : ObjetoBasico
{
    protected string descripcion1, descripcion2;
    protected string nombre;

    public Marca(string nombre, string descripcion1, string
        descripcion2)
    {
        this.descripcion1 = descripcion1;
        this.descripcion2 = descripcion2;
        this.nombre = nombre;
    }


    protected override string descripcion
    {
        get
        {
            if ((descripcion1 != null) && (descripcion2 != null))
                return "Marca " + nombre + " : " + descripcion1 +
                " " + descripcion2;
            else if (descripcion1 != null)
                return "Marca " + nombre + " : " + descripcion1;
            else
                return null;
        }
    }
}
```

Por último, la clase `Usuario` representa al programa principal.

```
using System;

public class Usuario
{
    static void Main(string[] args)
    {
        ObjetoBasico vehiculo1 = new Vehiculo(
            "Auto++ KT500 Vehículo de ocasión en buen estado");
        Console.WriteLine(vehiculo1.devuelveDescripcion());
```

```
        ObjetoBasico modelo1 = new Modelo("KT400",
            "Vehículo amplio y confortable");
        ObjetoBasico vehiculo2 = new Vehiculo(null);
        vehiculo2.siguiente = modelo1;
        Console.WriteLine(vehiculo2.devuelveDescripcion());
        ObjetoBasico marca1 = new Marca("Auto++",
            "Marca del automóvil", "de gran calidad");
        ObjetoBasico modelo2 = new Modelo("KT700", null);
        modelo2.siguiente = marca1;
        ObjetoBasico vehiculo3 = new Vehiculo(null);
        vehiculo3.siguiente = modelo2;
        Console.WriteLine(vehiculo3.devuelveDescripcion());
        ObjetoBasico vehiculo4 = new Vehiculo(null);
        Console.WriteLine(vehiculo4.devuelveDescripcion());
    }
}
```

El resultado de la ejecución del programa produce el resultado siguiente.

```
Auto++ KT500 Vehículo de ocasión en buen estado
Modelo KT400 : Vehículo amplio y confortable
Marca Auto++ : Marca del automóvil de gran calidad
descripción por defecto
```

Capítulo 4-3
El patrón Command

1. Descripción

El patrón `Command` tiene como objetivo transformar una solicitud en un objeto, facilitando operaciones tales como la anulación, el encolamiento de solicitudes y su seguimiento.

2. Ejemplo

En ciertos casos, la gestión de una solicitud puede ser bastante compleja: puede ser anulable, encolada o trazada. En el marco del sistema de venta de vehículos, el gestor puede solicitar al catálogo rebajar el precio de los vehículos de ocasión que llevan en el stock cierto tiempo. Por motivos de simplicidad, esta solicitud debe poder ser anulada y, eventualmente, restablecida.

Para gestionar esta anulación, una primera solución consiste en indicar a nivel de cada vehículo si está o no rebajado. Esta solución no es suficiente pues un mismo vehículo puede estar rebajado varias veces con tasas diferentes. Otra solución sería conservar su precio antes de la última rebaja, aunque esta solución no es satisfactoria pues la anulación puede realizarse sobre otra solicitud de rebaja que no sea la última.

El patrón `Command` resuelve este problema transformando la solicitud en un objeto cuyos atributos van a contener los parámetros así como el conjunto de objetos sobre los que la solicitud va a ser aplicada. En nuestro ejemplo, esto hace posible anular o restablecer una solicitud de rebaja.

La figura 4-3.1 ilustra esta aplicación del patrón `Command` a nuestro ejemplo. La clase `SolicitudRebaja` almacena sus dos parámetros (`tasaDescuento` y `tiempoEnStock`) así como la lista de vehículos para los que se ha aplicado el descuento (asociación `vehículosRebajados`).

Conviene observar que el conjunto de vehículos referenciados por `SolicitudRebaja` es un subconjunto del conjunto de vehículos referenciados por `Catálogo`.

Durante la llamada al método `SolicitudRebaja`, la solicitud pasada como parámetro se ejecuta y a continuación se almacena en un orden tal que la última solicitud almacenada se encuentra en la primera posición.

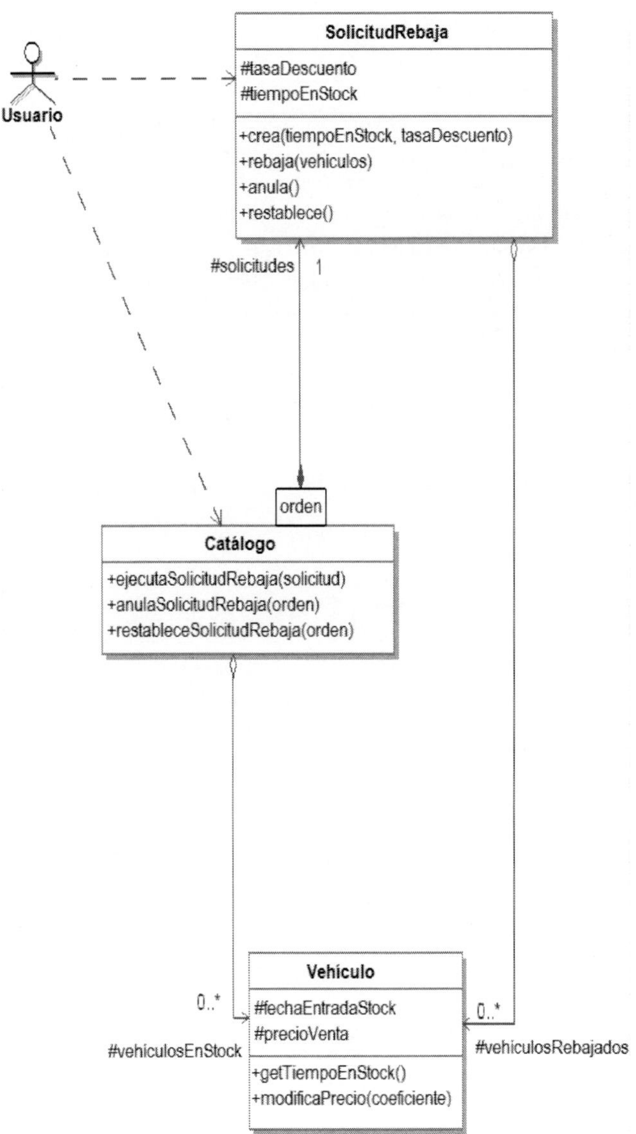

Figura 4-3.1 - El patrón `Command` *aplicado a la gestión de los descuentos aplicados a vehículos de ocasión*

El diagrama de la figura 4-3.2 muestra un ejemplo de secuencia de llamadas. Los dos parámetros proporcionados al constructor de la clase `SolicitudRebaja` son la tasa de descuento y la duración mínima de almacenamiento expresada en meses. Por otro lado, el parámetro `orden` del método `anulaSolicitudRebaja` vale cero para la última solicitud ejecutada, uno para la penúltima, etc.

Las interacciones entre las instancias de `SolicitudRebaja` y de `Vehículo` no están representadas con el fin de simplificar. Para comprender bien su funcionamiento, conviene revisar el código C# presentado más adelante.

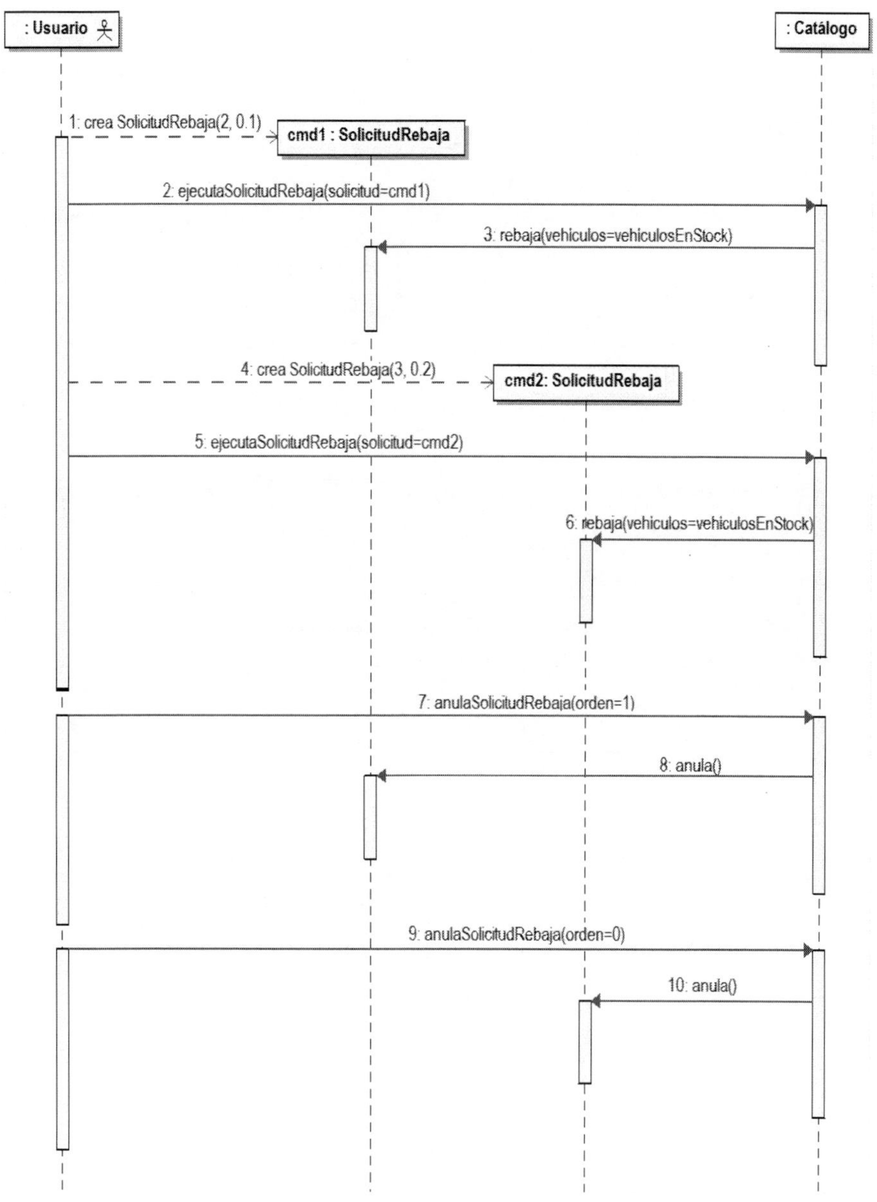

Figura 4-3.2 - Ejemplo de secuencia de llamadas de métodos del diagrama 4-3.1

3. Estructura

3.1 Diagrama de clases

La figura 4-3.3 detalla la estructura genérica del patrón.

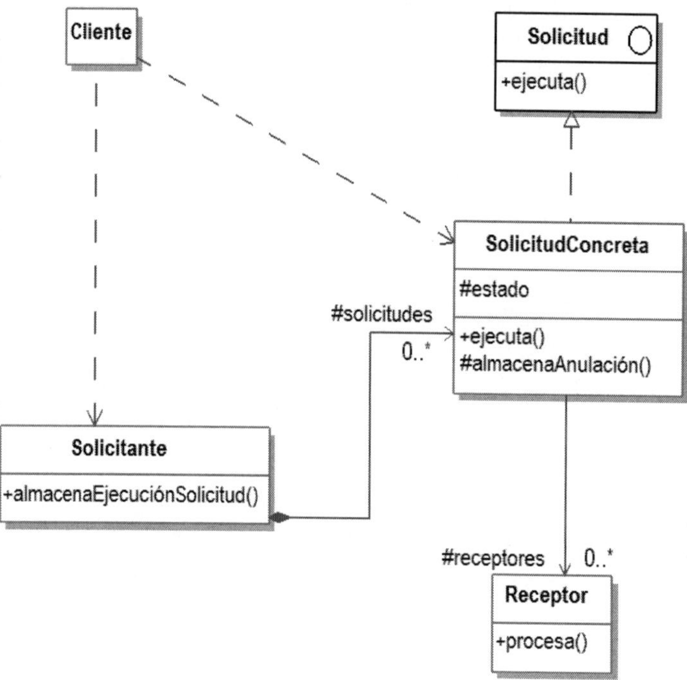

Figura 4-3.3 - Estructura del patrón `Command`

3.2 Participantes

Los participantes del patrón son los siguientes:

- `Solicitud` es la interfaz que presenta la firma del método `ejecuta` que ejecuta la solicitud;
- `SolicitudConcreta (SolicitudRebaja)` implementa el método `ejecuta`, gestiona la asociación con el o los receptores e implementa el método `almacenaAnulación` que almacena el estado (o los valores necesarios) para poder anularla a continuación;
- `Cliente (Usuario)` crea e inicializa la solicitud y la transmite al solicitante;
- `Solicitante (Catálogo)` almacena y ejecuta la solicitud (método `almacenaEjecuciónSolicitud`) así como eventualmente las solicitudes de anulación;
- `Receptor (Vehículo)` ejecuta las acciones necesarias para realizar la solicitud o para anularla.

3.3 Colaboraciones

La figura 4-3.4 ilustra las colaboraciones del patrón `Command`:

- El cliente crea una solicitud concreta especificando el o los receptores.
- El cliente transmite esta solicitud al método `almacenaEjecuciónSolicitud` del solicitante para almacenar la solicitud.
- El solicitante ejecuta a continuación la solicitud llamando al método `ejecuta`.
- El estado o los datos necesarios para realizar la anulación se almacenan (método `almacenaAnulación`).
- La solicitud pide al o a los receptores que realicen las acciones correspondientes.

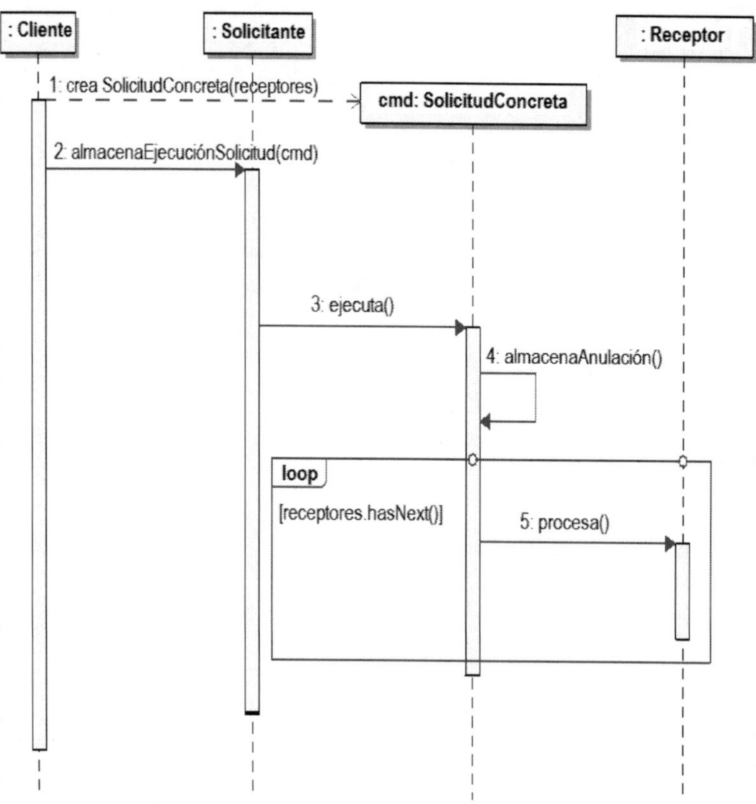

Figura 4-3.4 - Colaboraciones en el seno del patrón `Command`

4. Dominios de aplicación

El patrón se utiliza en los casos siguientes:

- Un objeto debe configurarse para realizar un procesamiento concreto. En el caso del patrón Command, es el solicitante el que se configura mediante una solicitud que contiene la descripción de un procesamiento a realizar sobre uno o varios receptores.
- Las solicitudes deben encolarse y poder ejecutarse en un momento cualquiera, eventualmente varias veces.
- Las solicitudes pueden ser anuladas.
- Las solicitudes deben quedar registradas en un archivo de log.
- Las solicitudes deben estar reagrupadas bajo la forma de una transacción. Una transacción es un conjunto ordenado de solicitudes que actúan sobre el estado de un sistema y que pueden ser anuladas.

5. Ejemplo en C#

Presentamos a continuación un ejemplo escrito en C#. La clase Vehiculo se describe en C# como aparece a continuación. Cada vehículo posee un nombre, una fecha de entrada en el almacén y un precio de venta. El método modificaPrecio permite ajustar el precio mediante un coeficiente.

```
using System;

public class Vehiculo
{
    protected string nombre;
    protected long fechaEntradaStock;
    protected double precioVenta;

    public Vehiculo(string nombre, long fechaEntradaStock,
        double precioVenta)
    {
        this.nombre = nombre;
        this.fechaEntradaStock = fechaEntradaStock;
        this.precioVenta = precioVenta;
    }
```

```
    public long getTiempoEnStock(long hoy)
    {
        return hoy - fechaEntradaStock;
    }

    public void modificaPrecio(double coeficiente)
    {
        this.precioVenta = 0.01 * Math.Round(coeficiente *
        this.precioVenta * 100);
    }

    public void visualiza()
    {
          Console.WriteLine(nombre + " precio: " + precioVenta +
          " fecha entrada stock " + fechaEntradaStock);
    }
}
```

La clase `SolicitudRebaja` posee los siguientes atributos:

- `vehiculosRebajados`: la lista de vehículos rebajados;
- `hoy`: el valor del día de hoy;
- `tiempoEnStock`: la duración del almacenamiento que debe superar un vehículo para poder ser rebajado;
- `tasaDescuento`: el porcentaje de descuento que se pretende aplicar sobre los vehículos rebajados.

El método `rebaja` calcula en primer lugar los vehículos que deben rebajarse, a continuación modifica su precio. En cuanto al método `anula`, restablece el precio de los vehículos rebajados utilizando el inverso de la tasa de descuento inicial.

```
using System.Collections.Generic;

public class SolicitudRebaja
{
    protected IList<Vehiculo> vehiculosEnStock =
        new List<Vehiculo>();
    protected long hoy;
    protected long tiempoEnStock;
    protected double tasaDescuento;
```

```
    public SolicitudRebaja(long hoy, long tiempoEnStock,
        double tasaDescuento)
    {
        this.hoy = hoy;
        this.tiempoEnStock = tiempoEnStock;
        this.tasaDescuento = tasaDescuento;
    }

    public void rebaja(IList<Vehiculo> vehiculos)
    {
        vehiculosEnStock.Clear();
        foreach (Vehiculo vehiculo in vehiculos)
             if (vehiculo.getTiempoEnStock(hoy) >=
              tiempoEnStock)
                vehiculosEnStock.Add(vehiculo);
        foreach (Vehiculo vehiculo in vehiculosEnStock)
            vehiculo.modificaPrecio(1.0 - tasaDescuento);
    }

    public void anula()
    {
        foreach (Vehiculo vehiculo in vehiculosEnStock)
            vehiculo.modificaPrecio(1.0 / (1.0 - tasaDescuento));
    }

    public void restablece()
    {
        foreach (Vehiculo vehiculo in vehiculosEnStock)
            vehiculo.modificaPrecio(1.0 - tasaDescuento);
    }
}
```

La clase `Catalogo` aparece escrita en C# a continuación.

Gestiona la lista de todos los vehículos (atributo `vehiculosStock`) así como la lista de las solicitudes (atributo `solicitudes`). Cada nueva solicitud se agrega al comienzo de la lista de solicitudes como indica la primera línea del método `ejecutaSolicitudRebaja`.

```
using System.Collections.Generic;

public class Catalogo
{
```

```
    protected IList<Vehiculo> vehiculosStock =
        new List<Vehiculo>();
    protected IList<SolicitudRebaja> solicitudes =
        new List<SolicitudRebaja>();

   public void ejecutaSolicitudRebaja(SolicitudRebaja solicitud)
    {
        solicitudes.Insert(0, solicitud);
        solicitud.rebaja(vehiculosStock);
    }

    public void anulaSolicitudRebaja(int orden)
    {
        solicitudes[orden].anula();
    }

    public void restableceSolicitudRebaja(int orden)
    {
        solicitudes[orden].restablece();
    }

    public void agrega(Vehiculo vehiculo)
    {
        vehiculosStock.Add(vehiculo);
    }

    public void visualiza()
    {
        foreach (Vehiculo vehiculo in vehiculosStock)
            vehiculo.visualiza();
    }
}
```

Por último, la clase `Usuario` muestra el programa principal. Crea tres vehículos, dos solicitudes que se aplican al primer y al tercer vehículo, la primera aplicando un descuento del 10 %, la segunda un descuento del 50 %. El descuento total es del 55 %, a continuación es del 50 % después de la anulación del primer descuento, y a continuación del 55 % de nuevo tras haber restablecido el primer descuento.

```
using System;

public class Usuario
{
    static void Main(string[] args)
    {
        Vehiculo vehiculo1 = new Vehiculo("A01", 1, 1000.0);
        Vehiculo vehiculo2 = new Vehiculo("A11", 6, 2000.0);
        Vehiculo vehiculo3 = new Vehiculo("Z03", 2, 3000.0);
        Catalogo catalogo = new Catalogo();
        catalogo.agrega(vehiculo1);
        catalogo.agrega(vehiculo2);
        catalogo.agrega(vehiculo3);
        Console.WriteLine("Visualización inicial del catálogo");
        catalogo.visualiza();
        Console.WriteLine();
        SolicitudRebaja solicitudRebaja = new SolicitudRebaja
          (10, 5, 0.1);
        catalogo.ejecutaSolicitudRebaja(solicitudRebaja);
        Console.WriteLine("Visualización del catálogo tras " +
          "ejecutar la primera solicitud");
        catalogo.visualiza();
        Console.WriteLine();
        SolicitudRebaja solicitudRebaja2 = new SolicitudRebaja
          (10, 5, 0.5);
        catalogo.ejecutaSolicitudRebaja(solicitudRebaja2);
        Console.WriteLine("Visualización del catálogo tras " +
          "ejecutar la segunda solicitud");
        catalogo.visualiza();
        Console.WriteLine();
        catalogo.anulaSolicitudRebaja(1);
        Console.WriteLine("Visualización del catálogo tras " +
          "anular la primera solicitud");
        catalogo.visualiza();
        Console.WriteLine();
        catalogo.restableceSolicitudRebaja(1);
        Console.WriteLine("Visualización del catálogo tras " +
          "restablecer la primera solicitud");
        catalogo.visualiza();
        Console.WriteLine();
    }
}
```

La ejecución de este programa produce el resultado siguiente.

```
Visualización inicial del catálogo
A01 precio: 1000 fecha entrada stock 1
A11 precio: 2000 fecha entrada stock 6
Z03 precio: 3000 fecha entrada stock 2

Visualización del catálogo tras ejecutar la primera solicitud
A01 precio: 900 fecha entrada stock 1
A11 precio: 2000 fecha entrada stock 6
Z03 precio: 2700 fecha entrada stock 2

Visualización del catálogo tras ejecutar la segunda solicitud
A01 precio: 450 fecha entrada stock 1
A11 precio: 2000 fecha entrada stock 6
Z03 precio: 1350 fecha entrada stock 2

Visualización del catálogo tras anular la primera solicitud
A01 precio: 500 fecha entrada stock 1
A11 precio: 2000 fecha entrada stock 6
Z03 precio: 1500 fecha entrada stock 2

Visualización del catálogo tras restablecer la primera solicitud
A01 precio: 450 fecha entrada stock 1
A11 precio: 2000 fecha entrada stock 6
Z03 precio: 1350 fecha entrada stock 2
```

Capítulo 4-4
El patrón Interpreter

1. Descripción

El patrón `Interpreter` proporciona un marco para representar mediante objetos la gramática de un lenguaje con el fin de evaluar, interpretándolas, expresiones escritas en este lenguaje.

2. Ejemplo

Queremos crear un pequeño motor de búsqueda de vehículos con ayuda de expresiones booleanas según la gramática muy sencilla que se muestra a continuación:

```
expresión ::= término || palabra-clave || (expresión)
termino ::= factor 'o' factor
factor ::= expresión 'y' expresión
palabra-clave ::= 'a'..'z','A'..'Z' {'a'..'z','A'..'Z'}*
```

Los símbolos entre comillas son símbolos terminales. Los símbolos no terminales son `expresión`, `término`, `factor` y `palabra-clave`. El símbolo de partida es `expresión`.

Vamos a implementar el patrón `Interpreter` para poder expresar cualquier expresión que responda a esta gramática según un árbol sintáctico constituido por objetos con el objetivo de poder evaluarla e interpretarla.

Tal árbol está constituido únicamente por símbolos terminales. Para simplificar, consideramos que una palabra-clave constituye un símbolo terminal en tanto que es una cadena de caracteres.

La expresión `(rojo o gris) y reciente y diesel` se representa en el árbol sintáctico de la figura 4-4.1.

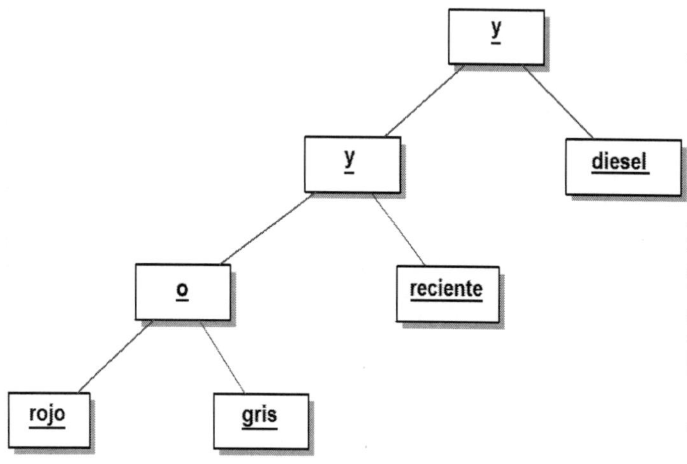

Figura 4-4.1 - Árbol sintáctico correspondiente a la expresión `(rojo o gris) y reciente y diesel`

La evaluación de tal árbol para la descripción de un vehículo se realiza comenzando por la cima. Cuando un nodo es un operador, la evaluación se realiza calculando de forma recursiva el valor de cada subárbol (primero el de la izquierda y después el de la derecha) y aplicando el operador. Cuando un nodo es una palabra-clave, la evaluación se realiza buscando la cadena correspondiente en la descripción del vehículo.

El motor de búsqueda consiste por tanto en evaluar la expresión para cada descripción y en reenviar la lista de vehículos para los que la evaluación es verdadera.

Observación

Esta técnica de búsqueda no está optimizada, y por tanto sólo es válida para una cantidad pequeña de vehículos.

El diagrama de clases que permite describir los árboles sintácticos como el de la figura 4-4.1 está representado en la figura 4-4.2. El método `evalúa` permite evaluar la expresión para una descripción de un vehículo que se pasa como parámetro.

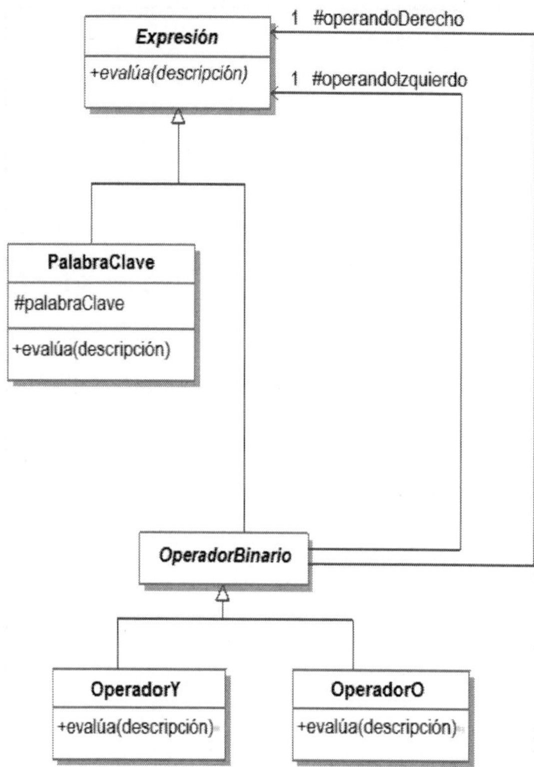

Figura 4-4.2 - El patrón `Interpreter` *para representar árboles sintácticos y evaluarlos*

3. Estructura

3.1 Diagrama de clases

La figura 4-4.3 describe la estructura genérica del patrón.

Este diagrama de clases muestra que existen dos tipos de sub-expresiones, a saber:

- los elementos terminales que pueden ser nombres de variables, enteros, nombres reales;
- los operadores que pueden ser binarios como en el ejemplo, unarios (operador « - ») o que tomen más argumentos como las funciones.

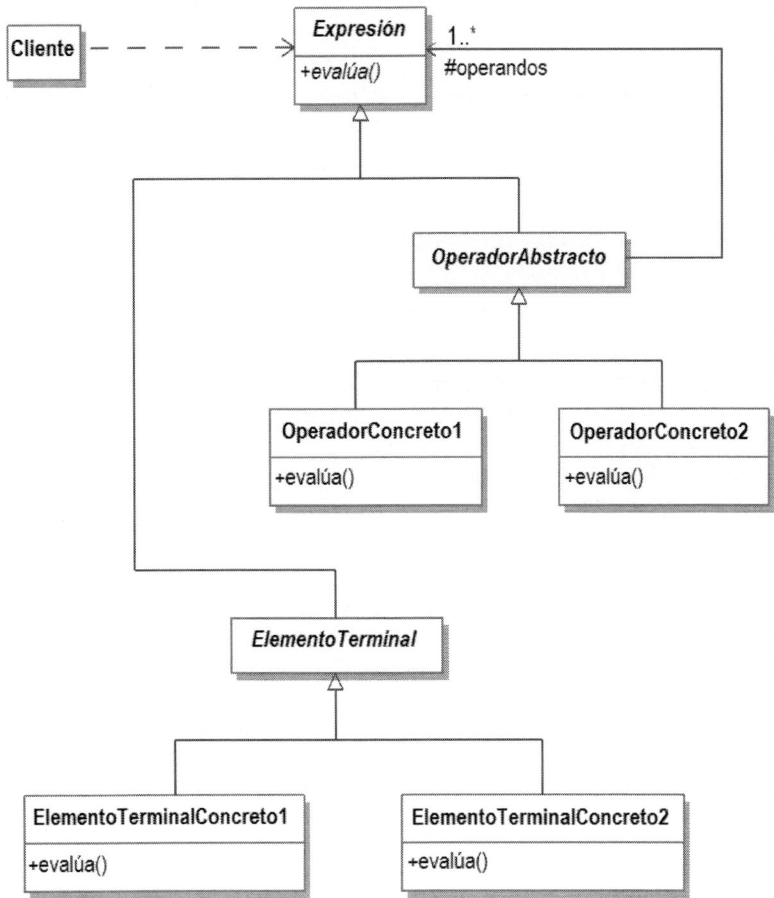

Figura 4-4.3 - Estructura del patrón `Interpreter`

3.2 Participantes

Los participantes del patrón son los siguientes:

- `Expresión` es una clase abstracta que representa cualquier tipo de expresión, es decir cualquier nodo del árbol sintáctico.
- `OperadorAbstracto (OperadorBinario)` es también una clase abstracta. Describe cualquier nodo de tipo operador, es decir que posea operandos que son subárboles del árbol sintáctico.
- `OperadorConcreto1` y `OperadorConcreto2 (OperadorY, OperadorO)` son implementaciones del `OperadorAbstracto` que describen completamente la semántica del operador y por tanto son capaces de evaluarlo.
- `ElementoTerminal` es una clase abstracta que describe cualquier nodo correspondiente a un elemento terminal.
- `ElementoTerminalConcreto1` y `ElementoTerminalConcreto2 (PalabraClave)` son clases concretas que corresponden con un elemento terminal, capaces de evaluar este elemento.

3.3 Colaboraciones

El cliente construye una expresión bajo la forma de un árbol sintáctico cuyos nodos son instancias de las subclases de `Expresión`. A continuación solicita a la instancia situada en la cima del árbol que proceda a realizar la evaluación:

- Si esta instancia es un elemento terminal, la evaluación es directa.
- Si esta instancia es un operador, tiene que proceder con la evaluación de los operandos en primer lugar. Esta evaluación se realiza de forma recursiva, considerando a cada operando como la cima de una expresión.

4. Dominios de aplicación

El patrón se utiliza para interpretar expresiones representadas bajo la forma de árboles sintácticos. Se aplica principalmente en los siguientes casos:

- La gramática de las expresiones es simple.
- La evaluación no necesita ser rápida.

Observación

Si la gramática es compleja, es preferible utilizar analizadores sintácticos especializados. Si la evaluación debe realizarse rápidamente, puede resultar necesario el uso de un compilador.

5. Ejemplo en C#

A continuación se muestra el código completo de un ejemplo escrito en C# que no sólo permite evaluar un árbol sintáctico sino que también lo construye.

La construcción del árbol sintáctico, llamado análisis sintáctico, también está repartida en las clases, a saber las de la figura 4-4.2 bajo la forma de métodos de clase (métodos precedidos por la palabra reservada `static` en C#).

El código fuente de la clase `Expresion` aparece a continuación. La parte relativa a la evaluación se limita a la declaración de la firma del método `evalua`.

Los métodos `siguientePieza`, `analiza` y `parsea` están dedicados al análisis sintáctico. El método `analiza` se utiliza para parsear una expresión entera mientras que `parsea` está dedicado al análisis bien de una palabra-clave o bien de una expresión escrita entre paréntesis.

```
using System;

public abstract class Expresion
{
    public abstract bool evalua(string descripcion);

    // parte análisis sintáctico
    protected static string fuente;
    protected static int indice;
    protected static string pieza;
```

```
protected static void siguientePieza()
{
    while ((indice < fuente.Length) && (fuente[indice] ==
    ' '))
        indice++;
    if (indice == fuente.Length)
        pieza = null;
    else if ((fuente[indice] == '(') || (fuente[indice] ==
    ')'))
    {
        pieza = fuente.Substring(indice, 1);
        indice++;
    }
    else
    {
        int inicio = indice;
        while ((indice < fuente.Length) && (fuente[indice] !=
        ' ') && (fuente[indice] != ')'))
            indice++;
        pieza = fuente.Substring(inicio, indice - inicio);
    }
}

public static Expresion analiza(string fuente)
{
    Expresion.fuente = fuente;
    indice = 0;
    siguientePieza();
    return OperadorO.parsea();
}

public static Expresion parsea()
{
    Expresion resultado;
    if (pieza == "(")
    {
        siguientePieza();
        resultado = OperadorO.parsea();
        if (pieza == null)
            throw new Exception("Error de sintaxis");
        if (pieza != ")")
            throw new Exception("Error de sintaxis");
        siguientePieza();
```

```
        }
        else
            resultado = PalabraClave.parsea();
        return resultado;
    }
}
```

A continuación se muestra el código fuente de las subclases de `Expresion`. En primer lugar la clase concreta `PalabraClave` cuyo método `evalua` busca la palabra-clave en la descripción. Esta clase gestiona a su vez el análisis sintáctico de la palabra-clave.

```
using System;

public class PalabraClave : Expresion
{
    protected string palabraClave;

    public PalabraClave(string palabraClave)
    {
        this.palabraClave = palabraClave;
    }

    public override bool evalua(string descripcion)
    {
        return descripcion.IndexOf(palabraClave) != -1;
    }

    // parte análisis sintáctico
    public static new Expresion parsea()
    {
        Expresion resultado;
        resultado = new PalabraClave(pieza);
        siguientePieza();
        return resultado;
    }
}
```

La clase abstracta `OperadorBinario` gestiona los enlaces hacia los dos operandos del operador.

```
public abstract class OperadorBinario : Expresion
{
    protected Expresion operandoIzquierdo, operandoDerecho;

    public OperadorBinario(Expresion operandoIzquierdo,
        Expresion operandoDerecho)
    {
        this.operandoIzquierdo = operandoIzquierdo;
        this.operandoDerecho = operandoDerecho;
    }
}
```

La clase concreta `OperadorO` implementa el método `evalua` y gestiona el análisis de un término.

```
using System;

public class OperadorO : OperadorBinario
{
    public OperadorO(Expresion operandoIzquierdo,
    Expresion operandoDerecho)
        : base(operandoIzquierdo,
    operandoDerecho) { }

    public override bool evalua(string descripcion)
    {
        return operandoIzquierdo.evalua(descripcion) ||
        operandoDerecho.evalua(descripcion);
    }

    // parte análisis sintáctico
    public static new Expresion parsea()
    {
        Expresion resultadoIzquierdo, resultadoDerecho;
        resultadoIzquierdo = OperadorY.parsea();
        while ((pieza != null) && (pieza == "o"))
        {
            siguientePieza();
            resultadoDerecho = OperadorY.parsea();
            resultadoIzquierdo = new OperadorO(resultadoIzquierdo,
            resultadoDerecho);
        }
```

```
        return resultadoIzquierdo;
    }
}
```

La clase concreta `OperadorY` implementa el método `evalua` y gestiona el análisis sintáctico de un factor.

```
using System;

public class OperadorY : OperadorBinario
{
    public OperadorY(Expresion operandoIzquierdo,
    Expresion operandoDerecho) : base(operandoIzquierdo,
    operandoDerecho) { }

    public override bool evalua(string descripcion)
    {
        return operandoIzquierdo.evalua(descripcion) &&
        operandoDerecho.evalua(descripcion);
    }

    // parte análisis sintáctico
    public static new Expresion parsea()
    {
        Expresion resultadoIzquierdo, resultadoDerecho;
        resultadoIzquierdo = Expresion.parsea();
        while ((pieza != null) && (pieza == "y"))
        {
           siguientePieza();
           resultadoDerecho = Expresion.parsea();
           resultadoIzquierdo = new OperadorY(resultadoIzquierdo,
                resultadoDerecho);
        }
        return resultadoIzquierdo;
    }
}
```

Por último, la clase `Usuario` implementa el programa principal.

```
using System;

public class Usuario
{
    static void Main(string[] args)
    {
```

```
        Expresion expresionConsulta = null;
        Console.Write("Introduzca su consulta: ");
        string consulta = Console.ReadLine();
        try
        {
            expresionConsulta = Expresion.analiza(consulta);
        }
        catch (Exception e)
        {
            Console.WriteLine(e.Message);
            expresionConsulta = null;
        }
        if (expresionConsulta != null)
        {
            Console.WriteLine(
                "Introduzca la descripción de un vehículo: ");
            string descripcion = Console.ReadLine();
            if (expresionConsulta.evalua(descripcion))
                Console.WriteLine(
                    "La descripción responde a la consulta");
            else
                Console.WriteLine(
                    "La descripción no responde a la consulta");
        }
    }
}
```

A continuación se muestra un ejemplo de ejecución del programa.

```
Introduzca su consulta: (rojo o gris) y reciente y diesel
Introduzca la descripción de un vehículo:
Este vehículo rojo que funciona con diesel es reciente
La descripción responde a la consulta
```

Capítulo 4-5
El patrón Iterator

1. Descripción

El patrón `Iterator` proporciona un acceso secuencial a una colección de objetos a los clientes sin que éstos tengan que preocuparse de la implementación de esta colección.

2. Ejemplo

Queremos proporcionar un acceso secuencial a los vehículos que componen el catálogo. Para ello, podemos implementar en la clase del catálogo los siguientes métodos:

- `inicio`: inicializa el recorrido por el catálogo.
- `item`: reenvía el vehículo en curso.
- `siguiente`: pasa al vehículo siguiente.

Esta técnica presenta dos inconvenientes:

- Hace aumentar de manera inútil la clase catálogo.
- Sólo permite recorrer el catálogo una vez, lo cual puede ser insuficiente (en especial en el caso de aplicaciones multitarea).

El patrón `Iterator` proporciona una solución a este problema. La idea consiste en crear una clase `Iterador` donde cada instancia pueda gestionar un recorrido en una colección. Las instancias de esta clase `Iterador` las crea la clase colección que se encarga de inicializarlas.

El objetivo del patrón `Iterator` es proporcionar una solución que pueda ser configurada según el tipo de elementos que componen la colección. Presentamos por tanto dos clases abstractas genéricas:

- `Iterador` es una clase abstracta genérica que incluye los métodos `inicio`, `item` y `siguiente`;
- `Catálogo` es a su vez una clase abstracta genérica que incluye los métodos que crean, inicializan y devuelven una instancia de `Iterador`.

A continuación es posible crear las subclases concretas de estas dos clases abstractas genéricas, subclases que relacionan en particular los parámetros de genericidad con los tipos utilizados en la aplicación.

La figura 4-5.1 muestra el uso del patrón `Iterator` para recorrer los vehículos del catálogo que responden a una consulta.

Este diagrama de clases utiliza parámetros genéricos que suponen ciertas restricciones (`TElemento` es un subtipo de `Elemento` y `TIterador` es un subtipo de `Iterador<TElemento>`). Las dos clases `Catálogo` e `Iterador` poseen una asociación con un conjunto de elementos, siendo el conjunto de elementos referenciados por `Iterador` un subconjunto de los referenciados por `Catálogo`.

Las subclases `CatálogoVehículo` e `IteradorVehículo` heredan mediante una relación que fija los tipos de parámetros de genericidad de sus súperclases respectivas.

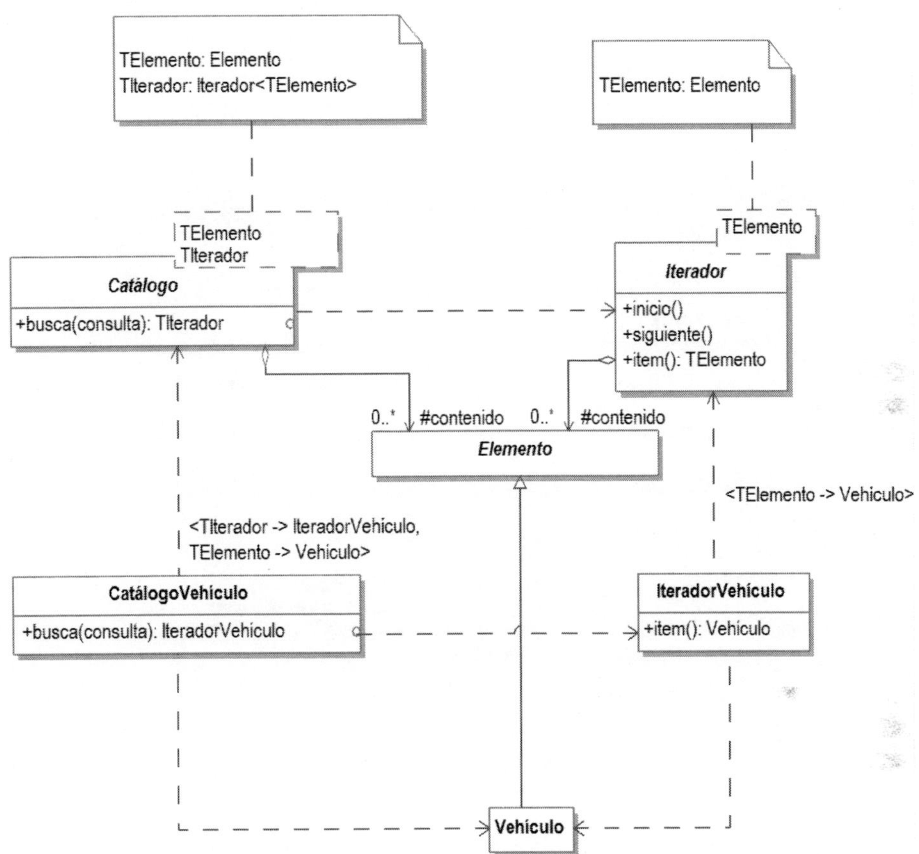

Figura 4-5.1 - El patrón `Iterator` para acceder secuencialmente a catálogos de vehículos

3. Estructura

3.1 Diagrama de clases

La figura 4-5.2 detalla la estructura genérica del patrón, que es muy parecida al diagrama de clases de la figura 4-5.1.

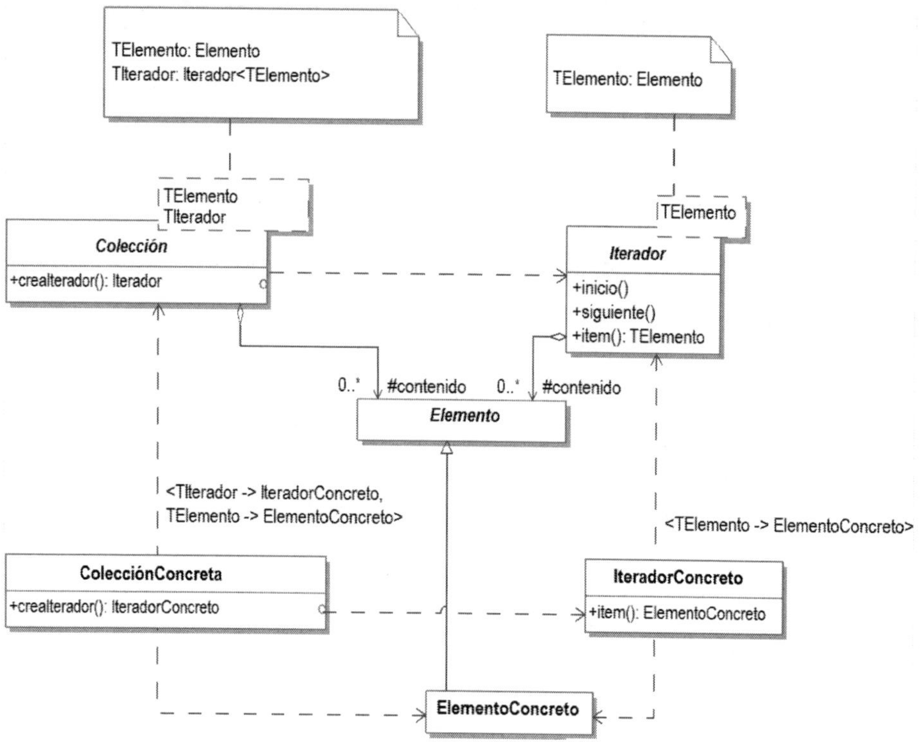

Figura 4-5.2 – Estructura del patrón `Iterator`

3.2 Participantes

Los participantes del patrón son los siguientes:

- `Iterador` es la clase abstracta que implementa la asociación del iterador con los elementos de la colección así como los métodos. Es genérica y está parametrizada mediante el tipo `TElemento`;
- `IteradorConcreto (IteradorVehículo)` es una subclase concreta de `Iterador` que relaciona `TElemento` con `ElementoConcreto`;
- `Colección (Catálogo)` es la clase abstracta que implementa la asociación de la colección con los elementos y el método `creaIterador`;
- `ColecciónConcreta (CatálogoVehículo)` es una subclase concreta de `Colección` que relaciona `TElemento` con `ElementoConcreto` y `TIterador` con `IteradorConcreto`;
- `Elemento` es la clase abstracta de los elementos de la colección;
- `ElementoConcreto (Vehículo)` es una subclase concreta de `Elemento` utilizada por `IteradorConcreto` y `ColecciónConcreta`.

3.3 Colaboraciones

El iterador guarda en memoria el objeto en curso en la colección. Es capaz de calcular el objeto siguiente del recorrido.

4. Dominios de aplicación

El patrón se utiliza en los casos siguientes:

- Es necesario realizar un recorrido de acceso al contenido de una colección sin acceder a la representación interna de esta colección.
- Debe ser posible gestionar varios recorridos de forma simultánea.

5. Ejemplo en C#

Presentamos a continuación un ejemplo escrito en C# del recorrido del catálogo de vehículos con ayuda de un iterador.

El código fuente de la clase abstracta `Elemento` se muestra a continuación. Los elementos poseen una descripción. El método `palabraClaveValida` verifica si aparece cierta palabra clave en la descripción.

```
using System;

public abstract class Elemento
{
    protected string descripcion;

    public Elemento(string descripcion)
    {
        this.descripcion = descripcion;
    }

    public bool palabraClaveValida(string palabraClave)
    {
        return descripcion.IndexOf(palabraClave) != -1;
    }
}
```

La subclase concreta `Vehiculo` incluye un método `visualiza`.

```
using System;

public class Vehiculo : Elemento
{

    public Vehiculo(string descripcion) : base(descripcion) { }

    public void visualiza()
    {
        Console.WriteLine("Descripción del vehículo: " +
            descripcion);
    }
}
```

La clase `Iterador` incluye los métodos `inicio`, `siguiente`, `item` así como las propiedades `palabraClaveConsulta` y `contenido`.

```
using System;
using System.Collections.Generic;

public abstract class Iterador<TElemento>
  where TElemento : Elemento
{
    public string palabraClaveConsulta { protected get; set; }
    protected int indice;
    public IList<TElemento> contenido { protected get; set; }


    public void inicio()
    {
        indice = 0;
        int tamaño = contenido.Count;
        while ((indice < tamaño) &&
          (!contenido[indice].palabraClaveValida
          (palabraClaveConsulta))) indice++;
    }

    public void siguiente()
    {
        int tamaño = contenido.Count;
        indice++;
        while ((indice < tamaño) &&
          (!contenido[indice].palabraClaveValida
          (palabraClaveConsulta))) indice++;
    }

    public TElemento item()
    {
        if (indice < contenido.Count)
            return contenido[indice];
        else
            return null;
    }
}
```

La subclase `IteradorVehiculo` se contenta con enlazar `TElemento` con `Vehiculo`.

```
public class IteradorVehiculo : Iterador<Vehiculo>
{
}
```

La clase `Catalogo` gestiona el atributo `contenido` que es la colección de elementos e incluye el método `busqueda` que crea, inicializa y devuelve el iterador.

```
using System;
using System.Collections.Generic;

public abstract class Catalogo<TElemento, TIterador>
    where TElemento : Elemento
    where TIterador : Iterador<TElemento>, new()
{
    protected IList<TElemento> contenido =
        new List<TElemento>();

    public TIterador busqueda(string palabraClaveConsulta)
    {
        TIterador resultado = new TIterador();
        resultado.palabraClaveConsulta = palabraClaveConsulta;
        resultado.contenido = contenido;
        return resultado;
    }
}
```

La subclase concreta `CatalogoVehiculo` relaciona `TElemento` con `Vehiculo` y `TIterador` con `IteradorVehiculo`.

Incluye un constructor que construye la colección de vehículos (en una aplicación real, esta colección provendría de una base de datos).

```
public class CatalogoVehiculo : Catalogo<Vehiculo,
  IteradorVehiculo>
{

    public CatalogoVehiculo()
    {
       contenido.Add(new Vehiculo("vehículo económino"));
       contenido.Add(new Vehiculo("pequeño vehículo económico"));
```

```
        contenido.Add(new Vehiculo("vehículo de gran calidad"));
    }

}
```

Por último, la clase `Usuario` incluye el programa principal que crea el catálogo de vehículos y un iterador basado en la búsqueda de la palabra clave "económico". A continuación, el programa principal muestra la lista de vehículos devueltos por el iterador.

```
using System;

public class Usuario
{
    static void Main(string[] args)
    {
        CatalogoVehiculo catalogo = new CatalogoVehiculo();
        IteradorVehiculo iterador = catalogo.busqueda(
          "económico");
        Vehiculo vehiculo;
        iterador.inicio();
        vehiculo = iterador.item();
        while (vehiculo != null)
        {
            vehiculo.visualiza();
            iterador.siguiente();
            vehiculo = iterador.item();
        }
    }
}
```

La ejecución de este programa produce el resultado siguiente.

```
Descripción del vehículo: vehículo económico
Descripción del vehículo: pequeño vehículo económico
```

Capítulo 4-6
El patrón Mediator

1. Descripción

El patrón `Mediator` tiene como objetivo construir un objeto cuya vocación es la gestión y el control de las interacciones en un conjunto de objetos sin que sus elementos deban conocerse mutuamente.

2. Ejemplo

El diseño orientado a objetos favorece la distribución del comportamiento entre los objetos del sistema. No obstante, llevada al extremo, esta distribución puede llevar a tener un gran número de enlaces que obligan prácticamente a cada objeto a conocer a todos los demás objetos del sistema. Un diseño con tal cantidad de enlaces puede volverse de mala calidad. En efecto, la modularidad y las posibilidades de reutilización de los objetos se reducen. Cada objeto no puede trabajar sin los demás y el sistema se vuelve monolítico, perdiendo toda su modularidad. Además para adaptar y modificar el comportamiento de una pequeña parte del sistema, resulta necesario definir numerosas subclases.

Las interfaces de usuario dinámicas son un buen ejemplo de tal sistema. Una modificación en el valor de un control gráfico puede conducir a modificar el aspecto de otros controles gráficos como, por ejemplo:

- volverse visible u oculto;
- modificar el número de valores posibles (para un menú);
- cambiar el formato de los valores que es necesario informar.

La primera posibilidad consiste en enlazar cada control cuyo aspecto cambia en función de su valor. Esta posibilidad presenta los inconvenientes citados anteriormente.

La otra posibilidad consiste en implementar el patrón `Mediator`. Éste consiste en construir un objeto central encargado de la coordinación de los controles gráficos. Cuando se modifica el valor de un control, previene al objeto mediador que se encarga de invocar a los métodos correspondientes de los demás controles gráficos para que puedan realizar las modificaciones necesarias.

En nuestro sistema de venta online de vehículos, es posible solicitar un préstamo para adquirir un vehículo rellenando un formulario online. Es posible solicitar el préstamo solo o con otra persona. Esta elección se realiza con la ayuda de un menú. Si la elección resulta solicitar el préstamo con otro prestatario, existe toda una serie de controles gráficos relativos a los datos del coprestatario que deben mostrarse y rellenarse.

La figura 4-6.1 ilustra el diagrama de clases correspondiente. Este diagrama incluye las clases siguientes:

- `Control` es una clase abstracta que incluye los elementos comunes a todos los controles gráficos;
- `PopupMenú`, `ZonaInformación` y `Botón` son las subclases concretas de `Control` que implementan el método `informa`;
- `Formulario` es la clase que realiza la función de mediador. Recibe las notificaciones de cambio de los controles invocando al método `controlModificado`.

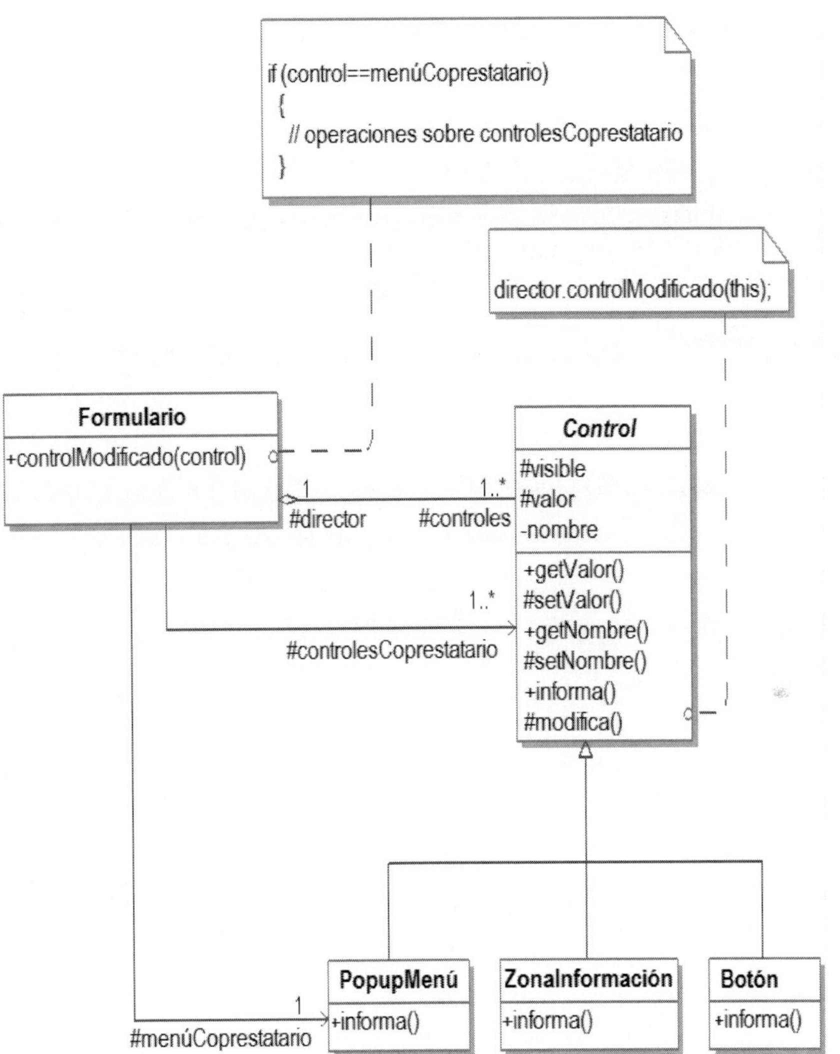

Figura 4-6.1 - El patrón `Mediator` para gestionar un formulario de solicitud de un préstamo

Cada vez que el valor de un control gráfico se modifica, se invoca el método `modificado` del control. Este método heredado de la clase abstracta `Control` invoca a su vez al método `controlModificado` de `Formulario` (el mediador). Éste invoca, a su vez, a los métodos de los controles del formulario para realizar las acciones necesarias.

La figura 4-6.2 ilustra este comportamiento de forma parcial sobre el ejemplo. Cuando el valor del control `menuCoprestatario` cambia, se informan los datos relativos al nombre y apellidos del coprestatario.

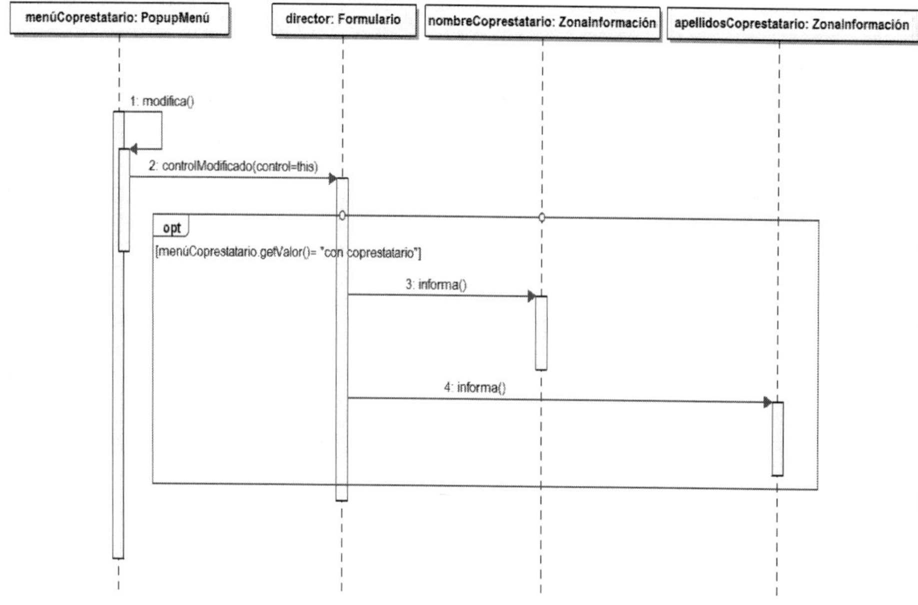

Figura 4-6.2 - Ejemplo de secuencia de uso del patrón `Mediator`

3. Estructura

3.1 Diagrama de clases

La figura 4-6.3 detalla la estructura genérica del patrón.

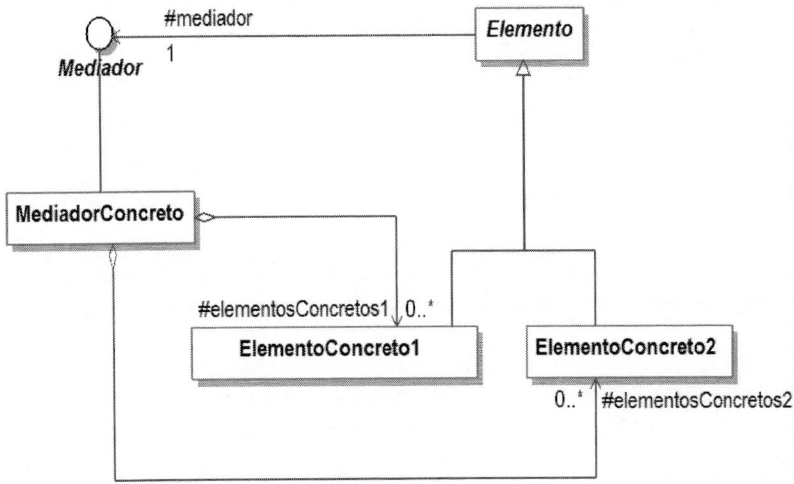

Figura 4-6.3 - Estructura del patrón `Mediator`

3.2 Participantes

Los participantes del patrón son los siguientes:

- `Mediador` define la interfaz del mediador para los objetos `Elemento`.
- `MediadorConcreto (Formulario)` implementa la coordinación entre los elementos y gestiona las asociaciones con los elementos.
- `Elemento (Control)` es la clase abstracta de los elementos que incluyen sus atributos, asociaciones y métodos comunes.
- `ElementoConcreto1` y `ElementoConcreto2` (`PopupMenú`, `ZonaInformación` y `Botón`) son las clases concretas de los elementos que se comunican con el mediador en lugar de con los demás elementos.

3.3 Colaboraciones

Los elementos envían y reciben mensajes del mediador. El mediador implementa la colaboración y la coordinación entre los elementos.

4. Dominios de aplicación

El patrón se utiliza en los casos siguientes:

- Un sistema está formado por un conjunto de objetos basado en una comunicación compleja que conduce a asociar numerosos objetos entre ellos.
- Los objetos de un sistema son difíciles de reutilizar puesto que poseen numerosas asociaciones con otros objetos.
- La modularidad de un sistema es mediocre, obligando en los casos en los que se debe adaptar una parte del sistema a escribir numerosas subclases.

5. Ejemplo en C#

A continuación proponemos simular la información de un formulario con la ayuda de entradas/salidas clásicas basada en una introducción secuencial de datos en cada control hasta que se valida el botón "OK" (mediante el teclado). Un menú permite elegir si el préstamo se realiza o no con un coprestatario.

El código fuente escrito en C# de la clase `Control` se muestra a continuación.

```
using System;

public abstract class Control
{
    public string valor { get; protected set; }
    public Formulario director { get; set; }
    public string nombre { get; protected set; }

    public Control(string nombre)
    {
        this.valor = "";
        this.nombre = nombre;
    }
```

```
    public abstract void informa();

    protected void modifica()
    {
        director.controlModificado(this);
    }
}
```

El código fuente de la subclase `ZonaInformacion` aparece a continuación. El método informa es muy sencillo, lee el valor introducido por teclado.

```
using System;

public class ZonaInformacion : Control
{
    public ZonaInformacion(string nombre) : base(nombre) { }

    public override void informa()
    {
        Console.WriteLine("Información de: " + nombre);
        valor = Console.ReadLine();
        this.modifica();
    }
}
```

El código de la subclase `Boton` se muestra a continuación. El método `informa` solicita al usuario si desea activar el botón y en caso de responder favorablemente, invoca al método `modifica(modificado)` para señalar esta respuesta al mediador.

```
using System;

public class Boton : Control
{
    public Boton(string nombre) : base(nombre) { }

    public override void informa()
    {
        Console.WriteLine("¿Desea activar el botón " +
          nombre + " ?");
        string respuesta = Console.ReadLine();
        if (respuesta == "sí")
            this.modifica();
    }
}
```

El método `informa` de la subclase `PopupMenu` muestra todas las opciones posibles y a continuación solicita al usuario su elección y en caso de que cambie el valor, se lo señala al mediador invocando al método `modifica`.

```
using System;
using System.Collections.Generic;

public class PopupMenu : Control
{
    protected IList<string> opciones =
        new List<string>();

    public PopupMenu(string nombre) : base(nombre) { }

    public override void informa()
    {
        Console.WriteLine("Información de: " + nombre);
        Console.WriteLine("Valor actual: " + valor);
        for (int indice = 0; indice < opciones.Count; indice++)
            Console.WriteLine("- " + indice + " )" +
              opciones[indice]);
        int eleccion = int.Parse(Console.ReadLine());
        if ((eleccion >= 0) && (eleccion < opciones.Count))
        {
            bool cambia = (valor != opciones[eleccion]);
            if (cambia)
            {
                valor = opciones[eleccion];
```

```
                this.modifica();
            }
        }
    }

    public void agregaOpcion(string opcion)
    {
        opciones.Add(opcion);
    }
}
```

La clase `Formulario` se presenta a continuación e introduce dos métodos importantes:

- el método `informa` funciona recorriendo la información de cada control hasta que el atributo `enCurso` se vuelve falso;
- el método `controlModificado` solicita la información del coprestatario si el control `menuCoprestatario` cambia de valor y toma el valor "con coprestatario". A su vez establece a falso el valor del atributo `enCurso` si el botón "OK" está activado.

```
using System.Collections.Generic;
using System;

public class Formulario
{
    protected IList<Control> controles =
        new List<Control>();
    protected IList<Control> controlesCoprestatario =
        new List<Control>();
    public PopupMenu menuCoprestatario { protected get; set; }
    public Boton botonOK { protected get; set; }
    protected bool enCurso = true;

    public void agregaControl(Control control)
    {
        controles.Add(control);
        control.director = this;
    }

    public void agregaControlCoprestatario(Control
        control)
    {
```

```
        controlesCoprestatario.Add(control);
        control.director = this;
    }

    public void controlModificado(Control control)
    {
        if (control == menuCoprestatario)
            if (control.valor == "con coprestatario")
            {
                foreach (Control elementoCoprestatario in
                controlesCoprestatario)
                    elementoCoprestatario.informa();
            }
        if (control == botonOK)
        {
            enCurso = false;
        }
    }

    public void informa()
    {
        while (true)
        {
            foreach (Control control in controles)
            {
                control.informa();
                if (!enCurso)
                    return;
            }
        }
    }

}
```

Por último, la clase `Usuario` contiene el programa principal que efectúa las siguientes acciones:

- construcción del formulario;
- agregar dos zonas de información;
- agregar el menú `Coprestatario`;
- agregar el botón "OK";
- agregar las zonas de información para el coprestatario;

– ejecutar la información del formulario.

```
public class Usuario
{
    static void Main(string[] args)
    {
        Formulario formulario = new Formulario();
        formulario.agregaControl(new ZonaInformacion("Nombre"));
        formulario.agregaControl(new
           ZonaInformacion("Apellidos"));
        PopupMenu menu = new PopupMenu("Coprestatario");
        menu.agregaOpcion("sin coprestatario");
        menu.agregaOpcion("con coprestatario");
        formulario.agregaControl(menu);
        formulario.menuCoprestatario = menu;
        Boton boton = new Boton("OK");
        formulario.agregaControl(boton);
        formulario.botonOK = boton;
        formulario.agregaControlCoprestatario(new
           ZonaInformacion("Nombre del coprestatario"));
        formulario.agregaControlCoprestatario(new
           ZonaInformacion("Apellidos del coprestatario"));
        formulario.informa();
    }
}
```

A continuación aparece un ejemplo de ejecución. Las palabras en negrita son las introducidas por el usuario.

```
Información de: Nombre
Juan
Información de: Apellidos
López Martín
Información de: Coprestatario
Valor actual:
- 0 )sin coprestatario
- 1 )con coprestatario
1
Información de: Nombre del coprestatario
Manuel
Información de: Apellidos del coprestatario
Pérez Ruiz
¿Desea activar el botón OK?
sí
```

Capítulo 4-7
El patrón Memento

1. Descripción

El patrón `Memento` tiene como objetivo salvaguardar y restablecer el estado de un objeto sin violar la encapsulación.

2. Ejemplo

Durante la compra online de un vehículo nuevo, el cliente puede seleccionar opciones suplementarias que se agregarán a su carrito de la compra. No obstante, existen opciones incompatibles como, por ejemplo, asientos deportivos frente a asientos en cuero o reclinables.

La consecuencia de esta incompatibilidad es que si se han seleccionado asientos reclinables y a continuación se elijen asientos en cuero, la opción de los asientos reclinables se elimina del carrito de la compra.

Queremos incluir una opción para poder anular la última operación realizada en el vehículo. Suprimir la última opción agregada no es suficiente puesto que es necesario también restablecer las opciones presentes y que se han eliminado debido a la incompatibilidad. Una solución consiste en memorizar el estado del carrito de la compra antes de agregar la nueva opción.

Además, deseamos ampliar este comportamiento para gestionar un histórico de los estados del carrito de la compra y poder volver a cualquier estado anterior. Es preciso entonces, en este caso, memorizar todos los estados sucesivos del vehículo.

Para preservar la encapsulación del objeto que representa el carrito de la compra, una solución consistiría en memorizar estos estados intermedios en el propio carrito. No obstante esta solución tendría como efecto un aumento inútil en la complejidad de este objeto.

El patrón `Memento` proporciona una solución a este problema. Consiste en memorizar los estados del carrito de la compra en un objeto llamado memento (agenda o histórico). Cuando se agrega una nueva opción, el carrito crea un histórico, lo inicializa con su estado, retira las opciones incompatibles con la nueva opción, procede a agregar esta nueva opción y reenvía el memento así creado. Éste se utilizará a continuación en caso de que se quiera anular la opción agregada y volver al estado anterior.

Sólo el carrito de la compra puede memorizar su estado en el memento y restaurar un estado anterior: el memento es opaco de cara a los demás objetos.

El diagrama de clases correspondiente aparece en la figura 4-7.1. El carrito de la compra está representado por la clase `CarritoOpciones` y el memento por la clase `Memento`. El estado del carrito de la compra consiste en el conjunto de sus enlaces con las demás opciones. Las opciones están representadas mediante la clase `OpciónVehículo` que incluye una asociación reflexiva para describir las opciones incompatibles.

Observación

Conviene observar que las opciones forman un conjunto de instancias de la clase `OpciónVehículo`. Estas instancias están compartidas entre todos los coches.

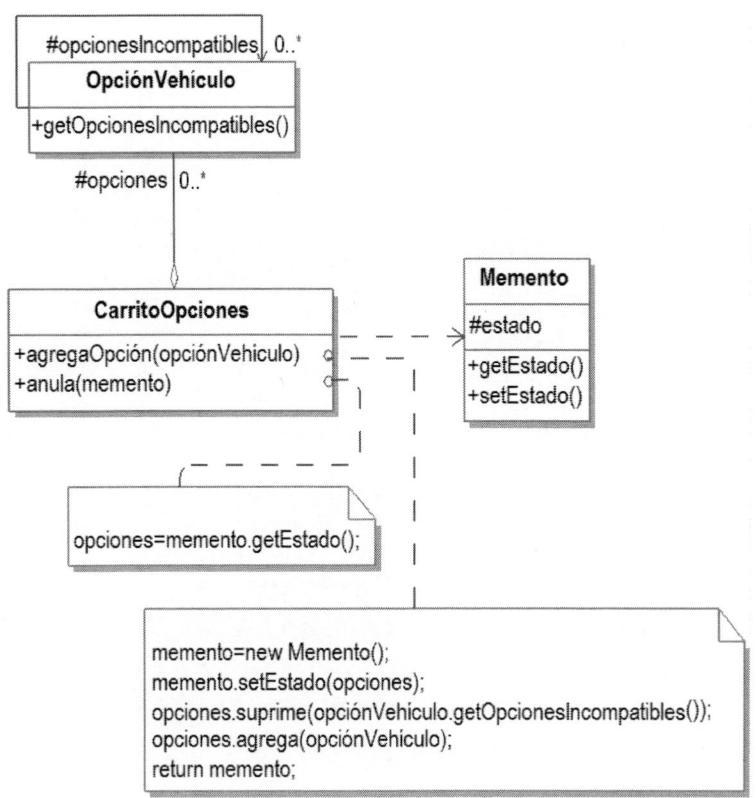

Figura 4-7.1 - El patrón `Memento` *para gestionar los estados de un carrito de opciones*

3. Estructura

3.1 Diagrama de clases

La figura 4-7.2 detalla la estructura genérica del patrón.

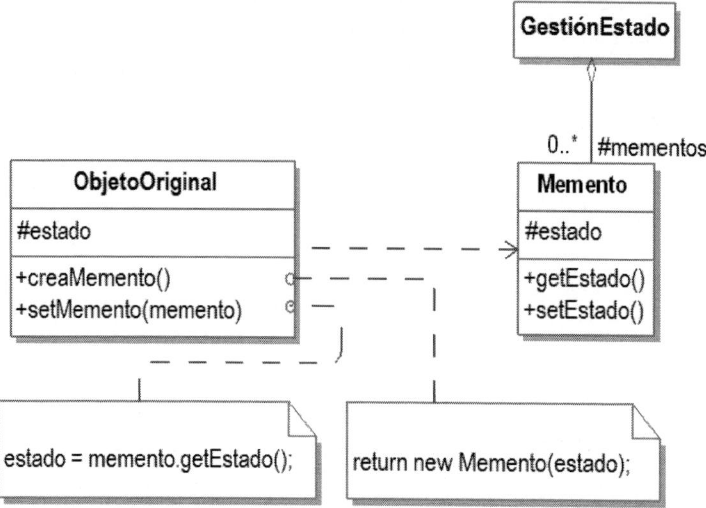

Figura 4-7.2 - Estructura del patrón `Memento`

3.2 Participantes

Los participantes del patrón son los siguientes:

- `Memento` es la clase de los mementos que son los objetos que memorizan el estado interno de los objetos originales (o una parte de este estado). El memento posee dos interfaces: una interfaz completa destinada a los objetos originales que ofrece la posibilidad de memorizar y de restaurar su estado y una interfaz reducida para los objetos de gestión del estado que no tienen permisos para acceder al estado interno de los objetos originales.
- `ObjetoOriginal (CarritoOpciones)` es la clase de los objetos que crean un memento para memorizar su estado interno y que pueden restaurarlo a partir de un memento.
- `GestiónEstado` es el responsable de la gestión de los mementos y no accede al estado interno de los objetos originales.

3.3 Colaboraciones

Una instancia de `GestiónEstado` solicita un memento al objeto original llamando al método `creaMemento`, lo salvaguarda y en caso de necesitar su anulación y retornar al estado memorizado en el memento, lo transmite de nuevo al objeto original mediante el método `setMemento`.

4. Dominios de aplicación

El patrón se utiliza en el caso en que el estado interno de un objeto debe memorizarse (total o parcialmente) para poder ser restaurado posteriormente sin que la encapsulación de este objeto quede fragmentada.

5. Ejemplo en C#

Comenzamos presentando este ejemplo escrito en C# con el memento. Éste está descrito por la interfaz `Memento` y la clase `MementoImpl`. La clase incluye la propiedad `estado` cuya invocación está reservada al carrito de la compra. La interfaz está vacía, de modo que sólo sirve para determinar un tipo para los demás objetos que deben referenciar el memento sin poder acceder a la propiedad `estado`.

El memento almacena el estado del carrito de opciones, a saber una lista que está constituida por un duplicado de la lista de opciones del carrito.

```
public interface Memento
{
}


using System.Collections.Generic;

public class MementoImpl : Memento
{
    protected IList<OpcionVehiculo> opciones =
        new List<OpcionVehiculo>();

    public IList<OpcionVehiculo> estado
    {
        get
        {
            return opciones;
        }
        set
        {
            this.opciones.Clear();
            foreach (OpcionVehiculo opcion in value)
                this.opciones.Add(opcion);
        }
    }
}
```

La clase `CarritoOpciones` describe el carrito. El método `agregaOpcion` consiste en suprimir aquellas opciones incompatibles con la nueva opción antes de agregarla. Este método crea un nuevo memento que recibe el estado inicial, memento que es reenviado al objeto que invoca el método. El método `anula` restablece el estado salvaguardado en el memento. Es preciso destacar que es necesario realizar un downcast para obtener acceso a la propiedad `estado`.

```
using System;
using System.Collections.Generic;

public class CarritoOpciones
{
    protected IList<OpcionVehiculo> opciones =
        new List<OpcionVehiculo>();

    public Memento agregaOpcion(OpcionVehiculo
    opcionVehiculo)
    {
        MementoImpl resultado = new MementoImpl();
        resultado.estado = opciones;
        IList<OpcionVehiculo> opcionesIncompatibles =
            opcionVehiculo.opcionesIncompatibles;
        foreach (OpcionVehiculo opcion in opcionesIncompatibles)
            opciones.Remove(opcion);
        opciones.Add(opcionVehiculo);
        return resultado;
    }

    public void anula(Memento memento)
    {
        MementoImpl mementoImplInstance = memento as MementoImpl;
        if (mementoImplInstance == null)
            return;
        opciones = mementoImplInstance.estado;
    }

    public void visualiza()
    {
        Console.WriteLine("Contenido del carrito de opciones");
        foreach (OpcionVehiculo opcion in opciones)
            opcion.visualiza();
        Console.WriteLine();
    }
}
```

La clase `OpcionVehiculo` describe una opción de vehículo nuevo.

```
using System;
using System.Collections.Generic;

public class OpcionVehiculo
{
    protected string nombre;
    public IList<OpcionVehiculo> opcionesIncompatibles
    { get; protected set; }

    public OpcionVehiculo(string nombre)
    {
        opcionesIncompatibles = new List<OpcionVehiculo>();
        this.nombre = nombre;
    }

    public void agregaOpcionIncompatible(OpcionVehiculo
      opcionIncompatible)
    {
        if (!opcionesIncompatibles.Contains(opcionIncompatible))
        {
            opcionesIncompatibles.Add(opcionIncompatible);
            opcionIncompatible.agregaOpcionIncompatible(this);
        }
    }

    public void visualiza()
    {
        Console.WriteLine("opción: " + nombre);
    }
}
```

Por último el programa principal está formado por la clase `Usuario`. Comienza creando la lista de opciones y especificando aquellas opciones incompatibles entre sí. A continuación agrega las dos primeras opciones y después la tercera, que es incompatible con las dos anteriores. Después, anula la última opción agregada.

```
public class Usuario
{
    static void Main(string[] args)
    {
        Memento memento;
        OpcionVehiculo opcion1 = new OpcionVehiculo(
          "Asientos en cuero");
        OpcionVehiculo opcion2 = new OpcionVehiculo(
          "Reclinables");
        OpcionVehiculo opcion3 = new OpcionVehiculo(
          "Asientos deportivos");
        opcion1.agregaOpcionIncompatible(opcion3);
        opcion2.agregaOpcionIncompatible(opcion3);
        CarritoOpciones carritoOpciones = new CarritoOpciones();
        carritoOpciones.agregaOpcion(opcion1);
        carritoOpciones.agregaOpcion(opcion2);
        carritoOpciones.visualiza();
        memento = carritoOpciones.agregaOpcion(opcion3);
        carritoOpciones.visualiza();
        carritoOpciones.anula(memento);
        carritoOpciones.visualiza();
    }
}
```

El resultado de la ejecución del programa es el siguiente.

```
Contenido del carrito de opciones
opción: Asientos en cuero
opción: Reclinables

Contenido del carrito de opciones
opción: Asientos deportivos

Contenido del carrito de opciones
opción: Asientos en cuero
opción: Reclinables
```

Capítulo 4-8
El patrón Observer

1. Descripción

El patrón `Observer` tiene como objetivo construir una dependencia entre un sujeto y los observadores de modo que cada modificación del sujeto sea notificada a los observadores para que puedan actualizar su estado.

2. Ejemplo

Queremos actualizar la visualización de un catálogo en tiempo real. Cada vez que la información relativa a un vehículo se modifica, queremos actualizar la visualización de la misma. Puede haber varias visualizaciones simultáneas.

La solución recomendada por el patrón `Observer` consiste en establecer un enlace entre cada vehículo y sus vistas para que el vehículo pueda indicarles que se actualicen cuando su estado interno haya sido modificado. Esta solución se ilustra en la figura 4-8.1.

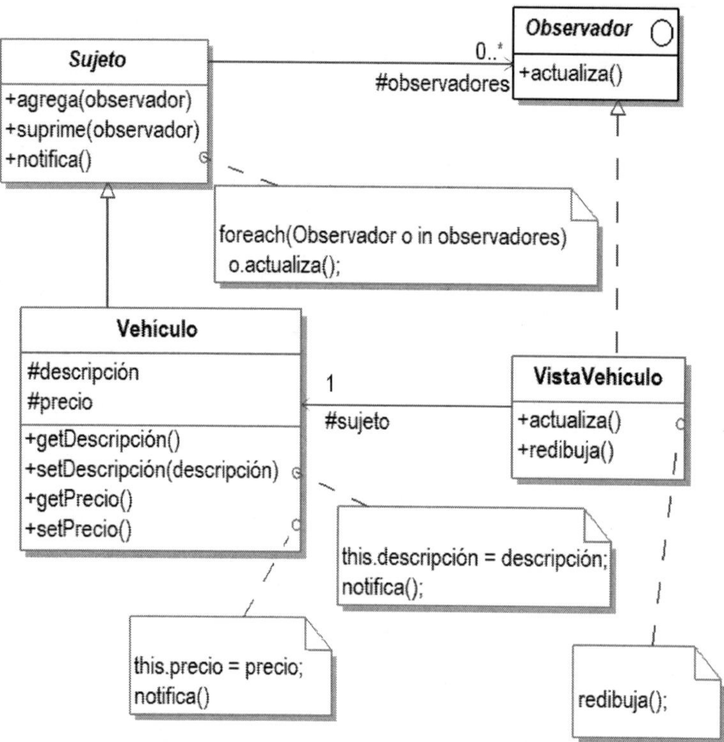

Figura 4-8.1 - El patrón `Observer` aplicado a la visualización de vehículos

El diagrama contiene las cuatro clases siguientes:

- `Sujeto` es la clase abstracta que incluye todo objeto que notifica a los demás objetos de las modificaciones en su estado interno.
- `Vehículo` es la subclase concreta de `Sujeto` que describe a los vehículos. Gestiona dos atributos: `descripción` y `precio`.
- `Observador` es la interfaz de todo objeto que necesite recibir las notificaciones de cambio de estado provenientes de los objetos a los que se ha inscrito previamente.
- `VistaVehículo` es la subclase concreta correspondiente a la implementación de `Observador` cuyas instancias muestran la información de un vehículo.

El funcionamiento es el siguiente: cada nueva vista se inscribe como observador de su vehículo mediante el método `agrega`. Cada vez que la descripción o el precio se actualizan, el método `notifica` es invocado. Éste solicita a todos los observadores que se actualicen invocando a su método `actualiza`. En la clase `VistaVehículo`, éste último método se llama `redibuja`. Este funcionamiento se ilustra en la figura 4-8.2 mediante un diagrama de secuencia.

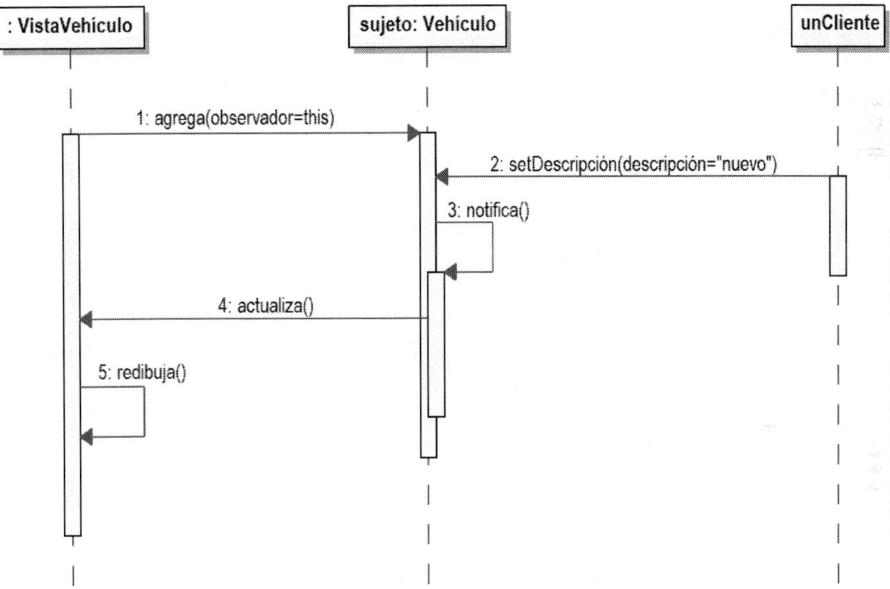

Figura 4-8.2 - Diagrama de secuencia detallando el uso del patrón `Observer`

Observación

La solución implementada mediante el patrón `Observer` es genérica. En efecto, todo el mecanismo de observación está implementado en la clase `Sujeto` y en la interfaz `Observador` que puede tener otras subclases distintas de `Vehículo` y `VistaVehículo`.

3. Estructura

3.1 Diagrama de clases

La figura 4-8.3 detalla la estructura genérica del patrón.

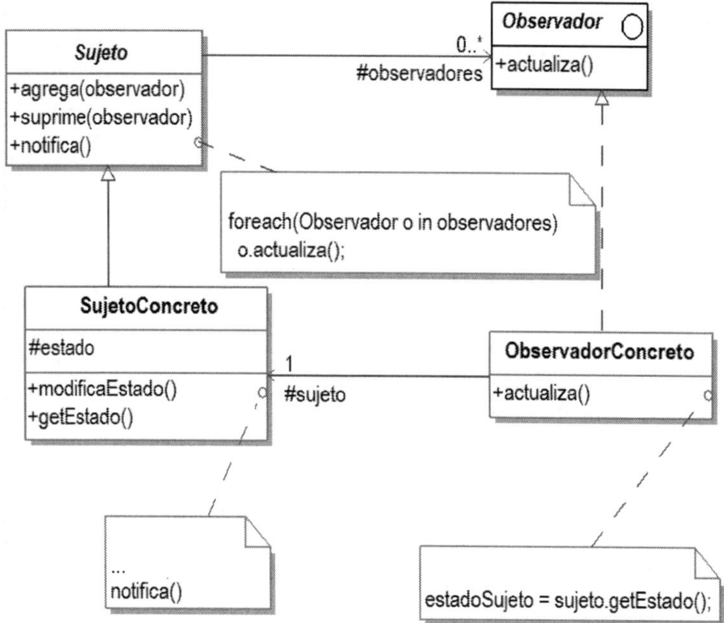

Figura 4-8.3 - Estructura del patrón `Observer`

3.2 Participantes

Los participantes del patrón son los siguientes:

- `Sujeto` es la clase abstracta que incluye la asociación con los observadores así como los métodos para agregar o suprimir observadores;
- `Observador` es la interfaz que es necesario implementar para recibir las notificaciones (método `actualiza`);
- `SujetoConcreto (Vehículo)` es una clase correspondiente a la implementación de un sujeto. Un sujeto envía una notificación cuando su estado se ha modificado;
- `ObservadorConcreto (VistaVehículo)` es una clase de implementación de un observador. Mantiene una referencia hacia el sujeto e implementa el método `actualiza`. Solicita a su sujeto información que forma parte de su estado durante las actualizaciones invocando al método `getEstado`.

3.3 Colaboraciones

El sujeto notifica a sus observadores cuando su estado interno ha sido modificado. Cuando un observador recibe esta notificación, se actualiza en consecuencia. Para realizar esta actualización, puede invocar a los métodos del sujeto que dan acceso a su estado.

4. Dominios de aplicación

El patrón se utiliza en los casos siguientes:

- Una modificación en el estado de un objeto genera modificaciones en otros objetos que se determinan dinámicamente.
- Un objeto quiere avisar a otros objetos sin tener que conocer su tipo, es decir sin estar fuertemente acoplado a ellos.
- No se desea fusionar dos objetos en uno solo.

5. Ejemplo en C#

Retomamos el ejemplo de la figura 4-8.1. El código fuente de la clase `Sujeto` aparece a continuación. Los observadores se gestionan mediante una lista.

```
using System.Collections.Generic;

public abstract class Sujeto
{
    protected IList<Observador> observadores =
        new List<Observador>();

    public void agrega(Observador observador)
    {
        observadores.Add(observador);
    }

    public void suprime(Observador observador)
    {
        observadores.Remove(observador);
    }

    public void notifica()
    {
        foreach (Observador observador in observadores)
            observador.actualiza();
    }
}
```

El código fuente de la interfaz `Observador` es muy simple puesto que sólo contiene la firma del método `actualiza`.

```
public interface Observador
{
    void actualiza();
}
```

El código fuente de la clase `Vehiculo` aparece a continuación. Contiene dos atributos y los accesos de lectura y escritura para ambos atributos. Los dos accesos de escritura invocan al método `notifica`.

```
using System;

public class Vehiculo : Sujeto
{
    protected string _descripcion;
    protected double _precio;

    public string descripcion
    {
        get
        {
            return _descripcion;
        }
        set
        {
            _descripcion = value;
            this.notifica();
        }
    }

    public double precio
    {
        get
        {
            return _precio;
        }
        set
        {
            _precio = value;
            this.notifica();
        }
    }

}
```

La clase `VistaVehiculo` gestiona un texto que contiene la descripción y el precio del vehículo asociado (el sujeto). Este texto se actualiza tras cada notificación en el cuerpo del método `actualiza`. El método `redibuja` imprime este texto por pantalla.

```
using System;

public class VistaVehiculo : Observador
{
    protected Vehiculo vehiculo;
    protected string texto = "";

    public VistaVehiculo(Vehiculo vehiculo)
    {
        this.vehiculo = vehiculo;
        vehiculo.agrega(this);
        actualizaTexto();
    }

    protected void actualizaTexto()
    {
        texto = "Descripción " + vehiculo.descripcion +
        " Precio: " + vehiculo.precio;
    }

    public void actualiza()
    {
        actualizaTexto();
        this.redibuja();
    }

    public void redibuja()
    {
        Console.WriteLine(texto);
    }
}
```

Por último, la clase `Usuario` incluye el programa principal. Este programa crea un vehículo y a continuación una vista a la que le pide la visualización. A continuación se modifica el precio y la vista se refresca. A continuación se crea una segunda vista que se asocia al mismo vehículo. El precio se modifica de nuevo y ambas vistas se refrescan.

```
using System;

public class Usuario
{
    static void Main(string[] args)
    {
       Vehiculo vehiculo = new Vehiculo();
       vehiculo.descripcion = "Vehículo económico";
       vehiculo.precio = 5000.0;
       VistaVehiculo vistaVehiculo = new VistaVehiculo(vehiculo);
       vistaVehiculo.redibuja();
       vehiculo.precio = 4500.0;
       VistaVehiculo vistaVehiculo2 = new VistaVehiculo(vehiculo);
       vehiculo.precio = 5500.0;
    }
}
```

El resultado de la ejecución de este programa es el siguiente.

```
Descripción Vehículo económico precio: 5000
Descripción Vehículo económico precio: 4500
Descripción Vehículo económico precio: 5500
Descripción Vehículo económico precio: 5500
```

Capítulo 4-9
El patrón State

1. Descripción

El patrón `State` permite a un objeto adaptar su comportamiento en función de su estado interno.

2. Ejemplo

Nos interesamos a continuación en los pedidos de productos en nuestro sitio de venta online. Están descritos mediante la clase `Pedido`. Las instancias de esta clase poseen un ciclo de vida que se ilustra en el diagrama de estados y transiciones de la figura 4-9.1. El estado `EnCurso` se corresponde con el estado en el que el pedido está en curso de creación: el cliente agrega los productos. El estado `Validado` es el estado en el que el pedido ha sido validado y aprobado por el cliente. Por último, el estado `Entregado` es el estado en el que los productos han sido entregados.

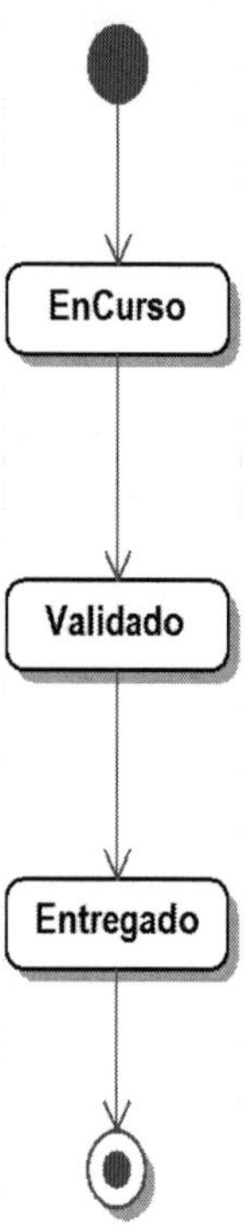

Figura 4-9.1 - Diagrama de estados y transiciones de un pedido

La clase `Pedido` posee métodos cuyo comportamiento varía en función de este estado. Por ejemplo, el método `agregaProducto` sólo permite agregar productos si el pedido se encuentra en el estado `EnCurso`. El método `borra` no tiene ninguna acción en el estado `Entregado`.

El enfoque tradicional para resolver estas diferencias en el comportamiento consiste en utilizar condiciones en el cuerpo de los métodos. Este enfoque conduce a menudo a métodos complejos de escribir y de comprender.

El patrón `State` proporciona otra solución que consiste en transformar cada estado en una clase. Esta clase incluye los métodos de la clase `Pedido` dependiendo de los estados confiriendo el comportamiento propio de cada estado.

La figura 4-9.2 ilustra el diagrama de clases correspondiente a este enfoque. Las tres subclases correspondientes a los estados son `PedidoEnCurso`, `PedidoValidado` y `PedidoEntregado`. Son subclases de la clase abstracta `EstadoPedido` que mantienen la asociación con la clase `Pedido`. La clase `EstadoPedido` incluye a su vez las firmas de los métodos cuyo comportamiento depende del estado en curso, métodos implementados en las subclases.

Una instancia de la clase `Pedido` posee una referencia hacia una instancia de la subclase `EstadoPedido` que corresponde a su estado en curso. En esta clase `Pedido`, los métodos que dependen del estado en curso delegan su invocación a esta instancia. La nota relativa al método `agregaProducto` en la figura 4-9.2 ilustra esta delegación.

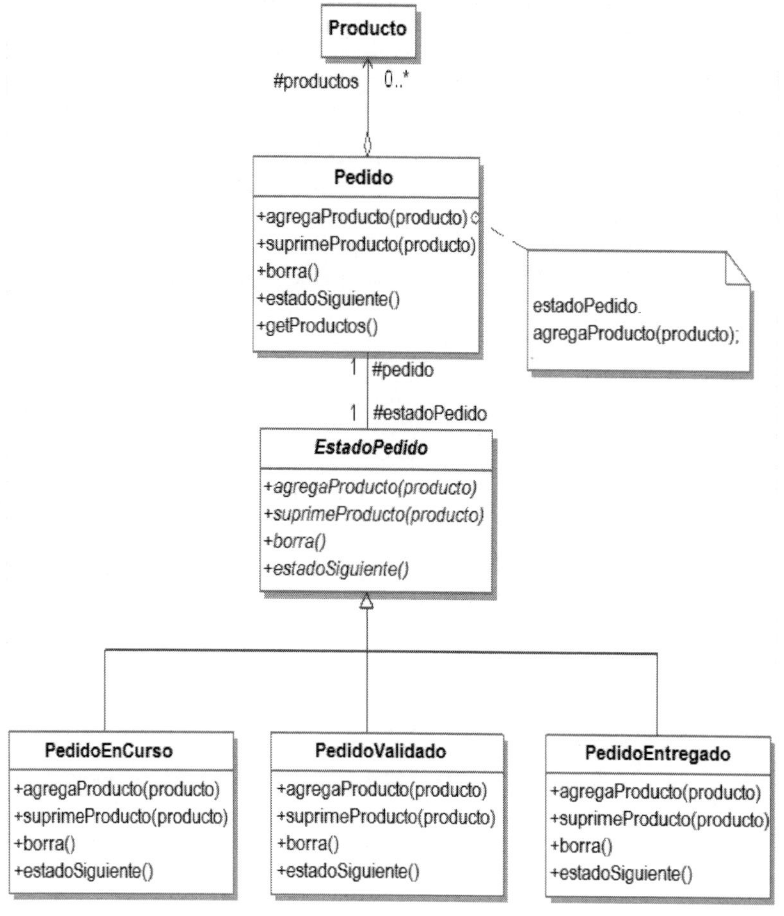

Figura 4-9.2 - El patrón `State` aplicado a los estados de un pedido

3. Estructura

3.1 Diagrama de clases

La figura 4-9.3 ilustra la estructura genérica del patrón.

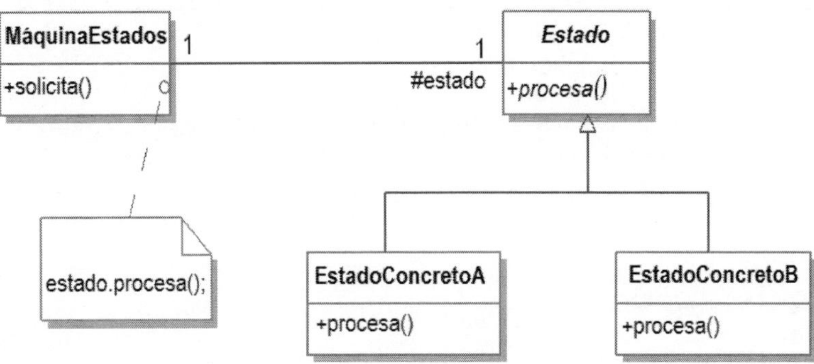

Figura 4-9.3 - Estructura del patrón `State`

3.2 Participantes

Los participantes del patrón son los siguientes:

- `MáquinaEstados (Pedido)` es una clase concreta que describe los objetos que son máquinas de estados, es decir que poseen un conjunto de estados que pueden ser descritos mediante un diagrama de estados y transiciones. Esta clase mantiene una referencia hacia una instancia de una subclase de Estado que define el estado en curso.
- `Estado (EstadoPedido)` es una clase abstracta que incluye los métodos ligados al estado y que gestionan la asociación con la máquina de estados.

- EstadoConcretoA y EstadoConcretoB (PedidoEnCurso, PedidoValidado y PedidoEntregado) son subclases concretas que implementan el comportamiento de los métodos relativos a cada estado.

3.3 Colaboraciones

La máquina de estados delega las llamadas a los métodos dependiendo del estado en curso hacia un objeto de estado.

La máquina de estados puede transmitir al objeto de estado una referencia hacia sí misma si es necesario. Esta referencia puede pasarse durante la delegación o en la propia inicialización del objeto de estado.

4. Dominios de aplicación

El patrón se utiliza en los siguientes casos:

- el comportamiento de un objeto depende de su estado;
- la implementación de esta dependencia del estado mediante instrucciones condicionales se vuelve muy compleja.

5. Ejemplo en C#

A continuación presentamos el ejemplo de la figura 4-9.2 escrito en C#. La clase Pedido se describe a continuación. Los métodos agregaProducto, suprimeProducto y borra dependen del estado. Por consiguiente su implementación consiste en llamar al método correspondiente de la instancia referenciada mediante estadoPedido.

El constructor de la clase inicializa el atributo estadoPedido con una instancia de la clase PedidoEnCurso. El método estadoSiguiente pasa al estado siguiente asociando una nueva instancia al atributo estadoPedido.

```
using System;
using System.Collections.Generic;

public class Pedido
{
    protected IList<Producto> productos = new List<Producto>();
    public IList<Producto> Productos
    {
        get
        {
            return productos;
        }
    }
    protected EstadoPedido estadoPedido;

    public Pedido()
    {
        estadoPedido = new PedidoEnCurso(this);
    }

    public void agregaProducto(Producto producto)
    {
        estadoPedido.agregaProducto(producto);
    }

    public void suprimeProducto(Producto producto)
    {
        estadoPedido.suprimeProducto(producto);
    }

    public void borra()
    {
        estadoPedido.borra();
    }

    public void estadoSiguiente()
    {
        estadoPedido = estadoPedido.estadoSiguiente();
    }

    public void visualiza()
    {
        Console.WriteLine("Contenido del pedido");
        foreach (Producto producto in productos)
```

```
            producto.visualiza();
        Console.WriteLine();
    }
}
```

La clase abstracta `EstadoPedido` gestiona la relación con una instancia de `Pedido` así como la firma de los métodos de `Pedido` que dependen del estado.

```
public abstract class EstadoPedido
{
  protected Pedido pedido;

  public EstadoPedido(Pedido pedido)
  {
    this.pedido = pedido;
  }

  public abstract void agregaProducto(Producto producto);
  public abstract void borra();
  public abstract void suprimeProducto(Producto producto);
  public abstract EstadoPedido estadoSiguiente();
}
```

La subclase `PedidoEnCurso` implementa los métodos de `EstadoPedido` para el estado `EnCurso`.

```
public class PedidoEnCurso : EstadoPedido
{
    public PedidoEnCurso(Pedido pedido) : base
    (pedido) { }

    public override void agregaProducto(Producto producto)
    {
      pedido.Productos.Add(producto);
    }

    public override void borra()
    {
      pedido.Productos.Clear();
    }

    public override void suprimeProducto(Producto producto)
    {
```

```
        pedido.Productos.Remove(producto);
    }

    public override EstadoPedido estadoSiguiente()
    {
        return new PedidoValidado(pedido);
    }
}
```

La subclase `PedidoValidado` implementa los métodos de `EstadoPedido` para el estado `Validado`.

```
public class PedidoValidado : EstadoPedido
{
    public PedidoValidado(Pedido pedido) : base
    (pedido) { }

    public override void agregaProducto(Producto producto) { }

    public override void borra()
    {
        pedido.Productos.Clear();
    }

    public override void suprimeProducto(Producto producto) { }

    public override EstadoPedido estadoSiguiente()
    {
        return new PedidoEntregado(pedido);
    }
}
```

La subclase `PedidoEntregado` implementa los métodos de `EstadoPedido` para el estado `Entregado`. En este estado, el cuerpo de los métodos está vacío.

```
public class PedidoEntregado : EstadoPedido
{
    public PedidoEntregado(Pedido pedido) : base(pedido)
    { }

    public override void agregaProducto(Producto producto) { }

    public override void borra() { }

    public override void suprimeProducto(Producto producto) { }

    public override EstadoPedido estadoSiguiente()
    {
        return this;
    }
}
```

La clase `Producto` referenciada por la clase `Pedido` se escribe en C# tal y como se muestra a continuación.

```
using System;

public class Producto
{
    protected string nombre;

    public Producto(string nombre)
    {
        this.nombre = nombre;
    }

    public void visualiza()
    {
        Console.WriteLine("Producto: " + nombre);
    }
}
```

El programa principal se incluye en la clase `Usuario`. El programa crea dos pedidos. Borra el primero en el estado `Validado`, lo que conduce a una puesta a cero. Respecto al segundo, el programa lo borra una vez se encuentra en el estado `Entregado`, lo cual no tiene efecto alguno.

```
public class Usuario
{
    static void Main(string[] args)
    {
        Pedido pedido = new Pedido();
        pedido.agregaProducto(new Producto("vehículo 1"));
        pedido.agregaProducto(new Producto("accesorio 2"));
        pedido.visualiza();
        pedido.estadoSiguiente();
        pedido.agregaProducto(new Producto("accesorio 3"));
        pedido.borra();
        pedido.visualiza();

        Pedido pedido2 = new Pedido();
        pedido2.agregaProducto(new Producto("vehículo 11"));
        pedido2.agregaProducto(new Producto("accesorio 21"));
        pedido2.visualiza();
        pedido2.estadoSiguiente();
        pedido2.visualiza();
        pedido2.estadoSiguiente();
        pedido2.borra();
        pedido2.visualiza();
    }
}
```

La ejecución del programa proporciona el siguiente resultado.

```
Contenido del pedido
Producto: vehículo 1
Producto: accesorio 2

Contenido del pedido

Contenido del pedido
Producto: vehículo 11
Producto: accesorio 21

Contenido del pedido
Producto: vehículo 11
Producto: accesorio 21

Contenido del pedido
Producto: vehículo 11
Producto: accesorio 21
```

Capítulo 4-10
El patrón Strategy

1. Descripción

El patrón `Strategy` tiene como objetivo adaptar el comportamiento y los algoritmos de un objeto en función de una necesidad sin cambiar las interacciones de este objeto con los clientes.

Esta necesidad puede ponerse de relieve en base a aspectos tales como la presentación, la eficacia en tiempo de ejecución o en memoria, la elección de algoritmos, la representación interna, etc. Aunque evidentemente no se trata de una necesidad funcional de cara a los clientes del objeto pues las interacciones entre el objeto y sus clientes deben permanecer inmutables.

2. Ejemplo

En el sistema de venta online de vehículos, la clase `VistaCatálogo` dibuja la lista de vehículos destinados a la venta. Se utiliza un algoritmo de diseño gráfico para calcular la representación gráfica en función del navegador. Existen dos versiones de este algoritmo:

- una primera versión que sólo muestra un vehículo por línea (un vehículo ocupa todo el ancho disponible) y que muestra toda la información posible así como cuatro fotografías;
- una segunda versión que muestra tres vehículos por línea pero que muestra menos información y una única fotografía.

La interfaz de la clase `VistaCatálogo` no depende de la elección del algoritmo de representación gráfica. Esta elección no tiene impacto alguno en la relación de una vista de catálogo con sus clientes. Sólo se modifica la representación.

Una primera solución consiste en transformar la clase `VistaCatálogo` en una interfaz o en una clase abstracta y en incluir dos subclases de implementación diferentes según la elección del algoritmo. Esto presenta el inconveniente de complicar de manera inútil la jerarquía de las vistas del catálogo.

Otra posibilidad consiste en implementar ambos algoritmos en la clase `VistaCatálogo` y en apoyarse en instrucciones condicionales para realizar la elección. No obstante esto consiste en desarrollar una clase relativamente pesada donde el código de los métodos es difícil de comprender.

El patrón `Strategy` proporciona otra solución incluyendo una clase por algoritmo. El conjunto de las clases así creadas posee una interfaz común que se utiliza para dialogar con la clase `VistaCatálogo`. La figura 4-10.1 muestra el diagrama de clases de la aplicación del patrón `Strategy`.

Este diagrama muestra las dos clases de algoritmos: `DibujaUnVehículoPorLínea` y `DibujaTresVehículosPorLínea` que implementan la interfaz `DibujaCatálogo`. La nota que detalla el método `dibuja` de la clase `VistaCatálogo` muestra cómo se utilizan ambos métodos.

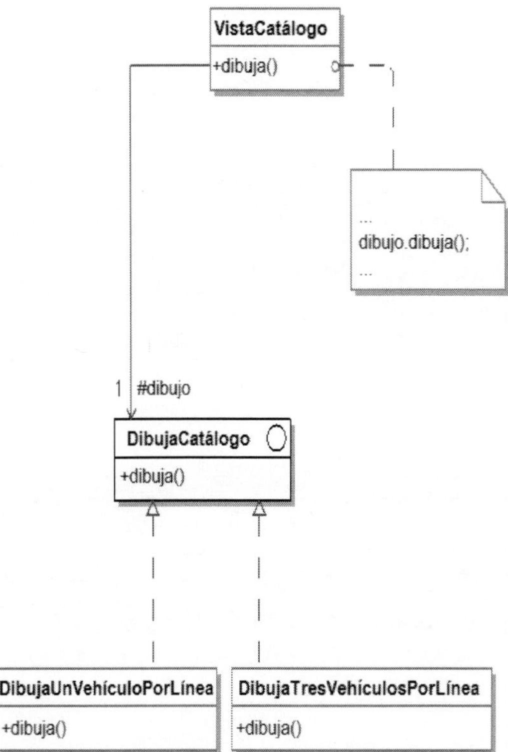

Figura 4-10.1 - Aplicación del patrón `Strategy` *para dibujar un catálogo de vehículos*

3. Estructura

3.1 Diagrama de clases

La figura 4-10.2 muestra la estructura genérica del patrón.

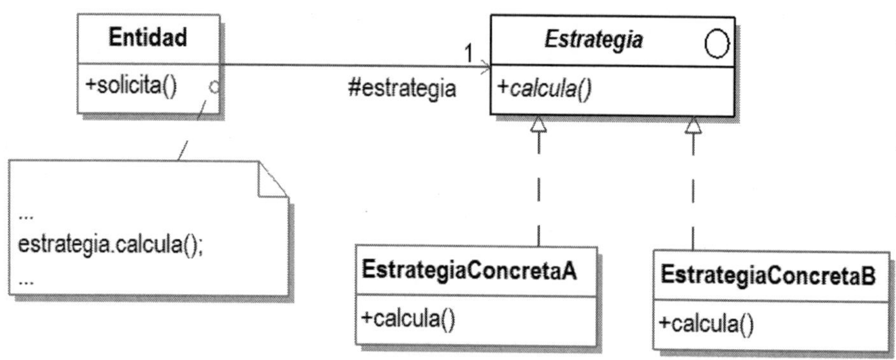

Figura 4-10.2 - Estructura del patrón `Strategy`

3.2 Participantes

Los participantes del patrón son los siguientes:

- `Estrategia (DibujaCatálogo)` es la interfaz común a todos los algoritmos. Esta interfaz se utiliza en `Entidad` para invocar al algoritmo.
- `EstrategiaConcretaA` y `EstrategiaConcretaB` (`DibujaUnVehículoPorLínea` y `DibujaTresVehículosPorLínea`) son las subclases concretas que implementan los distintos algoritmos.
- `Entidad` es la clase que utiliza uno de los algoritmos de las clases que implementan la `Estrategia`. Por consiguiente, posee una referencia hacia una de estas clases. Por último, si fuera necesario, puede exponer sus datos internos a las clases de implementación.

3.3 Colaboraciones

La entidad y las instancias de las clases de implementación de la `Estrategia` interactúan para implementar los algoritmos. En el caso más sencillo, los datos que necesita el algoritmo se pasan como parámetro. Si fuera necesario, la clase `Entidad` introduciría los métodos necesarios para dar acceso a sus datos internos.

El cliente inicializa la entidad con una instancia de la clase de implementación de `Estrategia`. Él mismo selecciona esta clase y, por lo general, no la modifica a continuación. La entidad puede modificar a continuación esta elección.

La entidad redirige las peticiones provenientes de sus clientes hacia la instancia referenciada por su atributo `estrategia`.

4. Dominios de aplicación

El patrón se utiliza en los casos siguientes:

- El comportamiento de una clase puede estar implementado mediante distintos algoritmos siendo alguno de ellos más eficaz en términos de ejecución o de consumo de memoria o incluso contienen mecanismos de decisión.
- La implementación de la elección del algoritmo mediante instrucciones condicionales se vuelve demasiado compleja.
- Un sistema posee numerosas clases idénticas salvo una parte correspondiente a su comportamiento.

En el último caso, el patrón `Strategy` permite reagrupar estas clases en una sola, lo que simplifica la interfaz para los clientes.

5. Ejemplo en C#

Nuestro ejemplo escrito en C# está basado en la visualización del catálogo de vehículos, simulado aquí simplemente mediante salidas por pantalla.

La interfaz `DibujaCatalogo` incluye el método dibuja que recibe como parámetro una lista de instancias de `VistaVehiculo`.

```
using System.Collections.Generic;

public interface DibujaCatalogo
{
    void dibuja(IList<VistaVehiculo> contenido);
}
```

La clase `DibujaUnVehiculoPorLinea` implementa el método `dibuja` mostrando un vehículo por cada línea (imprime un salto de línea tras mostrar un vehículo).

```
using System;
using System.Collections.Generic;

public class DibujaUnVehiculoPorLinea : DibujaCatalogo
{

    public void dibuja(IList<VistaVehiculo> contenido)
    {
        Console.WriteLine(
        "Dibuja los vehículos mostrando un vehículo por línea");
        foreach (VistaVehiculo vistaVehiculo in contenido)
        {
            vistaVehiculo.dibuja();
            Console.WriteLine();
        }
        Console.WriteLine();
    }
}
```

La clase DibujaTresVehiculosPorLinea implementa el método dibuja mostrando tres vehículos por línea (imprime un salto de línea tras mostrar tres vehículos).

```
using System;
using System.Collections.Generic;

public class DibujaTresVehiculosPorLinea : DibujaCatalogo
{
    public void dibuja(IList<VistaVehiculo> contenido)
    {
        int contador;
        Console.WriteLine(
          "Dibuja los vehículos mostrando tres vehículos por línea");
        contador = 0;
        foreach (VistaVehiculo vistaVehiculo in contenido)
        {
            vistaVehiculo.dibuja();
            contador++;
            if (contador == 3)
            {
                Console.WriteLine();
                contador = 0;
            }
            else
                Console.Write(" ");
        }
        if (contador != 0)
            Console.WriteLine();
        Console.WriteLine();
    }
}
```

La clase VistaVehiculo que dibuja un vehículo tiene el código que se muestra a continuación.

Observación

Conviene observar que el método dibuja de VistaVehiculo, en el caso de esta simulación, es idéntico para la visualización en una línea que en tres líneas, lo cual no suele ser el caso en la realidad de una interfaz gráfica.

```
using System;

public class VistaVehiculo
{
    protected string descripcion;

    public VistaVehiculo(string descripcion)
    {
        this.descripcion = descripcion;
    }

    public void dibuja()
    {
        Console.Write(descripcion);
    }
}
```

La clase `VistaCatalogo` posee un constructor que recibe como parámetro una instancia de una de las clases de implementación de `DibujaCatalogo`, instancia que se memoriza en el atributo `dibuja`. Este constructor inicializa a su vez el contenido que normalmente debería leerse desde una base de datos.

El método `dibuja` redirige la llamada hacia la instancia memorizada en `dibujo`. Pasa como parámetro una referencia hacia el contenido del catálogo.

```
using System.Collections.Generic;

public class VistaCatalogo
{
    protected IList<VistaVehiculo> contenido =
        new List<VistaVehiculo>();
    protected DibujaCatalogo dibujo;

    public VistaCatalogo(DibujaCatalogo dibujo)
    {
        contenido.Add(new VistaVehiculo("vehículo económico"));
        contenido.Add(new VistaVehiculo("vehículo especial"));
        contenido.Add(new VistaVehiculo("vehículo rápido"));
        contenido.Add(new VistaVehiculo("vehículo confortable"));
        contenido.Add(new VistaVehiculo("vehículo deportivo"));
        this.dibujo = dibujo;
    }

    public void dibuja()
```

```
        {
            dibujo.dibuja(contenido);
        }
}
```

Por último, el programa principal está implementado mediante la clase `Usuario`. Éste crea dos instancias de `VistaCatalogo`, la primera está configurada para realizar un dibujo en tres líneas. La segunda instancia está configurada para realizar un dibujo en una línea. Tras haberlas creado, el programa principal invoca al método `dibuja` de sus instancias.

```
public class Usuario
{
    static void Main(string[] args)
    {
        VistaCatalogo vistaCatalogo1 = new VistaCatalogo(new
        DibujaTresVehiculosPorLinea());
        vistaCatalogo1.dibuja();
        VistaCatalogo vistaCatalogo2 = new VistaCatalogo(new
        DibujaUnVehiculoPorLinea());
        vistaCatalogo2.dibuja();
    }
}
```

La ejecución de este programa produce el resultado siguiente, que muestra claramente cómo el comportamiento del método `dibuja` está configurado por la instancia que se pasa como parámetro al constructor.

```
Dibuja los vehículos mostrando tres vehículos por línea
vehículo económico vehículo amplio vehículo rápido
vehículo confortable vehículo deportivo

Dibuja los vehículos mostrando un vehículo por línea
vehículo económico
vehículo amplio
vehículo rápido
vehículo confortable
vehículo deportivo
```

Capítulo 4-11
El patrón Template Method

1. Descripción

El patrón `Template Method` permite delegar en las subclases ciertas etapas de una de las operaciones de un objeto, estando estas etapas descritas en las subclases.

2. Ejemplo

En el sistema de venta online de vehículos, queremos gestionar pedidos de clientes de España y de Luxemburgo. La diferencia entre ambas peticiones concierte principalmente al cálculo del IVA. En España la tasa de IVA es del 21 %, y, en el caso de Luxemburgo del 17 %. El cálculo del IVA requiere dos operaciones de cálculo distintas en función del país.

Una primera solución consiste en implementar dos clases distintas sin superclase común: `PedidoEspaña` y `PedidoLuxemburgo`. Esta solución presenta el inconveniente importante de que tiene código idéntico que no ha sido factorizado, como por ejemplo la visualización de la información del pedido (método `visualiza`).

Podría incluirse una clase abstracta `Pedido` para factorizar los métodos comunes como el método `visualiza`.

El patrón `Template Method` permite ir más lejos al factorizar código común en el interior de los métodos. Tomemos el ejemplo del método `calculaImporteConIVA` cuyo algoritmo es el siguiente para España (escrito en pseudo-código).

```
calculaImporteConIVA:
importeIVA = importeSinIVA * 0,21;
importeConIVA = importeSinIVA + importeIVA;
```

El algoritmo para Luxemburgo tiene el siguiente pseudo-código.

```
calculaImporteConIVA:
importeIVA = (importeSinIVA * 0,17)
importeConIVA = importeSinIVA + importeIVA;
```

Vemos en este ejemplo que la última línea del método es común a ambos países (en este ejemplo, sólo hay una línea común aunque en un caso real la parte común puede ser mucho más importante).

Reemplazamos la primera línea por una llamada a un nuevo método llamado `calculaIVA`. De este modo el método `calculaImporteConIVA` se describe en adelante de la siguiente forma:

```
calculaImporteConIVA:
calculaIVA();
importeConIVA = importeSinIVA + importeIVA;
```

El método `calculaImporteConIVA` puede ahora factorizarse. El código específico ha sido desplazado en el método `calculaIVA` cuya implementación es específica para cada país. El método `calculaIVA` se incluye en la clase `Pedido` como método abstracto.

El método `calculaImporteConIVA` se llama un método "modelo" (template method). Un método "patrón" incluye la parte común de un algoritmo que está complementado por partes específicas.

Esta solución se ilustra en el diagrama de clases de la figura 4-11.1.

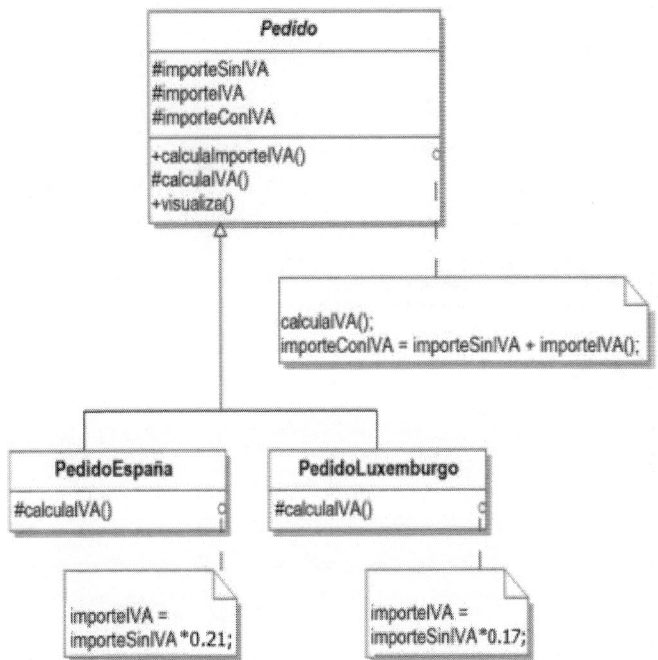

Figura 4-11.1 - Aplicación del patrón `Template Method` *para el cálculo del IVA de un pedido en función del país*

Cuando un cliente invoca al método `calculaImporteConIVA` de un pedido, éste invoca al método `calculaIVA`.

La implementación de este método depende de la clase concreta del pedido:

– si esta clase es `PedidoEspaña`, el diagrama de secuencia se describe en la figura 4-11.2. El IVA se calcula basado en la tasa del 21 %;

– si esta clase es `PedidoLuxemburgo`, el diagrama de secuencia se describe en la figura 4-11.3. El IVA se calcula basado en la tasa del 17 %.

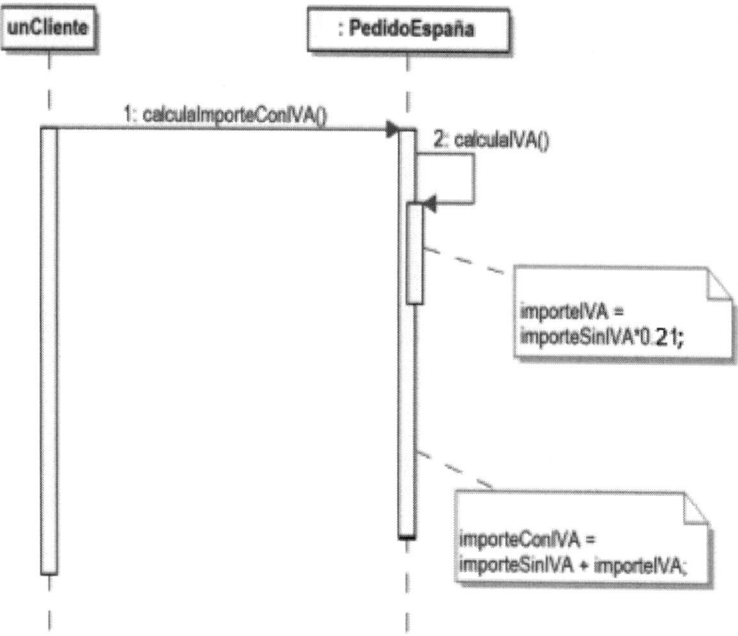

Figura 4-11.2 - Diagrama de secuencia correspondiente al cálculo del importe con IVA de un pedido español

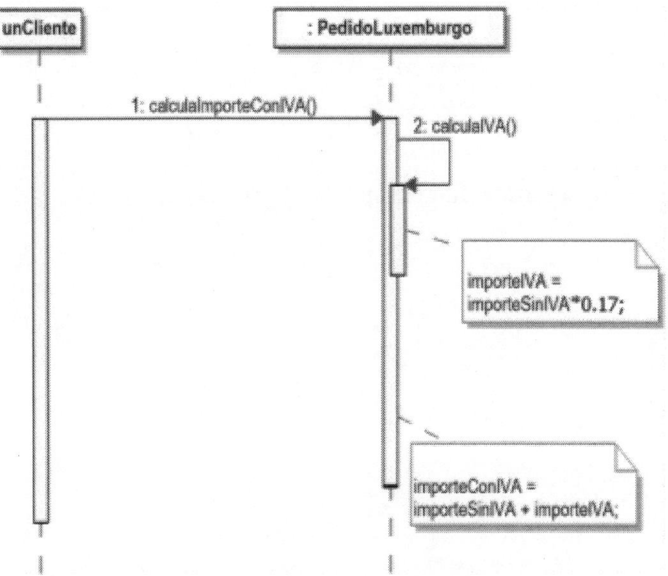

Figura 4-11.3 - Diagrama de secuencia correspondiente al cálculo del importe con IVA de un pedido luxemburgués

3. Estructura

3.1 Diagrama de clases

La figura 4-11.4 muestra la estructura genérica del patrón.

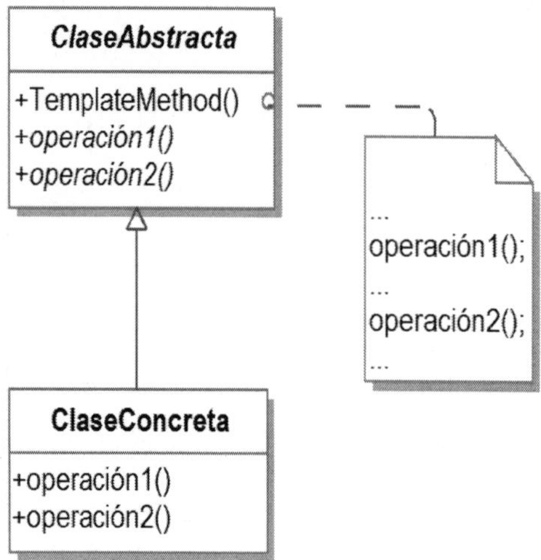

Figura 4-11.4 - Estructura del patrón `Template Method`

3.2 Participantes

Los participantes del patrón son los siguientes:

- La clase abstracta `ClaseAbstracta` (`Pedido`) incluye el método "modelo" así como la firma de los métodos abstractos que invoca este método.
- La subclase concreta `ClaseConcreta` (`PedidoEspaña` y `PedidoLuxemburgo`) implementa los métodos abstractos utilizados por el método "modelo" de la clase abstracta. Puede haber varias clases concretas.

3.3 Colaboraciones

La implementación del algoritmo se realiza mediante la colaboración entre el método "modelo" de la clase abstracta y los métodos de una subclase concreta que complementa el algoritmo.

4. Dominios de aplicación

El patrón se utiliza en los casos siguientes:

- Una clase compartida con otra u otras clases con código idéntico que puede factorizarse siempre que las partes específicas a cada clase hayan sido desplazadas a nuevos métodos.
- Un algoritmo posee una parte invariable y partes específicas a distintos tipos de objetos.

5. Ejemplo en C#

La clase abstracta `Pedido` incluye el método "modelo" `calculaImporte-ConIVA` que invoca al método abstracto `calculaIVA`.

```
using System;

public abstract class Pedido
{
    protected double importeSinIVA;
    protected double importeIVA;
    protected double importeConIVA;

    protected abstract void calculaIVA();

    public void calculaPrecioConIVA()
    {
        this.calculaIVA();
        importeConIVA = importeSinIVA + importeIVA;
    }

    public void setImporteSinIVA(double importeSinIVA)
    {
```

```
            this.importeSinIVA = importeSinIVA;
        }

        public void visualiza()
        {
            Console.WriteLine("Pedido");
            Console.WriteLine("Importe sin IVA " + importeSinIVA);
            Console.WriteLine("Importe con IVA " + importeConIVA);
        }
    }
```

La subclase concreta `PedidoEspaña` implementa el método `calculaIVA` con la tasa de IVA español.

```
public class PedidoEspaña : Pedido
{
    protected override void calculaIVA()
    {
        importeIVA = importeSinIVA * 0.21;
    }
}
```

La subclase concreta `PedidoLuxemburgo` implementa el método `calculaIVA` con la tasa de IVA luxemburgués.

```
public class PedidoLuxemburgo : Pedido
{
    protected override void calculaIVA()
    {
        importeIVA = importeSinIVA * 0.17;
    }
}
```

Por último, la clase `Usuario` contiene el programa principal. Éste crea un pedido español, fija el importe sin IVA, calcula el importe con IVA y a continuación muestra el pedido. A continuación, el programa principal realiza la misma operación con un pedido luxemburgués.

```
public class Usuario
{
    static void Main(string[] args)
    {
        Pedido pedidoEspaña = new PedidoEspaña();
        pedidoEspaña.setImporteSinIVA(10000);
        pedidoEspaña.calculaPrecioConIVA();
        pedidoEspaña.visualiza();


        Pedido pedidoLuxemburgo = new PedidoLuxemburgo();
        pedidoLuxemburgo.setImporteSinIVA(10000);
        pedidoLuxemburgo.calculaPrecioConIVA();
        pedidoLuxemburgo.visualiza();
    }
}
```

La ejecución del programa produce el siguiente resultado.

```
Pedido
Importe sin IVA 10000
Importe con IVA 12100
Pedido
Importe sin IVA 10000
Importe con IVA 11700
```

Capítulo 4-12
El patrón Visitor

1. Descripción

El patrón `Visitor` construye una operación que debe realizarse sobre los elementos de un conjunto de objetos. Esto permite agregar nuevas operaciones sin modificar las clases de estos objetos.

2. Ejemplo

Consideremos la figura 4-12.1 que describe los clientes de nuestro sistema organizados bajo la forma de objetos compuestos según el patrón `Composite`. A excepción del método `agregaFilial` específico a la gestión de la composición, las dos subclases poseen dos métodos con el mismo nombre: `calculaCosteEmpresa` y `envíaEmailComercial`. Cada uno de estos métodos se corresponde con una funcionalidad cuya implementación está bien adaptada en función de la clase. Podrían implementarse muchas otras funcionalidades como por ejemplo el cálculo de la cifra de negocios de un cliente (incluyendo o no sus filiales), etc.

Observación

En el diagrama, el cálculo del coste del mantenimiento no está detallado. El detalle se encuentra en el capítulo dedicado al patrón `Composite`.

Este enfoque puede utilizarse siempre y cuando el número de funcionalidades sea pequeño. En cambio, si se vuelve importante, obtendremos clases con muchos métodos, difíciles de comprender y de mantener. Además, estas funcionalidades darán lugar a métodos (`calculaCosteEmpresa` y `envíaEmailComercial`) sin relación entre ellas y sin relación entre el núcleo de los objetos con la diferencia, por ejemplo, del método `agregaFilial` que contribuye a componer los objetos.

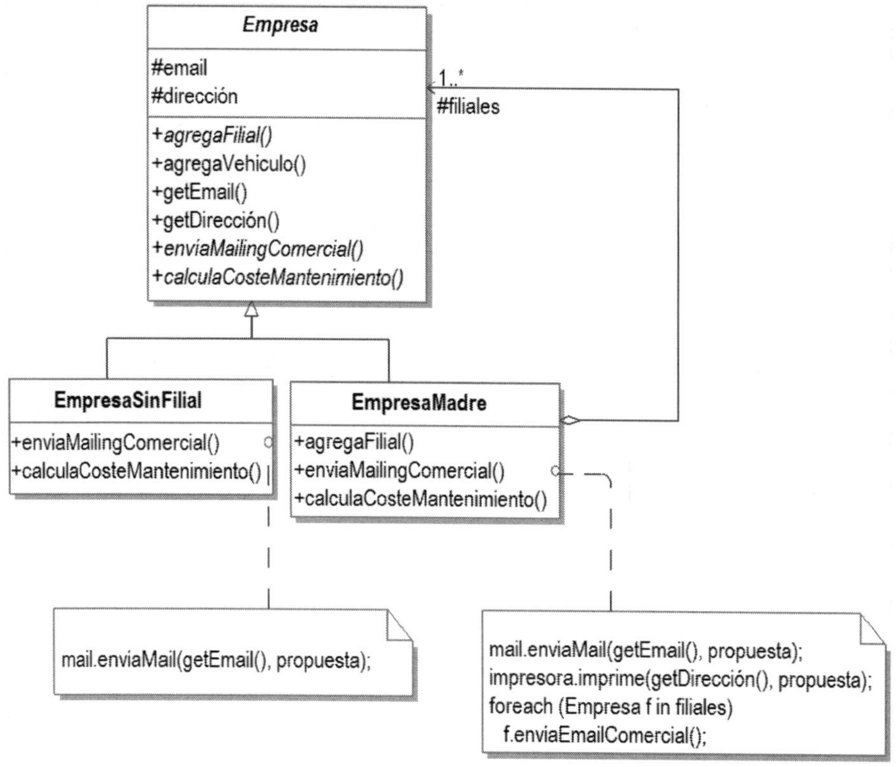

Figura 4-12.1 - Múltiples funcionalidades en el seno de objetos compuestos

El patrón `Visitor` permite implementar las nuevas funcionalidades en un objeto separado llamado visitante. Cada visitante establece una funcionalidad para varias clases incluyendo para cada una de ellas un método de implementación llamado `visita` y cuyo parámetro está tipado según la clase a visitar.

A continuación, el visitante se transmite al método `aceptaVisitante` de estas clases. Este método invoca al método del visitante correspondiente a su clase. Sea cual sea el número de funcionalidades a implementar en un conjunto de clases, sólo debe escribirse el método `aceptaVisitante`. Puede ser necesario ofrecer la posibilidad al visitante de acceder a la estructura interna del objeto visitado (preferentemente mediante accesos en modo lectura como por ejemplo el acceso mediante `get` de las propiedades `nombre`, `email` y `dirección` representado en el diagrama de clases mediante los métodos `getNombre`, `getEmail` y `getDirección`).

Si los objetos son compuestos entonces su método `aceptaVisitante` llama al método `aceptaVisitante` de sus componentes. Es el caso aquí para cada instancia de la clase `EmpresaMadre` que llama al método `aceptaVisitante` de sus filiales.

El diagrama de clases de la figura 4-12.2 ilustra la implementación del patrón `Visitor`. La interfaz `Visitante` incluye la firma de los métodos que implementan la funcionalidad para cada clase a visitar. Esta interfaz posee dos subclases de implementación, una por cada funcionalidad.

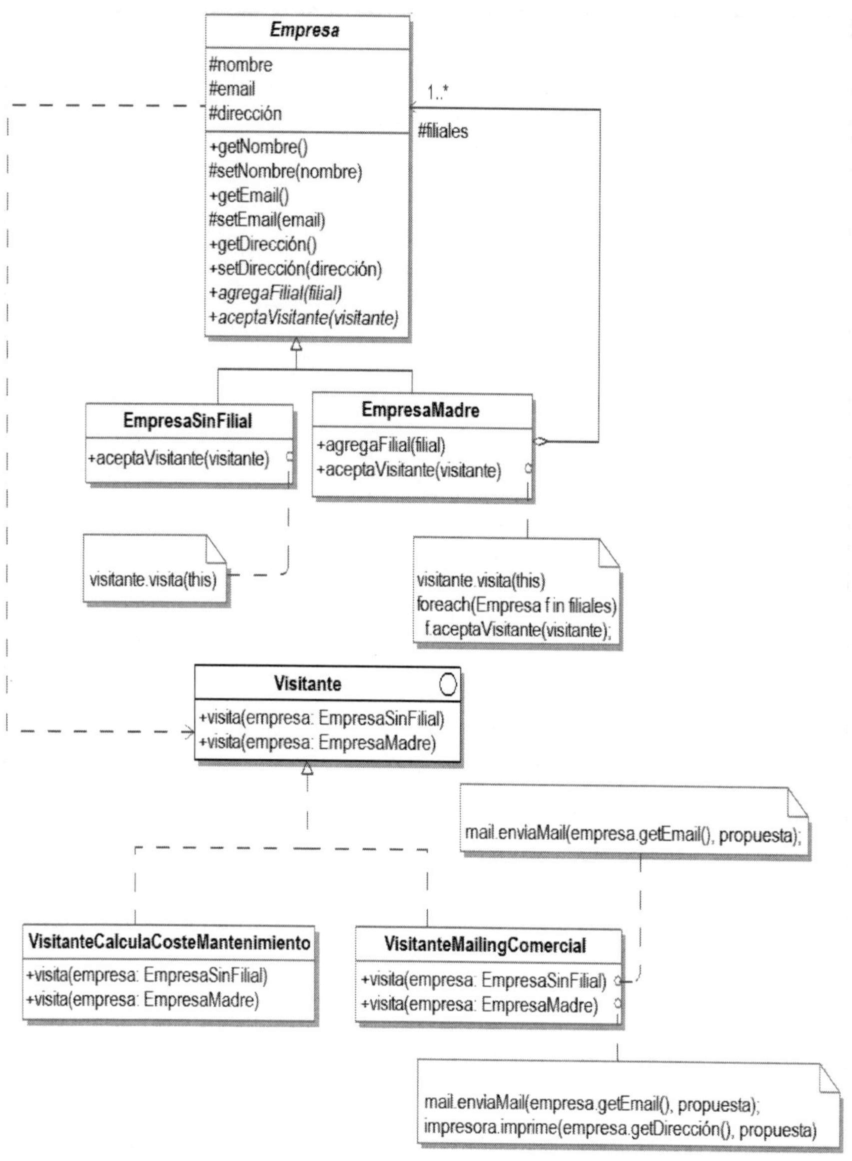

Figura 4-12.2 - Aplicación del patrón `Visitor` para agregar una funcionalidad de mailing y el cálculo del coste de mantenimiento

3. Estructura

3.1 Diagrama de clases

La figura 4-12.3 detalla la estructura genérica del patrón.

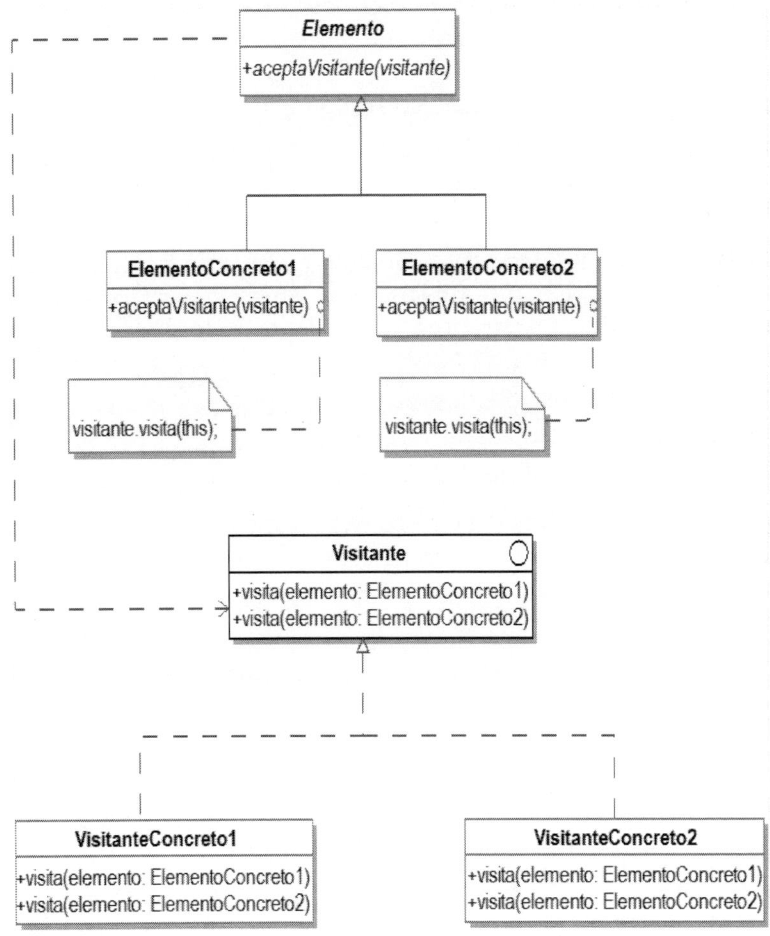

Figura 4-12.3 - Estructura del patrón `Visitor`

3.2 Participantes

Los participantes del patrón son los siguientes:

- `Visitante` es la interfaz que incluye la firma de los métodos que realizan una funcionalidad en un conjunto de clases. Existe un método para cada clase que recibe como argumento una instancia de esta clase.
- `VisitanteConcreto1` y `VisitanteConcreto2` (`VisitanteCálculoCosteEmpresa` y `VisitanteMailingComercial`) implementan los métodos que realizan la funcionalidad correspondiente a la clase.
- `Elemento (Empresa)` es una clase abstracta súperclase de las clases de elementos. Incluye el método abstracto `aceptaVisitante` que acepta un visitante como argumento.
- `ElementoConcreto1` y `ElementoConcreto2` (`EmpresaSinFilial` y `EmpresaMadre`) implementa el método `aceptaVisitante` que consiste en volver a llamar al visitante a través del método correspondiente de la clase.

3.3 Colaboraciones

Un cliente que utiliza un visitante debe en primer lugar crearlo como instancia de la clase de su elección y a continuación pasarlo como argumento al método `aceptaVisitante` de un conjunto de elementos.

El elemento vuelve a llamar al método del visitante que corresponde con su clase. Le pasa una referencia hacia sí mismo como argumento para que el visitante pueda acceder a su estructura interna.

4. Dominios de aplicación

El patrón se utiliza en los casos siguientes:

- Es necesario agregar numerosas funcionalidades a un conjunto de clases sin volverlas pesadas.
- Un conjunto de clases poseen una estructura fija y es necesario agregarles funcionalidades sin modificar su interfaz.

Observación

Si la estructura del conjunto de clases a las que es necesario agregar funcionalidades cambia a menudo, el patrón `Visitor` *no se adapta bien. En efecto, cualquier modificación de la estructura implica una modificación de cada visitante, lo cual puede tener un coste elevado.*

5. Ejemplo en C#

Retomamos el ejemplo de la figura 4-12.2. A continuación se muestra el código de la clase `Empresa` escrita en C#. El método `aceptaVisitante` es abstracto pues su código depende de la subclase.

```
using System;

public abstract class Empresa
{
    public string nombre { get; protected set; }
    public string email { get; protected set; }
    public string direccion { get; protected set; }

    public Empresa(string nombre, string email, string direccion)
    {
        this.nombre = nombre;
        this.email = email;
        this.direccion = direccion;
    }

    public abstract bool agregaFilial(Empresa filial);

    public abstract void aceptaVisitante(Visitante visitante);
}
```

El código fuente de la subclase `EmpresaSinFilial` aparece a continuación. El método `aceptaVisitante` vuelve a llamar al método `visita` del visitante.

```
using System;

public class EmpresaSinFilial : Empresa
{
    public EmpresaSinFilial(string nombre, string email,
    string direccion) : base(nombre, email, direccion) { }

    public override void aceptaVisitante(Visitante visitante)
    {
        visitante.visita(this);
    }

    public override bool agregaFilial(Empresa filial)
    {
        return false;
    }
}
```

El código fuente de la subclase `EmpresaMadre` aparece a continuación. El método `aceptaVisitante` vuelve a llamar al método `visita` del visitante y a continuación invoca al método `aceptaVisitante` de sus filiales.

```
using System;
using System.Collections.Generic;

public class EmpresaMadre : Empresa
{
    protected IList<Empresa> filiales =
        new List<Empresa>();

    public EmpresaMadre(string nombre, string email, string
      direccion) : base(nombre, email, direccion) { }

    public override void aceptaVisitante(Visitante visitante)
    {
        visitante.visita(this);
        foreach (Empresa filial in filiales)
            filial.aceptaVisitante(visitante);
    }
```

```
    public override bool agregaFilial(Empresa filial)
  {
    filiales.Add(filial);
    return true;
  }
}
```

La interfaz `Visitante` incluye la firma de los dos métodos, uno por cada clase que tenga que ser visitada.

```
public interface Visitante
{
    void visita(EmpresaSinFilial empresa);
    void visita(EmpresaMadre empresa);
}
```

La clase `VisitanteMailingComercial` envía los correos electrónicos a las empresas implementando la interfaz `Visitante`. Las empresas que poseen filiales reciben una propuesta particular y además por correo postal. Aquí se simula mediante impresiones por pantalla.

Observación

La clase `VisitanteCalculaCosteMantenimiento` no se ha tenido en cuenta en este ejemplo.

```
using System;

public class VisitanteMailingComercial : Visitante
{
    public void visita(EmpresaSinFilial
      empresa)
    {
        Console.WriteLine("Envía un email a " +
          empresa.nombre + " dirección: " + empresa.email
          + " Propuesta comercial para su empresa");
    }

    public void visita(EmpresaMadre empresa)
    {
        Console.WriteLine("Envía un email a " +
          empresa.nombre + " dirección: " + empresa.email
          + " Propuesta comercial para su grupo");
        Console.WriteLine("Impresión de un correo electrónico para " +
            empresa.nombre + " dirección: " +
```

```
            empresa.direccion +
          " Propuesta comercial para su grupo");
    }
}
```

Por último la clase `Usuario` crea un grupo (grupo 2) constituido por la empresa 3 y por el grupo 1, el cual está constituido por la empresa 1 y la empresa 2.

A continuación procede a enviar los correos electrónicos (mailing) a todas las empresas del grupo 2 invocando a su método `aceptaVisitante` con un visitante, instancia de la clase `VisitanteMailingComercial`.

```
public class Usuario
{
    static void Main(string[] args)
    {
        Empresa empresa1 = new EmpresaSinFilial("empresa1",
        "info@empresa1.com", "calle de la empresa 1");
        Empresa empresa2 = new EmpresaSinFilial("empresa2",
        "info@empresa2.com", "calle de la empresa 2");
        Empresa grupo1 = new EmpresaMadre("grupo1",
        "info@grupo1.com", "calle del grupo 1");
        grupo1.agregaFilial(empresa1);
        grupo1.agregaFilial(empresa2);
        Empresa empresa3 = new EmpresaSinFilial("empresa3",
          "info@empresa3.com", "calle de la empresa 3");
        Empresa grupo2 = new EmpresaMadre("grupo2",
          "info@grupo2.com", "calle del grupo 2");
        grupo2.agregaFilial(grupo1);
        grupo2.agregaFilial(empresa3);
        grupo2.aceptaVisitante(new VisitanteMailingComercial
          ());
    }
}
```

El resultado de la ejecución es el siguiente.

```
Envía un email a grupo2 dirección: info@grupo2.com
Propuesta comercial para su grupo
Impresión de un correo electrónico para grupo2 dirección:
calle del grupo 2
Propuesta comercial para su grupo
Envía un email a grupo1 dirección: info@grupo1.com
Propuesta comercial para su grupo
Impresión de un correo electrónico para grupo1 dirección:
calle del grupo 1
Propuesta comercial para su grupo
Envía un email a empresa1 dirección: info@empresa1.com
Propuesta comercial para su empresa
Envía un email a empresa2 dirección: info@empresa2.com
Propuesta comercial para su empresa
Envía un email a empresa3 dirección: info@empresa3.com
Propuesta comercial para su empresa
```

Parte 5
Aplicación de los patrones

Capítulo 5-1
Composición y variación de patrones

1. Preámbulo

Los veintitrés patrones de diseño presentados en este libro no constituyen una lista exhaustiva. Es posible crear nuevos patrones bien ex nihilo, o bien componiendo o adaptando patrones existentes. Estos nuevos patrones pueden tener un carácter general, a semejanza de los que hemos presentado en los capítulos anteriores, o ser específicos a un entorno de desarrollo particular.

En este capítulo, vamos a mostrar tres nuevos patrones obtenidos mediante la composición y variación de patrones existentes.

2. El patrón Pluggable Factory

2.1 Introducción

Hemos presentado en un capítulo anterior el patrón `Abstract Factory` que permite abstraer la creación (instanciación) de productos de sus distintas familias. En este caso se crea una fábrica asociada a cada familia de productos. En el diagrama de la figura 5-1.1, se exponen dos productos: automóviles y scooters, descritos cada uno mediante una clase abstracta. Estos productos se organizan en dos familias: gasolina o electricidad. Cada una de las dos familias engendra una subclase concreta de cada clase de producto.

Existen por tanto dos fábricas para las familias `FábricaVehículoGasolina` y `FábricaVehículoElectricidad`. Cada fábrica permite crear uno de los dos productos mediante los métodos apropiados.

Este patrón organiza de forma muy estructurada la creación de objetos. Cada nueva familia de productos obliga a agregar una nueva fábrica y por tanto una nueva clase.

De forma opuesta, el patrón `Prototype` presentado en el capítulo del mismo nombre proporciona la posibilidad de crear nuevos objetos de manera muy flexible.

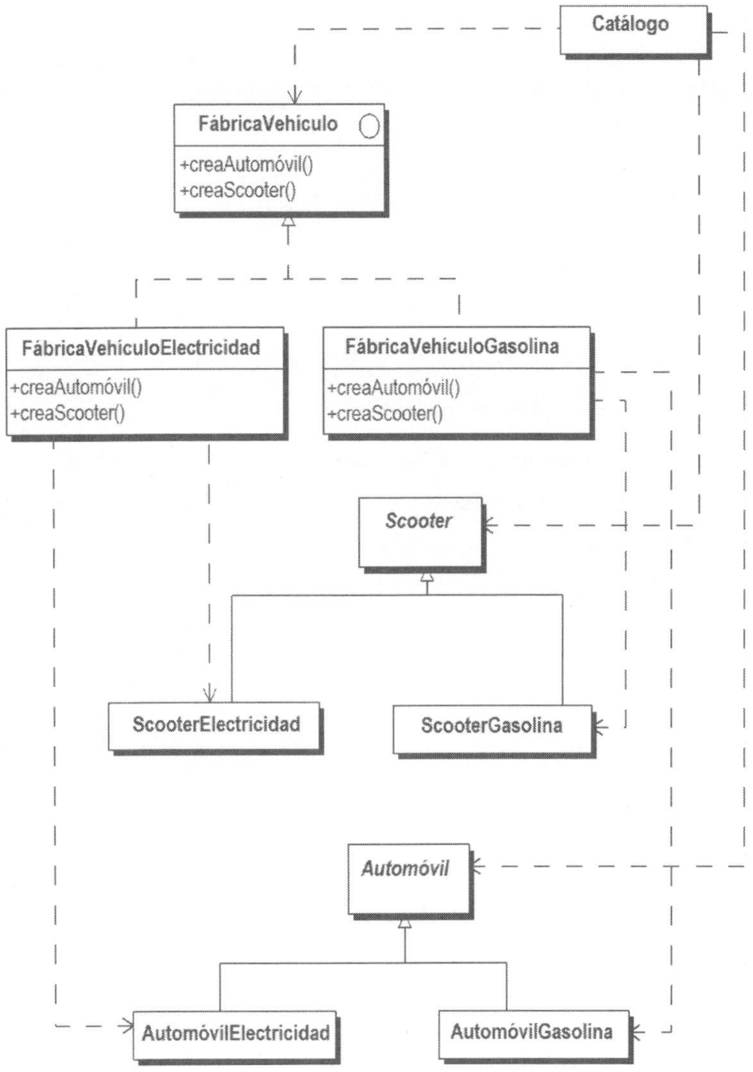

Figura 5-1.1 - Ejemplo de uso del patrón `Abstract Factory`

La estructura del patrón `Prototype` se describe en la figura 5-1.2. Un objeto inicializado y listo para ser utilizado con capacidad de duplicarse se llama un prototipo.

El cliente dispone de una lista de prototipos que puede duplicar cuando así lo desea. Esta lista se construye dinámicamente y puede modificarse en cualquier momento a lo largo de la ejecución. El cliente puede construir nuevos objetos sin conocer la jerarquía de clases de la que provienen.

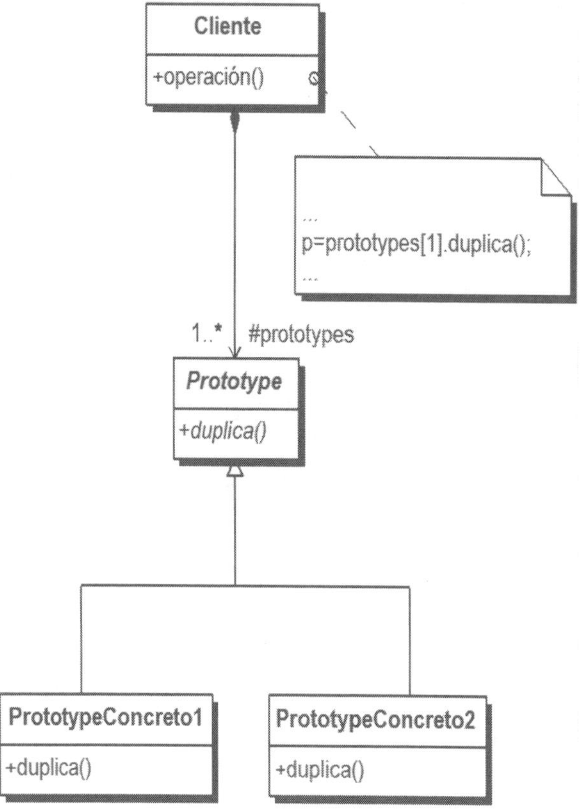

Figura 5-1.2 - Ejemplo de uso del patrón `Prototype`

La idea del patrón `Pluggable Factory` consiste en componer estos dos patrones para conservar por un lado la idea de creación de un producto invocando un método de la fábrica y por otro lado la posibilidad de cambiar dinámicamente la familia que se quiere crear. De este modo, la fábrica no necesita conocer las familias de objetos, el número de familias puede ser diferentes para cada producto y, por último, es posible variar el producto que se quiere crear no sólo únicamente por su subclase (su familia) sino también por valores diferentes de ciertos atributos. Profundizaremos este último punto en el ejemplo en C#.

La figura 5-1.3 retoma el ejemplo del capítulo "El patrón Abstract Factory" estructurado esta vez con ayuda del patrón `Pluggable Factory`. La clase de fábrica de objetos `FábricaVehículo` ya no es una interfaz como en la figura 5-1.1 sino una clase concreta que permite la creación de los objetos y que no necesita subclases. Cada fábrica posee un enlace hacia un prototipo de cada producto. De forma más precisa, se trata de un vínculo hacia una instancia de una de las subclases de la familia `Automóvil` y de un vínculo hacia una instancia de una de las subclases de la clase `Scooter`.

Es aquí donde interviene el patrón `Prototype`. Cada producto se convierte en un prototipo. La clase abstracta que presenta y describe cada familia de productos le confiere la capacidad de clonado. Juega así el rol de la clase abstracta `Prototype` de la figura 5-1.2.

Los dos enlaces presentes en `FábricaVehículo` hacia cada prototipo pueden modificarse dinámicamente mediante los métodos `setPrototypeAutomóvil` y `setPrototypeScooter`. La fábrica necesita, por otro lado, que sus clientes estén inicializados mediante estos dos métodos o bien por algún otro medio (como el constructor de la clase) para poder funcionar. El funcionamiento de la fábrica lo realizan los dos métodos `creaAutomóvil` y `creaScooter` que se apoyan en la capacidad de clonado de ambos prototipos.

La clase `Test` representa el cliente de la fábrica y las clases de los productos. Veremos su rol en el ejemplo C#.

Observación

El nombre del patrón proviene por un lado del funcionamiento de la fábrica de productos que es dependiente de los prototipos proporcionados y por otro lado de la posibilidad de cambiar (enchufar, "plug" en inglés) dinámicamente estos prototipos.

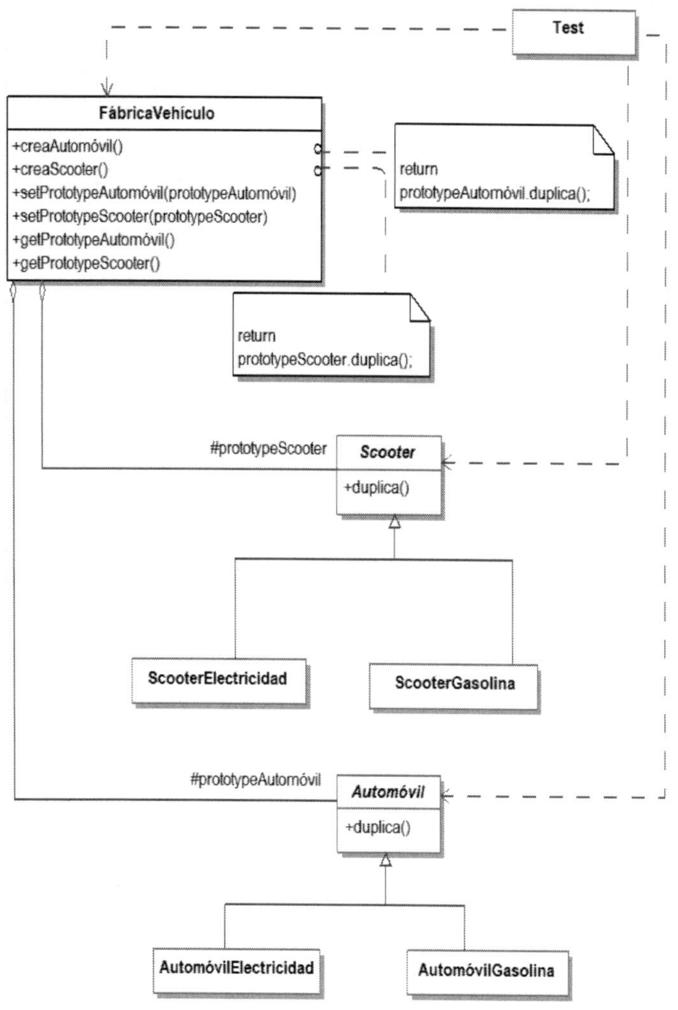

Figura 5-1.3 - Ejemplo de uso del patrón `Pluggable Factory`

2.2 Estructura

La figura 5-1.4 ilustra la estructura genérica del patrón `Pluggable Factory`.

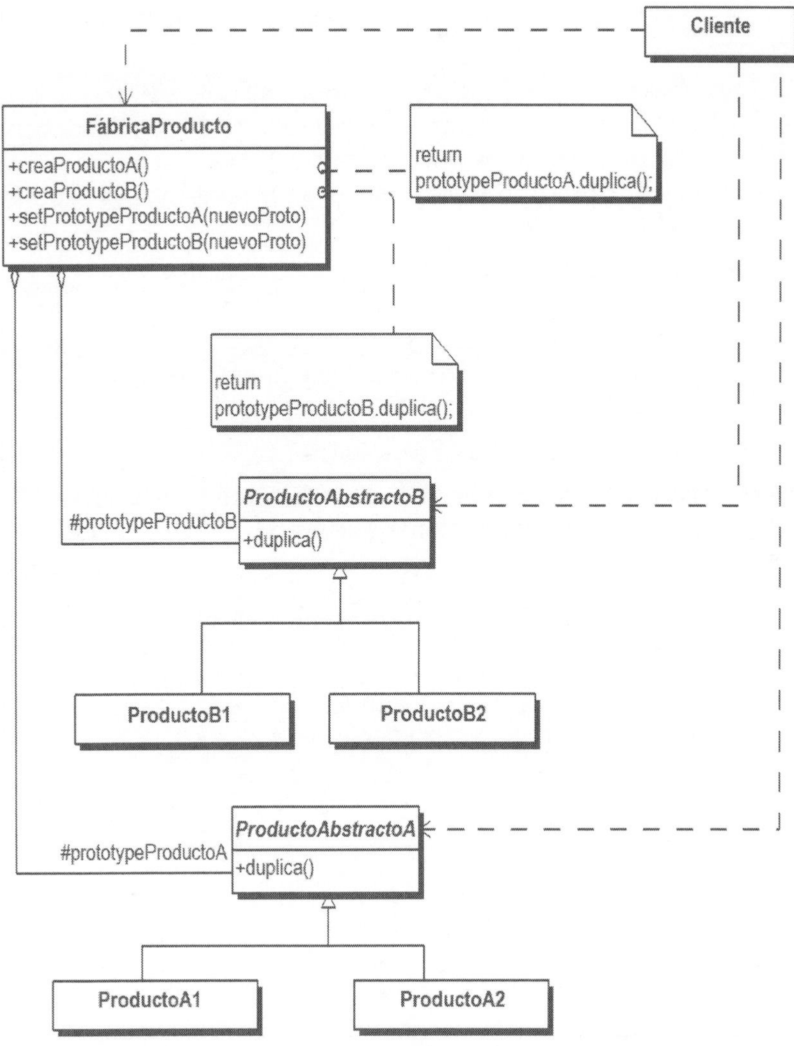

Figura 5-1.4 - Estructura del patrón `Pluggable Factory`

Los participantes del patrón son los siguientes:

- `FábricaProducto` (`FábricaVehículo`) es la clase concreta que mantiene los vínculos hacia los prototipos de producto, ofrece los métodos que crean los distintos productos así como los métodos que permiten fijar los prototipos.
- `ProductoAbstractoA` y `ProductoAbstractoB` (`Scooter` y `Automóvil`) son las clases abstractas de los productos independientemente de su familia. Proporcionan a los productos la capacidad de clonado para conferirles el status de prototipo. Las familias se incluyen en sus subclases concretas.
- `Cliente` es la clase que utiliza la clase `FábricaProducto`.

La colaboración entre los objetos se describe a continuación:

- El cliente crea u obtiene los prototipos conforme los necesita.
- El cliente crea una instancia de la clase `FábricaProducto` y le proporciona los prototipos necesarios para su funcionamiento.
- A continuación utiliza esta instancia para crear sus productos a través de los métodos de creación. Puede proporcionar nuevos productos a la fábrica.

Observación

A diferencia del patrón `Abstract Factory` donde se aconseja crear una única instancia de las fábricas concretas (las cuales no poseen estado), aquí es concebible crear varias instancias de la fábrica de productos, estando cada instancia ligada a prototipos distintos de los productos.

2.3 Ejemplo en C#

A continuación mostramos el código C# del ejemplo correspondiente al diagrama de clases de la figura 5-1.3. Presentamos primero las clases correspondientes a los productos (`Automóvil` y `Scooter`) así como sus subclases. Cabe destacar que estas clases incluyen ahora prototipos. Su capacidad de clonado la provee el método `duplica`. Los métodos de acceso permiten fijar y obtener el valor de los atributos pertinentes de estos objetos.

```
using System;

public abstract class Automovil
{
    public string modelo { get; set; }
    public string color { get; set; }
    public int potencia { get; set; }
    public double espacio { get; set; }

    public Automovil duplica()
    {
        Automovil resultado;
        resultado = (Automovil)this.MemberwiseClone();
        return resultado;
    }

    public abstract void visualizaCaracteristicas();
}


using System;

public class AutomovilElectricidad : Automovil
{

    public override void visualizaCaracteristicas()
    {
        Console.WriteLine(
        "Automóvil eléctrico de modelo: " + modelo +
        " de color: " + color + " de potencia: " +
        potencia + " de espacio: " + espacio);
    }
}


using System;

public class AutomovilGasolina : Automovil
{

    public override void visualizaCaracteristicas()
    {
        Console.WriteLine(
         "Automóvil de gasolina de modelo: " + modelo +
```

```
        " de color: " + color + " de potencia: " +
        potencia + " de espacio: " + espacio);
    }
}


using System;

public abstract class Scooter
{
    public string modelo { get; set; }
    public string color { get; set; }
    protected int potencia { get; set; }

    public Scooter duplica()
    {
        Scooter resultado;
        resultado = (Scooter)this.MemberwiseClone();
        return resultado;
    }

    public abstract void visualizaCaracteristicas();
}


using System;

public class ScooterElectricidad : Scooter
{

    public override void visualizaCaracteristicas()
    {
        Console.WriteLine("Scooter eléctrica de modelo: "
        + modelo + " de color: " + color +
        " de potencia: " + potencia);
    }
}


using System;

public class ScooterGasolina : Scooter
{
```

```
    public override void visualizaCaracteristicas()
    {
        Console.WriteLine("Scooter de gasolina de modelo: " +
        modelo + " de color: " + color +
        " de potencia: " + potencia);
    }
}
```

Mostramos a continuación el código de la clase `FábricaVehículo` basada en la utilización de prototipos. Cabe destacar que los métodos de creación toman en consideración el caso en el que la referencia hacia un prototipo tiene valor `null`. El cliente de una fábrica puede especificar los prototipos durante su instanciación proporcionando su referencia al constructor.

```
using System;

public class FabricaVehiculo
{
    public Automovil prototypeAutomovil { get; set; }
    public Scooter prototypeScooter { get; set; }

    public FabricaVehiculo()
    {
        prototypeAutomovil = null;
        prototypeScooter = null;
    }

    public FabricaVehiculo(Automovil prototypeAutomovil,
     Scooter prototypeScooter)
    {
        this.prototypeAutomovil = prototypeAutomovil;
        this.prototypeScooter = prototypeScooter;
    }

    public Automovil creaAutomovil()
    {
        if (prototypeAutomovil == null)
            return null;
        return prototypeAutomovil.duplica();
    }

    public Scooter creaScooter()
    {
        if (prototypeScooter == null)
```

```
            return null;
        return prototypeScooter.duplica();
    }
}
```

Por último, proporcionamos un ejemplo del programa de prueba. Es interesante ver cómo se construyen los productos. En efecto, no nos limitamos a especificar la clase de los prototipos sino que proporcionamos los valores por defecto. Por ejemplo, el prototipo `protoScooterClasicoRojo` es un scooter a gasolina de modelo "clásico" y de color "rojo". Cuando se crea un scooter se crea en base a este prototipo, un modelo "clásico" de color "rojo".

```
using System;

class Program
{
    static void Main(string[] args)
    {
        Automovil protoAutomovilEstandarAzul = new
         AutomovilElectricidad();
        protoAutomovilEstandarAzul.modelo = "estándar";
        protoAutomovilEstandarAzul.color = "azul";

        Scooter protoScooterClasicoRojo = new ScooterGasolina();
        protoScooterClasicoRojo.modelo = "clasico";
        protoScooterClasicoRojo.color = "rojo";

        FabricaVehiculo fabrica = new FabricaVehiculo();
        fabrica.prototypeAutomovil =
         protoAutomovilEstandarAzul;
        fabrica.prototypeScooter = protoScooterClasicoRojo;

        Automovil auto = fabrica.creaAutomovil();
        auto.visualizaCaracteristicas();
        Scooter scooter = fabrica.creaScooter();
        scooter.visualizaCaracteristicas();
    }
}
```

Por último, la ejecución de este programa produce el siguiente resultado:

```
Automóvil eléctrico de modelo: estándar de color: azul
de potencia: 0 de espacio: 0
Scooter de gasolina de modelo: clasico de color: rojo
de potencia: 0
```

3. Reflective Visitor

3.1 Discusión

Hemos presentado en un capítulo anterior el patrón `Visitor` para poder agregar nuevas funcionalidades a un conjunto de clases sin tener que modificar estas clases tras cada agregación. Cada nueva funcionalidad da pie a una clase de visitante que implementa esta funcionalidad incluyendo un conjunto de métodos, uno por cada clase. Todos estos métodos tienen el mismo nombre, por ejemplo `visita`, y tienen un único parámetro cuyo tipo es el de la clase para la que se implementa la funcionalidad.

No obstante para implementar el patrón `Visitor`, las clases que deben ser visibles requieren una ligera modificación, a saber la inclusión de un método para aceptar al visitante, método cuyo único fin es invocar al método `visita` con un parámetro correctamente tipado. El nombre de este método es a menudo `acepta` o `aceptaVisitante`.

La figura 5-1.5 muestra una implementación del patrón `Visitor` con el objetivo de visitar una jerarquía de objetos descrita mediante el patrón `Composite`. Estos objetos son empresas que en ocasiones, cuando se trata de las empresas madres, poseen filiales. Las dos funcionalidades agregadas son el cálculo de los costes de mantenimiento y la posibilidad de enviar un mailing comercial a una empresa y a todas sus filiales, incluyendo a las filiales de las filiales. El método `aceptaVisitante` de la clase `EmpresaMadre` incluye un bucle `foreach` que solicita a cada una de las filiales que acepte a su visitante.

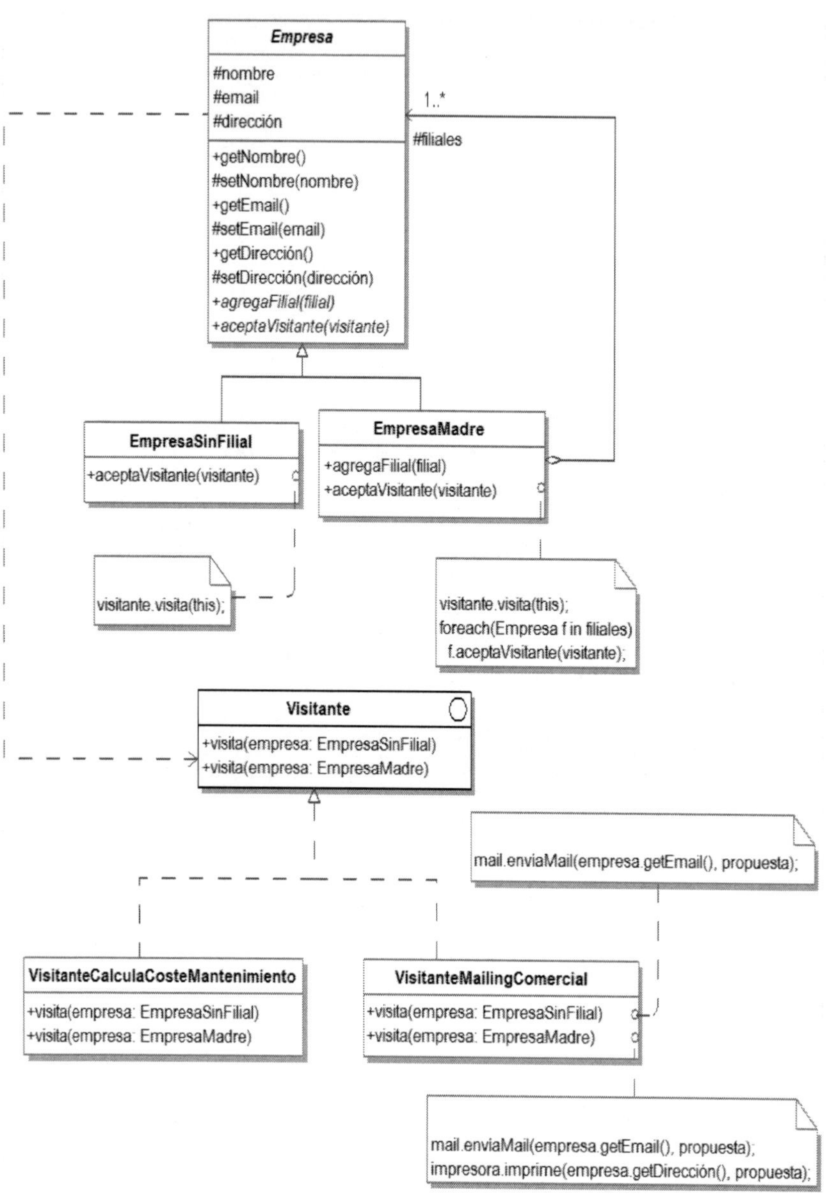

Figura 5-1.5 - Aplicación del patrón `Visitor` a un conjunto de empresas

El patrón Reflective Visitor es una variante del patrón Visitor que utiliza la capacidad de reflexión estructural del lenguaje de programación de modo que la implementación no requiera la inclusión del método de aceptación del visitante en las clases que deban ser visitadas. La reflexión estructural de un lenguaje de programación es su capacidad para proveer un medio de examinar el conjunto de clases que forman el programa y su contenido (atributos y métodos). La reflexión estructural existe a día de hoy en la mayor parte de lenguajes de programación orientada a objetos (C# y Java integran esta capacidad).

De este modo la implementación anterior se simplifica con el patrón Reflective Visitor tal y como ilustra la figura 5-1.6. Esta implementación difiere de la implementación anterior en los siguientes puntos:

- Las clases que representan a las empresas ya no incluyen un método para aceptar al visitante. Implementan la interfaz Visitable que sirve de tipo para el argumento del método iniciaVisita del visitante.
- La clase Visitante es una clase abstracta que incluye el método iniciaVisita que desencadena la visita de un objeto. Todo visitante concreto hereda de esta clase. Su código consiste en encontrar el método visita del visitante mejor adaptado al objeto a visitar.
- La interfaz VisitanteEmpresa especifica los dos métodos que todo visitante de las empresas debe implementar. Se trata de dos métodos destinados a visitar las dos subclases de la clase Empresa.
- La clase VisitanteMailingComercial describe el visitante cuya funcionalidad consiste en enviar un mailing a una empresa y a todas sus filiales. El método destinado a visitar una empresa madre incluye en su código un bucle foreach que inicia la visita de sus filiales. Para ello, utiliza un acceso de lectura de la asociación filiales que se ha agregado en la clase EmpresaMadre. En la implementación del patrón Visitor, la visita de las filiales se desencadenaba en el método aceptaVisitante de la clase EmpresaMadre. Habiendo desaparecido este último método, le corresponde al visitante iniciar esta visita.

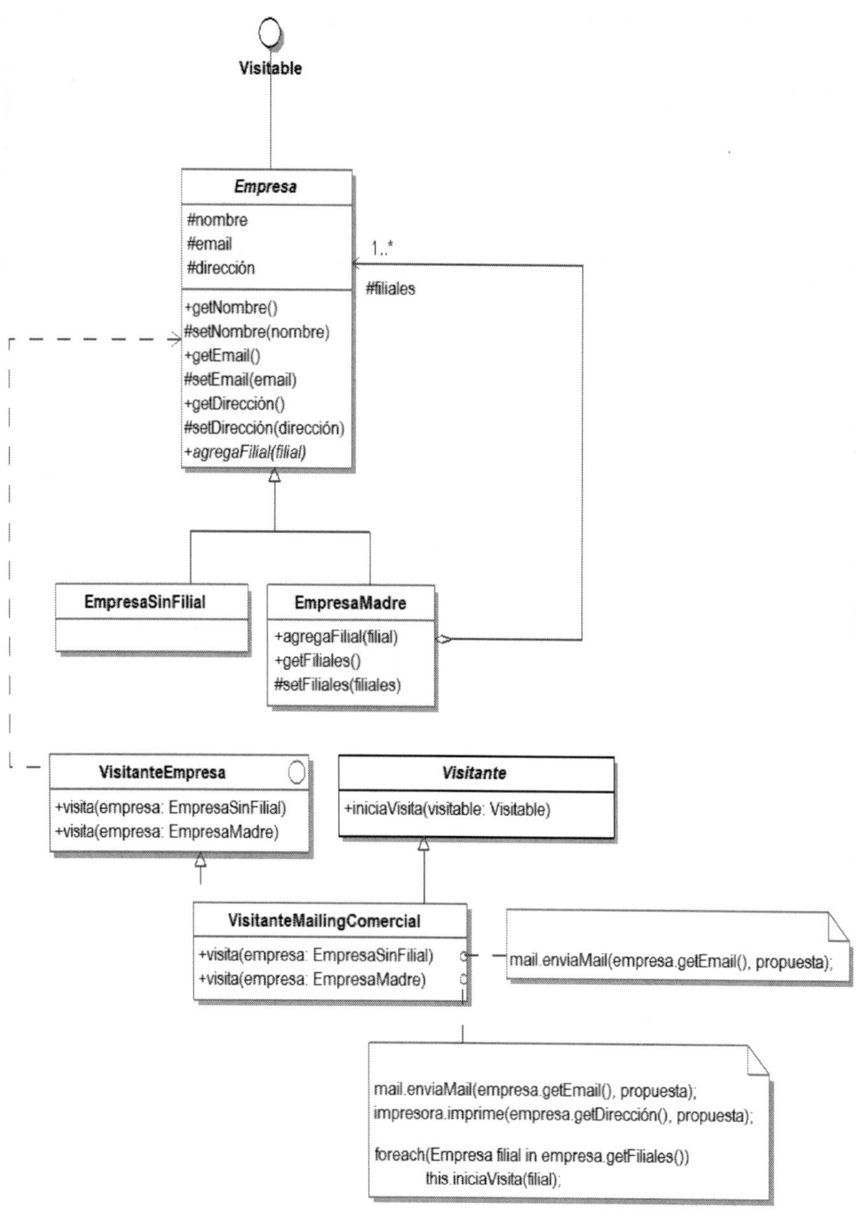

Figura 5-1.6 - Aplicación del patrón `Reflective Visitor`

3.2 Estructura

La figura 5-1.7 detalla la estructura genérica del patrón `Reflective Visitor`.

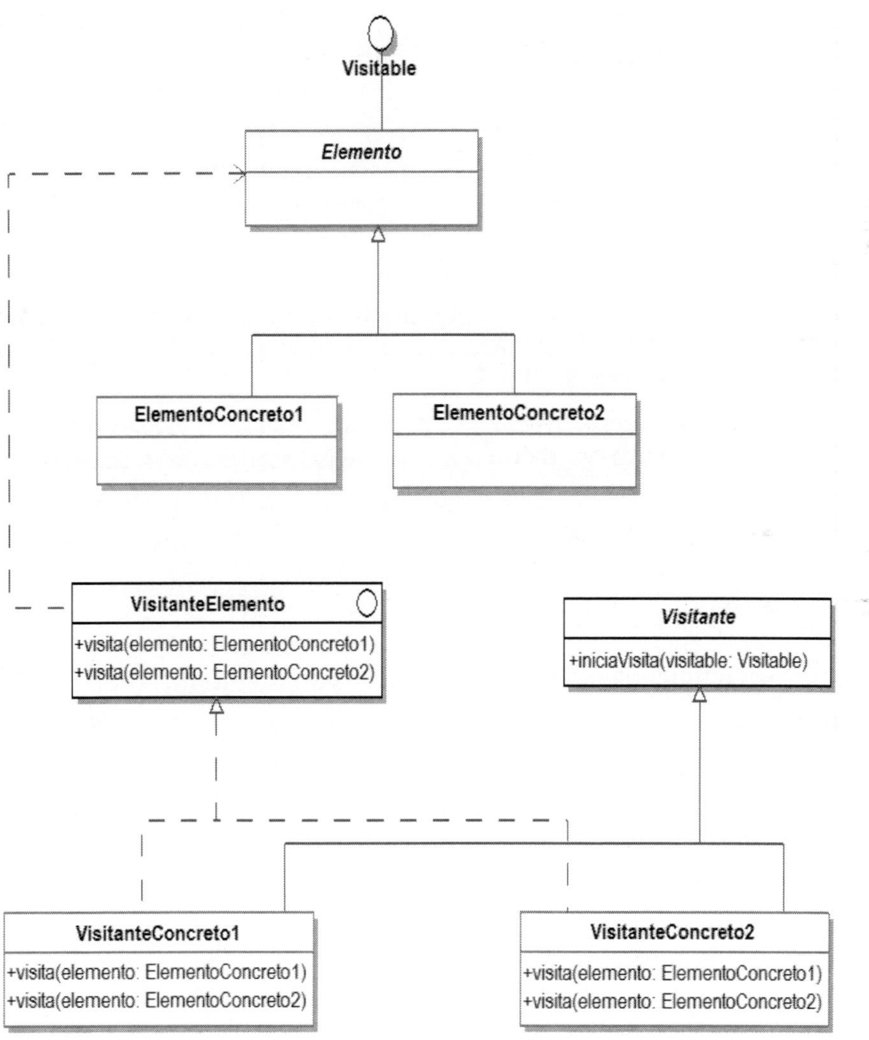

Figura 5-1.7 - Estructura del patrón `Reflective Visitor`

Los participantes del patrón son los siguientes:

- `Visitante` es la clase abstracta que incluye el método `iniciaVisita` que desencadena la visita de un objeto. Todo visitante concreto hereda de esta clase. Su código consiste en encontrar el método `visita` del visitante mejor adaptado al objeto a visitar, es decir aquél cuyo tipo del argumento corresponda con la clase de instanciación del objeto a visitar o, en su defecto, aquél cuyo tipo del argumento sea la superclase más próxima a la clase de instanciación del objeto a visitar.
- `VisitanteElemento` es la interfaz que incluye la firma de los métodos que realizan una funcionalidad en un conjunto de clases. Existe un método por cada clase que recibe como argumento una instancia de esta clase.
- `VisitanteConcreto1` y `VisitanteConcreto2` (`VisitanteMailingComercial`) implementan los métodos de visita que realizan la funcionalidad correspondiente a la clase. Esta funcionalidad está distribuida en los distintos elementos.
- `Visitable` es la interfaz vacía que sirve para tipar las clases visitables. Es el tipo del argumento del método `iniciaVisitante` de la clase `Visitante`.
- `Elemento` (`Empresa`) es una clase abstracta superclase de las clases de elementos. Implementa la interfaz `Visitable`.
- `ElementoConcreto1` y `ElementoConcreto2` (`EmpresaSinFilial` y `EmpresaMadre`) son las dos subclases concretas de la clase `Elemento`. No requieren ninguna modificación para recibir un visitante.

La colaboración entre los objetos se describe a continuación:

- Un cliente que utiliza un visitante debe en primer lugar crearlo como instancia de la clase de visitante de su elección e invocar al método `iniciaVisita` de este visitante pasando como parámetro el objeto a visitar.
- El método `iniciaVisita` del visitante encuentra el método `visita` del visitante mejor adaptado al objeto a visitar y a continuación lo invoca.

3.3 Ejemplo en C#

A continuación se muestra el código escrito en C# del ejemplo correspondiente al diagrama de clases de la figura 5-1.6. Presentamos en primer lugar las clases que describen a las empresas así como la interfaz `Visitable` que implementa la clase abstracta `Empresa`.

```
public interface Visitable
{
}


using System;

public abstract class Empresa : Visitable
{
    public string nombre { get; protected set; }
    public string email { get; protected set; }
    public string direccion { get; protected set; }

    public Empresa(string nombre, string email, string direccion)
    {
        this.nombre = nombre;
        this.email = email;
        this.direccion = direccion;
    }

    public abstract bool agregaFilial(Empresa filial);
}


using System;

public class EmpresaSinFilial : Empresa
{
    public EmpresaSinFilial(string nombre, string email,
     string direccion) : base(nombre, email, direccion) { }

    public override bool agregaFilial(Empresa filial)
    {
        return false;
    }
}
```

```
using System;
using System.Collections.Generic;

public class EmpresaMadre : Empresa
{
    public IList<Empresa> filiales { get; protected set; }

    public EmpresaMadre(string nombre, string email, string
     direccion) : base(nombre, email, direccion)
    {
        filiales = new List<Empresa>();
    }

    public override bool agregaFilial(Empresa filial)
    {
        filiales.Add(filial);
        return true;
    }
}
```

La clase abstracta `Visitante` que sirve de superclase para todos los visitantes aparece a continuación. Incluye el método `iniciaVisita` que va a aplicarse a una subclase de `Visitante`. Su código consiste en encontrar en el visitante (o en su defecto en una superclase de este visitante), el método cuyo parámetro esté tipado con el tipo del parámetro `visitable`, es decir por la clase de instanciación del parámetro `visitable`. Si no existe dicho método, se utilizará el método cuyo tipo sea la superclase más próxima a la clase de implementación del parámetro `visitable`. Si ni el visitante, ni alguna de sus superclases, subclases de `Visitante`, incluyen dicho método, se utilizará el método `visita` incluido en `Visitante`. Éste se limita a mostrar un mensaje por la consola.

```
using System.Reflection;
using System;

public abstract class Visitante
{
    public void iniciaVisita(Visitable visitable)
    {
       MethodInfo infoMetodo = this.GetType().GetMethod("visita",
       new Type[] { visitable.GetType() });
```

```
            infoMetodo.Invoke(this, new object[] { visitable });
        }

        public void visita(Visitable visitable)
        {
            Console.WriteLine("Visita por defecto");
        }
    }
```

El código fuente de la interfaz VisitanteEmpresa y de la clase VisitanteMailingComercial aparece a continuación. El método de visita de la clase EmpresaMadre incluye un bucle foreach destinado a visitar las filiales.

```
public interface VisitanteEmpresa
{
    void visita(EmpresaSinFilial empresa);
    void visita(EmpresaMadre empresa);
}


using System;

public class VisitanteMailingComercial : Visitante, VisitanteEmpresa
{
    public void visita(EmpresaSinFilial empresa)
    {
        Console.WriteLine("Envía un correo a " +
        empresa.nombre + " dirección: " + empresa.email
        + " Propuesta comercial para su empresa");
    }

    public void visita(EmpresaMadre empresa)
    {
        Console.WriteLine("Envía un correo a " +
      empresa.nombre + " dirección: " + empresa.email
      + " Propuesta comercial para su grupo");
        Console.WriteLine("Impresión de un correo para " +
        empresa.nombre + " dirección: " +
        empresa.direccion +
        " Propuesta comercial para su grupo");
        foreach (Empresa filial in empresa.filiales)
            this.iniciaVisita(filial);
    }
}
```

Por último, la clase `Usuario` crea un grupo (grupo 2) formado por la empresa 3 y el grupo 1, él mismo formado por la empresa 1 y la empresa 2.

Procede a continuación a enviar un mailing a todas las empresas del grupo 2 invocando al método `iniciaVisita` aplicado a una instancia de la clase `VisitanteMailingComercial`.

```
public class Usuario
{
    static void Main(string[] args)
    {
        Empresa empresa1 = new EmpresaSinFilial("empresa1",
         "info@empresa1.com", "calle de la empresa 1");
        Empresa empresa2 = new EmpresaSinFilial("empresa2",
         "info@empresa2.com", "calle de la empresa 2");
        Empresa grupo1 = new EmpresaMadre("grupo1",
         "info@grupo1.com", "calle del grupo 1");
        grupo1.agregaFilial(empresa1);
        grupo1.agregaFilial(empresa2);
        Empresa empresa3 = new EmpresaSinFilial("empresa3",
         "info@empresa3.com", "calle de la empresa 3");
        Empresa grupo2 = new EmpresaMadre("grupo2",
         "info@grupo2.com", "calle del grupo 2");
        grupo2.agregaFilial(grupo1);
        grupo2.agregaFilial(empresa3);
        new VisitanteMailingComercial().iniciaVisita(grupo2);
    }
}
```

El resultado de la ejecución es el siguiente:

```
Envía un email a grupo2 dirección: info@grupo2.com
Propuesta comercial para su grupo
Impresión de un correo para grupo2 dirección: calle del grupo 2
Propuesta comercial para su grupo
Envía un email a grupo1 dirección: info@grupo1.com
Propuesta comercial para su grupo
Impresión de un correo para grupo1 dirección: calle del grupo 1
Propuesta comercial para su grupo
Envía un email a empresa1 dirección: info@empresa1.com
Propuesta comercial para su empresa
Envía un email a empresa2 dirección: info@empresa2.com
Propuesta comercial para su empresa
Envía un email a empresa3 dirección: info@empresa3.com
Propuesta comercial para su empresa
```

4. El patrón Multicast

4.1 Descripción y ejemplo

El objetivo del patrón `Multicast` es gestionar los eventos producidos en un programa para transmitirlos a un conjunto de receptores afectados. El patrón está basado en un mecanismo de suscripción de receptores en los emisores.

Queremos implementar un programa de envío de mensajes entre las direcciones (general, comercial, financiera, etc.) de un concesionario y sus empleados.

Cada empleado puede suscribirse a la dirección a la que pertenece y recibir todos los mensajes emitidos por ella. Un empleado no puede suscribirse a una dirección a la que no pertenece. Todos los empleados pueden suscribirse a la dirección general para recibir sus mensajes.

La estructura de los mensajes puede variar de una dirección a otra: desde una simple línea de texto para los mensajes comerciales, hasta un conjunto de líneas para los mensajes generales provenientes de la dirección general.

El diagrama de clases de la figura 5-1.8 expone la solución proporcionada por el patrón `Multicast`. La genericidad de tipos se utiliza para crear un mensaje, un emisor y un receptor abstractos y genéricos, a saber las clases `MensajeAbstracto` y `EmisorAbstracto` así como la interfaz `ReceptorAbstracto`.

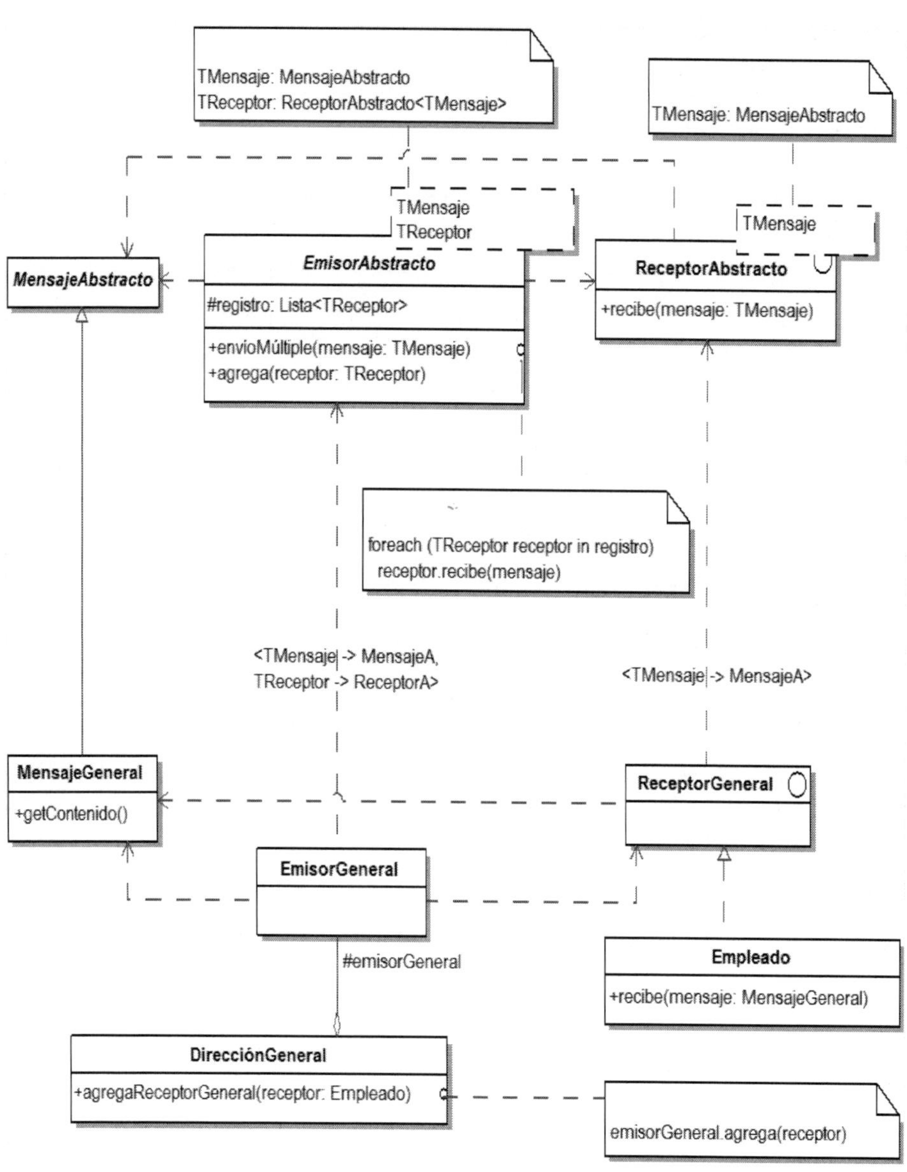

Figura 5-1.8 - El patrón `Multicast` aplicado a un sistema de mensajes

La clase EmisorAbtracto presenta dos funcionalidades:

- Gestiona un registro (una lista) de receptores con la posibilidad de suscribirse gracias al método agrega.
- Permite enviar un mensaje al conjunto de receptores presentes en el registro gracias al método envíoMúltiple.

Está basada en dos tipos genéricos a saber TMensaje que está acotado por MensajeAbstracto y TReceptor acotado por ReceptorAbstracto<TMensaje>. De este modo, cualquier mensaje es obligatoriamente una subclase de MensajeAbstracto y todo receptor una subclase de ReceptorAbstracto<TMensaje>.

La clase MensajeAbstracto es una clase abstracta totalmente vacía. Sólo existe con fines de tipado.

La interfaz ReceptorAbstracto es una interfaz que incluye la firma del método recibe. Esta interfaz está basada en el tipo genérico TMensaje acotado por MensajeAbstracto.

Nos interesamos ahora en el caso particular de los mensajes que provienen de la dirección general. Para estos mensajes, creamos una subclase para cada clase abstracta:

- La subclase concreta MensajeGeneral que describe la estructura de un mensaje de la dirección general. El método getContenido permite obtener el contenido de dicho mensaje.
- La subclase concreta EmisorGeneral obtenida vinculando los dos parámetros genéricos con MensajeGeneral para TMensaje y a ReceptorGeneral para TReceptor.
- La interfaz ReceptorGeneral que hereda de la interfaz ReceptorAbstracto vinculando el parámetro genérico TMensaje con MensajeGeneral.

La clase `Empleado` incluye los objetos que representan a los empleados del concesionario. Implementa la interfaz `ReceptorGeneral`. De este modo sus instancias estarán dotadas de la capacidad de recibir los mensajes provenientes de la dirección general y pueden suscribirse para recibirlos.

La clase `DirecciónGeneral` representa a la dirección general. Posee un enlace hacia `emisorGeneral`, instancia de la clase `EmisorGeneral` que le permite enviar mensajes. El método `agregaReceptorGeneral` permite reportar la suscripción de los empleados a nivel de la clase `DirecciónGeneral`.

4.2 Estructura

La estructura genérica del patrón Multicast se ilustra en el diagrama de clases de la figura 5-1.9.

Este diagrama de clases es muy similar al diagrama del ejemplo de la figura 5-1.8, habiendo conservado las clases abstractas en el ejemplo.

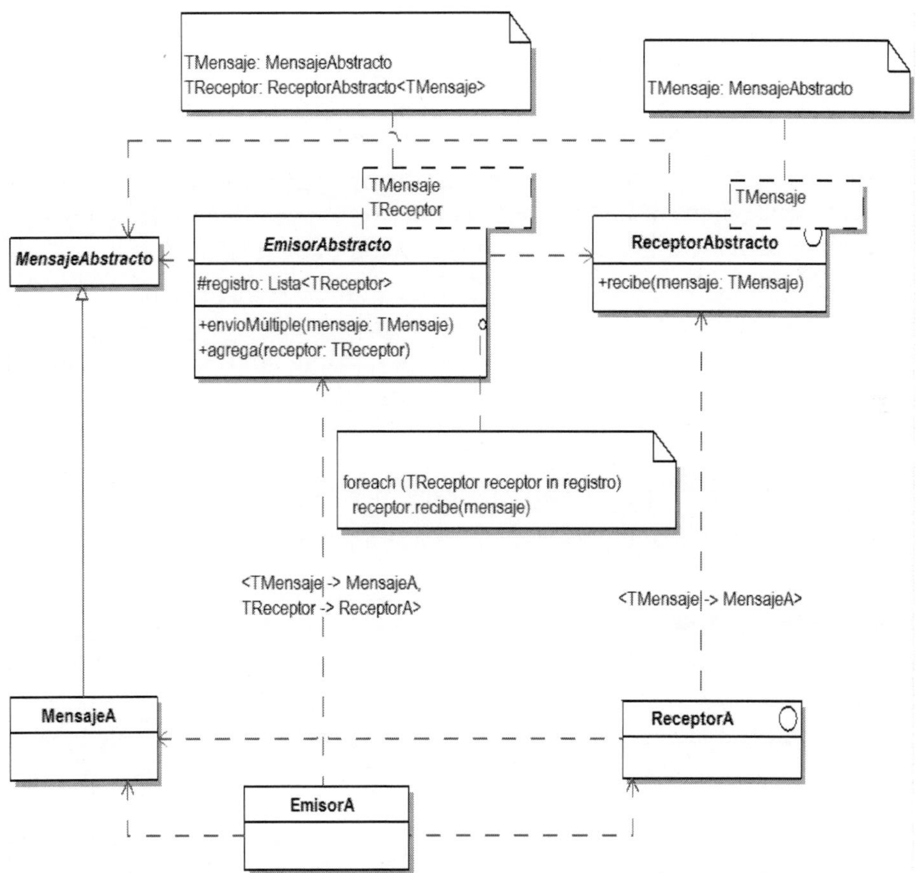

Figura 5-1.9 - La estructura del patrón `Multicast`

Los participantes del patrón son los siguientes:

- `MensajeAbstracto` es la clase abstracta que incluye el tipo de los mensajes.
- `EmisorAbstracto` es la clase abstracta que implementa el registro de los receptores y el método `envíoMúltiple` que envía un mensaje a todos los receptores del registro.

- ReceptorAbstracto es la interfaz que define la firma del método recibe.
- MensajeA (MensajeGeneral) es una subclase concreta de MensajeAbstracto que describe la estructura de los mensajes.
- EmisorA (EmisorGeneral) es una subclase concreta que representa a los emisores de mensajes. Vincula el parámetro TMensaje con MensajeA y el parámetro TReceptor con ReceptorA.
- ReceptorA (ReceptorGeneral) es una interfaz que hereda de ReceptorAbstracto vinculando el parámetro TMensaje con MensajeA. Debe implementarse en todos los objetos que quieran tener la capacidad de recibir mensajes tipados por la clase MensajeA.

La colaboración entre los objetos se describe a continuación:

- Los receptores se suscriben al emisor del mensaje.
- Los emisores envían mensajes a los receptores suscritos.

4.3 Ejemplo en C#

A continuación se muestra el código escrito en C# del ejemplo correspondiente al diagrama de clases de la figura 5-1.8. Presentamos en primer lugar las clases abstractas e interfaces MensajeAbstracto, ReceptorAbstracto y EmisorAbstracto.

```
public abstract class MensajeAbstracto
{
}


public interface ReceptorAbstracto<TMensaje>
  where TMensaje : MensajeAbstracto
{
    void recibe(TMensaje mensaje);
}


using System;
using System.Collections.Generic;
```

```
public abstract class EmisorAbstracto
  <TMensaje, TReceptor>
    where TMensaje : MensajeAbstracto
    where TReceptor : ReceptorAbstracto<TMensaje>
{
    protected IList<TReceptor> registro =
  new List<TReceptor>();

    public void agrega(TReceptor receptor)
    {
        registro.Add(receptor);
    }

    public void envioMultiple(TMensaje mensaje)
    {
        foreach (TReceptor receptor in registro)
            receptor.recibe(mensaje);
    }
}
```

A continuación se muestran las clases e interfaces relativos a los mensajes generales: `MensajeGeneral`, `ReceptorGeneral` y `EmisorGeneral`.

```
using System;
using System.Collections.Generic;

public class MensajeGeneral : MensajeAbstracto
{
    public IList<string> contenido { get; protected set; }

    public MensajeGeneral(IList<string> contenido)
    {
        this.contenido = contenido;
    }
}


public interface ReceptorGeneral :
 ReceptorAbstracto<MensajeGeneral>
{
}


public class EmisorGeneral : EmisorAbstracto
```

```
 <MensajeGeneral, ReceptorGeneral>
{
}
```

El código de la clase `DireccionGeneral` se muestra a continuación. Esta clase posee un vínculo hacia una instancia de la clase `EmisorGeneral`. Ésta se utiliza para agregar empleados al registro y para enviar los mensajes.

```
using System;
using System.Collections.Generic;

public class DireccionGeneral
{
    protected EmisorGeneral emisorGeneral = new
  EmisorGeneral();

    public void enviaMensajes()
    {
        IList<string> contenido = new List<string>();
        contenido.Add("Información general");
        contenido.Add("Información específica");
        MensajeGeneral mensaje = new MensajeGeneral(contenido);
        emisorGeneral.envioMultiple(mensaje);
    }

    public void agregaReceptorGeneral(Empleado receptor)
    {
        emisorGeneral.agrega(receptor);
    }
}
```

La clase `Empleado` aparece a continuación. Implementa la interfaz `ReceptorGeneral` para poder recibir mensajes generales. Esta clase es abstracta: la dotaremos de dos subclases concretas `Administrativo` y `Comercial`.

```
using System;

public abstract class Empleado : ReceptorGeneral
{
    protected string nombre;

    public Empleado(string nombre)
    {
        this.nombre = nombre;
```

```
    }

    public void recibe(MensajeGeneral mensaje)
    {
        Console.WriteLine("Mensaje general");
        Console.WriteLine("Nombre: " + nombre);
        Console.WriteLine("Mensaje: ");
        foreach (string linea in mensaje.contenido)
            Console.WriteLine(linea);
    }
}
```

La subclase concreta `Administrativo` aparece a continuación. Es muy simple.

```
public class Administrativo : Empleado
{
    public Administrativo(string nombre)
        : base(nombre)
    {
    }
}
```

Presentamos también un segundo mensaje: los mensajes comerciales ligados a la dirección comercial. El código escrito en C# de las clases e interfaces correspondientes, a saber `MensajeComercial`, `ReceptorComercial`, `EmisorComercial`, `DireccionComercia` y `Comercial` aparece a continuación.

```
public class MensajeComercial : MensajeAbstracto
{
    public string contenido { get; protected set; }

    public MensajeComercial(string contenido)
    {
        this.contenido = contenido;
    }
}


public interface ReceptorComercial :
 ReceptorAbstracto<MensajeComercial>
{
}
```

```
public class EmisorComercial :
  EmisorAbstracto<MensajeComercial,
    ReceptorComercial>
{
}


using System;

public class DireccionComercial
{
    protected EmisorComercial emisorComercial =
     new EmisorComercial();

    public void enviaMensajes()
    {
        MensajeComercial mensaje = new MensajeComercial(
         "Anuncio nueva gama");
        emisorComercial.envioMultiple(mensaje);
        mensaje = new MensajeComercial(
         "Anuncio supresión modelo");
        emisorComercial.envioMultiple(mensaje);
    }

    public void agregaReceptorComercial
     (ReceptorComercial receptor)
    {
        emisorComercial.agrega(receptor);
    }
}


using System;

public class Comercial : Empleado, ReceptorComercial
{
    public Comercial(string nombre)
        : base(nombre)
    {
    }

    public void recibe(MensajeComercial mensaje)
```

```
        {
            Console.WriteLine("Mensaje comercial");
            Console.WriteLine("Nombre: " + nombre);
            Console.WriteLine("Mensaje: " +
             mensaje.contenido
             );
        }
}
```

Observación

La clase `Comercial` implementa dos veces la interfaz `ReceptorAbstracto`: una primera vez con `ReceptorComercial` que hereda de `ReceptorAbstracto<MensajeComercial>` y una segunda vez heredando de la clase `Empleado` que implementa `ReceptorGeneral` que hereda de `ReceptorAbstracto<MensajeGeneral>`.

La implementación del método `recibe` correspondiente a la interfaz `ReceptorGeneral` se encuentra en la clase `Empleado` mientras que la implementación de este método correspondiente a la interfaz `ReceptorComercial` se encuentra en la clase `Comercial`.

Por último, mostramos el código escrito en C# de un programa de prueba para este conjunto de clases.

```
using System;

class Concesionario
{
    static void Main(string[] args)
    {
        DireccionGeneral direccionGeneral = new
      DireccionGeneral();
        DireccionComercial direccionComercial = new
      DireccionComercial();
        Comercial comercial1 = new Comercial("Pablo");
        Comercial comercial2 = new Comercial("Enrique");
        Administrativo administrativo = new Administrativo("Juan");
        direccionGeneral.agregaReceptorGeneral(comercial1);
        direccionGeneral.agregaReceptorGeneral(comercial2);
        direccionGeneral.agregaReceptorGeneral (administrativo);
        direccionGeneral.enviaMensajes();
        direccionComercial.agregaReceptorComercial (comercial1);
        direccionComercial.agregaReceptorComercial (comercial2);
```

```
        direccionComercial.enviaMensajes();
    }
}
```

La ejecución de este programa produce el siguiente resultado:

```
Mensaje general
Nombre: Pablo
Mensaje:
Información general
Información específica
Mensaje general
Nombre: Enrique
Mensaje:
Información general
Información específica
Mensaje general
Nombre: Juan
Mensaje:
Información general
Información específica
Mensaje comercial
Nombre: Pablo
Mensaje: Anuncio nueva gama
Mensaje comercial
Nombre: Enrique
Mensaje: Anuncio nueva gama
Mensaje comercial
Nombre: Pablo
Mensaje: Anuncio supresión modelo
Mensaje comercial
Nombre: Enrique
Mensaje: Anuncio supresión modelo
```

4.4 Discusión: comparación con el patrón Observer

El patrón `Observer` (véase el capítulo El patrón Observer) presenta grandes similitudes con el patrón `Multicast`. Por un lado, permite inscribir observadores, el equivalente a los receptores. Por otro lado, puede enviar una notificación de actualización a los observadores, es decir un equivalente a los mensajes.

En el capítulo El patrón Observer, la notificación de actualización no transmite información, a diferencia de los mensajes del patrón `Multicast`. No obstante, no es muy complicado extender el patrón `Observer` para agregar una transmisión de información durante la notificación de actualización.

Es por tanto lícito preguntarse si el patrón `Multicast` no es más que una simple extensión del patrón `Observer`. ¡La respuesta es negativa! El objetivo del patrón `Observer` es construir una dependencia entre un sujeto y los observadores de modo que cada modificación del sujeto se notifique a sus observadores. El conjunto formado por el sujeto y sus observadores constituye, de cierta manera, un único objeto compuesto. Por otro lado, un uso casi inmediato del patrón `Multicast` es la posibilidad de crear varios emisores enviando mensajes a un único o varios receptores. Un receptor puede estar conectado a varios emisores, como es el caso de nuestro ejemplo donde un comercial puede recibir mensajes de la dirección general y de la dirección comercial. Este uso es opuesto al objetivo del patrón `Observer`, y demuestra que `Observer` y `Multicast` son en efecto dos patrones diferentes.

Capítulo 5-2
El patrón composite MVC

1. Introducción al problema

La realización de la interfaz de usuario de una aplicación resulta un problema complejo. La principal característica del diseño de una interfaz de usuario es que debe ser lo suficientemente flexible para dar respuesta a las siguientes exigencias, propias de una interfaz moderna:

- Los usuarios de la aplicación pueden solicitar cambios a dicha interfaz para que sea más eficaz o fácil de usar.
- La aplicación puede ofrecer nuevas funcionalidades, lo cual requiere una actualización de su interfaz de usuario.
- El sistema de ventanas de la plataforma con el que trabaja la aplicación puede evolucionar e imponer modificaciones en la interfaz de usuario.
- La misma información puede representarse mediante diferentes vistas e introducirse a través de distintos medios.
- La representación debe reflejar, inmediatamente, las modificaciones de datos manipulados por la aplicación.
- Los datos gestionados por la aplicación pueden manipularse simultáneamente a través de varias interfaces: por ejemplo, una interfaz de usuario de escritorio y una interfaz de usuario web.

Estos requisitos hacen casi imposible diseñar una interfaz de usuario que pueda aplicarse en el seno del núcleo funcional de la aplicación. Conviene adoptar, por lo tanto, una solución algo más modular como la que propone el patrón composite MVC.

2. El patrón composite MVC

Los autores de Smalltalk-80 proponen una solución a este problema llamada MVC, del acrónimo Model-View-Controller, que preconiza la siguiente separación entre componentes de una aplicación:

- Model (modelo): se trata del núcleo funcional que gestiona los datos manipulados en la aplicación.
- View (vista): se trata de los componentes destinados a representar la información al usuario. Cada vista está vinculada con un modelo. Un modelo puede estar vinculado a varias vistas.
- Controller (controlador): un componente de tipo controlador recibe los eventos que provienen del usuario y los traduce en consultas para el modelo o para la vista. Cada vista está asociada a un controlador.

El vínculo entre el modelo y una vista se realiza aplicando el patrón `Observer`, que hemos estudiado en el capítulo El patrón Observer dedicado al mismo. En este patrón, el modelo constituye el sujeto y cada vista es un observador. De este modo, cada actualización de datos que gestione el núcleo funcional genera una notificación a las distintas vistas. Éstas pueden, entonces, actualizar la información que muestran al usuario.

La estructura genérica, en su forma simplificada, de MVC se representa mediante la notación UML de la figura 5-2.1. El modelo se incluye como el sujeto del patrón `Observer` y, por lo tanto, como una subclase de la clase abstracta `Sujeto`. La clase `Modelo` implementa dos métodos: `getDatos` y `modificaDatos`. El primero permite acceder a los datos del modelo y el segundo modificarlos. En la práctica, estos métodos darán un acceso más fino a los datos del modelo, así como a los servicios que implementan las funcionalidades de la aplicación.

La clase `Vista` se incluye como observador del modelo. El método `actualiza` se invoca cuando se quiere actualizar los datos del modelo. La vista extrae del modelo los datos que se quieren visualizar y los representa. Además del método `actualiza`, la vista posee el método `manipulaRepresentación` destinado al controlador. En efecto, algunas acciones del usuario no tendrán ninguna consecuencia sobre el modelo sino, únicamente, sobre la representación: mover una ventana, alguna acción sobre la barra de desplazamiento, etc.

La clase `Vista` está asociada con el modelo para que el método `actualiza` pueda acceder a este último. También está asociada con la clase del controlador. En efecto, es la vista la que crea su controlador y la que conserva una referencia, en particular para poder cambiar de controlador. Cada vista está ligada con un único controlador y cada controlador a una sola vista.

El controlador se incluye, también, como observador del modelo. Esto permite adaptar ciertos componentes gráficos en función de los datos. Por ejemplo, en un navegador, el botón que permite ir a la página siguiente (flecha hacia la derecha) puede permanecer oculto o deshabilitado si no existe dicha página. Esta adaptación se realiza mediante el método `actualiza`. Éste, igual que su equivalente de la clase `Vista`, extrae del modelo los datos necesarios.

El método principal del controlador se llama `gestionaEvento`. Tiene como objetivo gestionar los eventos que provienen del usuario e invocar, a continuación, al método `modificaDatos` del modelo o bien al método `manipulaRepresentación` de la vista asociada con el controlador.

Para que los métodos `actualiza` y `gestionaEvento` puedan funcionar correctamente, cada controlador está asociado con el modelo y con su vista.

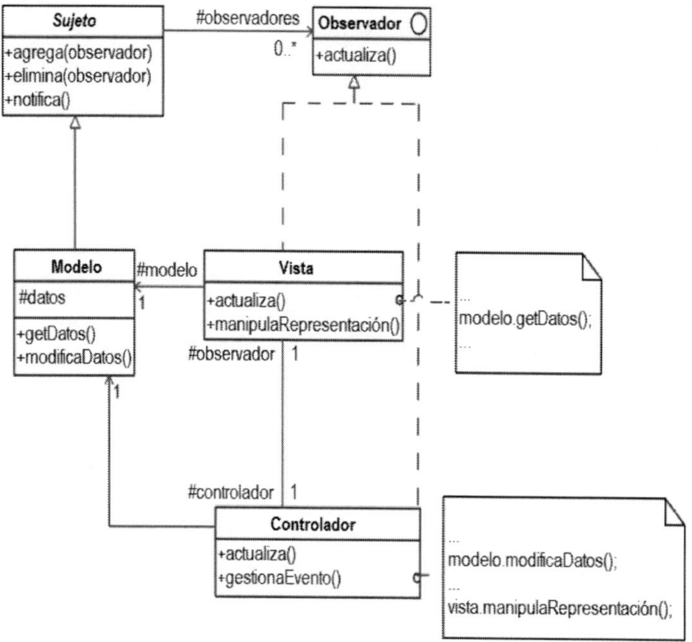

Figura 5-2.1 - Estructura genérica simplificada de MVC

El diagrama de secuencia de la figura 5-2.2 describe el comportamiento dinámico de MVC. En él se muestran, para simplificar, una sola vista, y por lo tanto un solo controlador. Los mensajes descritos en este diagrama son los siguientes:

1 El sistema invoca al controlador para solicitarle que gestione un evento proveniente del usuario.

2 El controlador invoca al modelo para solicitarle modificar su estado y sus datos.

3 Esto provoca una notificación de actualización y una llamada al método `actualiza` de los observadores. Se invoca al método `actualiza` de la vista.

4 El método de la vista invoca al método `getDatos` del modelo para extraer los datos pertinentes.

5 Se devuelven los datos a la vista.

6 El método `actualiza` actualiza la representación gráfica y, a continuación, se termina su invocación.

7 Se invoca al método `actualiza` del segundo observador. Se trata del controlador.

8 Como con el método `actualiza` de la vista, el del controlador invoca al método `getDatos` del modelo.

9 El método `getDatos` devuelve los datos.

10 Tras actualizar los componentes del controlador, finaliza la ejecución del método `actualiza`.

11 La llamada al método `modificaDatos` del modelo finaliza.

12 La ejecución del método `AdministraEvento` del controlador se termina asimismo.

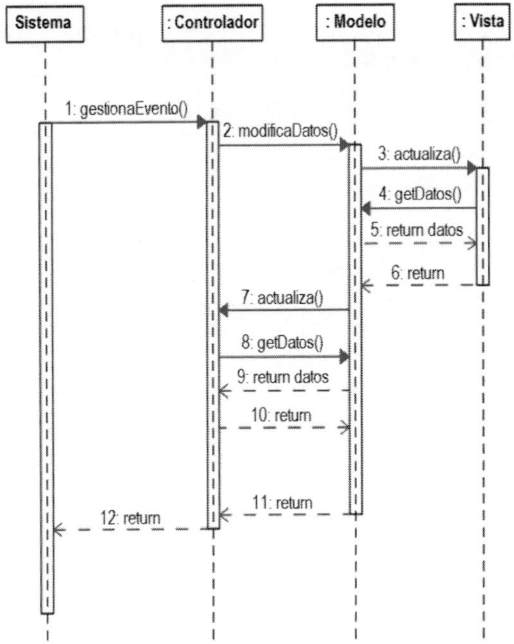

Figura 5-2.2 - Comportamiento dinámico de MVC

La siguiente tabla resume las responsabilidades de los tres componentes.

Componente	Responsabilidades
Modelo	– Administrar los datos de la aplicación y proveer los servicios asociados. – Proveer un acceso a los datos y los servicios para las vistas y los controladores. – Registrar, como observadores, las vistas y los controladores que dependan de la actualización del modelo. – Notificar a los observadores en caso de actualización.
Vista	– Mostrar la información al usuario. – Actualizar la representación gráfica en caso de producirse alguna actualización del modelo. – Buscar los datos del modelo. – Ofrecer posibilidades de manipulación de representación gráfica para el controlador asociado a la vista. – Crear e inicializar el controlador asociado.
Controlador	– Administrar los eventos que provienen del usuario. – Traducir los eventos en consultas para el modelo o para la vista (manipulación de la representación gráfica). – Adaptar, si fuera necesario, los distintos componentes del controlador cuando se produce alguna actualización en el modelo.

El diagrama de clases de la figura 5-2.3 muestra la estructura completa del patrón composite MVC. Muestra la presencia de tres patrones de diseño, de ahí que al patrón MVC se le denomine patrón composite.

Estos tres patrones son los siguientes:

- El patrón `Observer`, cuyo sujeto es el modelo y los observadores son las vistas y sus controladores asociados. Este patrón ya figuraba en la estructura simplificada de MVC.
- El patrón `Composite` se introduce a nivel de la vista. Puede tratarse de una vista simple o una vista compuesta por otras vistas, a su vez simples o compuestas. La aplicación del patrón Composite para diseñar una interfaz de usuario es algo habitual en los frameworks de desarrollo de interfaces gráficas modernas. Es, por ejemplo, el caso en el framework Blazor que utilizaremos, más adelante, en el marco de nuestro ejemplo.
- El patrón `Strategy` se implementa para asociar el controlador con cada vista. En efecto, MVC ofrece la posibilidad de cambiar, incluso en tiempo de ejecución, los componentes gráficos que administran las acciones del usuario. Este cambio implica un cambio en el algoritmo de gestión de los eventos que provienen del usuario. El controlador se considera, por lo tanto, como un algoritmo bajo la forma de objeto igual que con los objetos de estrategia del patrón `Strategy`. El controlador es, a su vez, un observador del modelo, de ahí que la clase abstracta `ControladorAbstracto` implemente la interfaz `Observador`. Conviene destacar que esta última es una clase abstracta y no una interfaz, con el objetivo de factorizar las referencias hacia la vista y hacia el modelo.

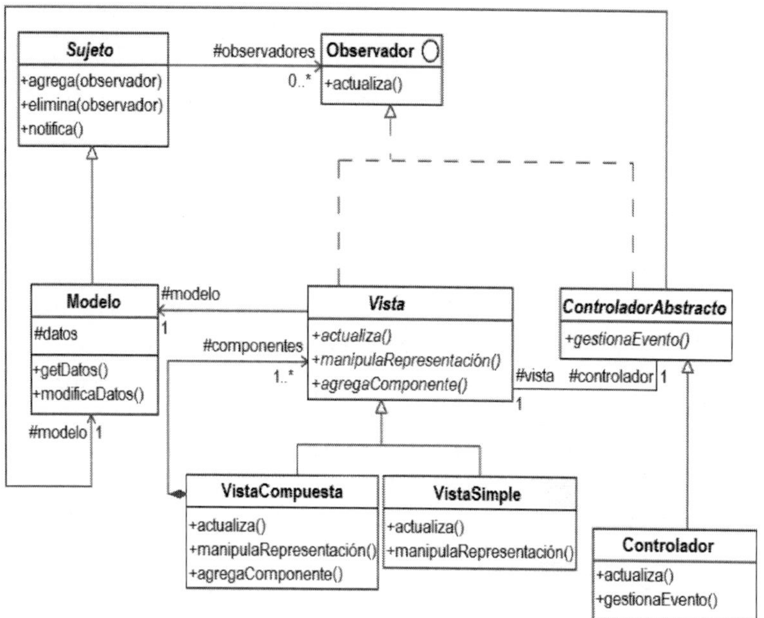

Figura 5-2.3 - Estructura genérica completa de MVC

3. El framework Blazor

El ejemplo que se presenta a continuación se basa en el framework Blazor desarrollado por Microsoft. Se trata de un framework .NET concebido para la programación de aplicaciones web.

Existen dos versiones de Blazor:

- La versión servidor, donde todo el código .NET se ejecuta en el servidor. Esta versión integra el soporte de comunicación SignalR entre el navegador web y el servidor que sirve de base para la creación de contenidos ricos e interactivos.

- La versión aplicación basada en WebAssembly. WebAssembly es un lenguaje de bajo nivel (como el ensamblador de los microprocesadores) destinado a ser ejecutado principalmente por los navegadores. Existen muchos compiladores para transformarlo en lenguajes de alto nivel como C# o Java. En el caso de la versión aplicación, el código C# compilado se ejecuta en el navegador. La versión aplicación de Blazor también carga en el navegador un runtime .NET escrito en WebAssembly. Una aplicación Blazor no necesita ningún servidor para funcionar, porque se ejecuta localmente en el navegador.

Nuestro ejemplo se ha realizado como aplicación de Blazor compilada en WebAssembly y ejecutada en el navegador. Como toda aplicación escrita en Blazor, está formada por componentes de interfaz de usuario como botones, menús, zonas de texto, etc. Estos componentes interactúan con el núcleo de Blazor, que se encarga de construir y actualizar el modelo DOM de la página web que muestra el navegador.

Observación

DOM es la abreviatura de «Document Object Model». DOM es una interfaz del navegador que permite manipular un documento HTML o XML como una estructura de datos en árbol. Mediante un programa o un script, se pueden consultar y modificar los nodos de este árbol.

La arquitectura de comunicación entre los componentes, el núcleo de Blazor y el DOM se ilustra en la figura 5-2.4. En la parte izquierda de la figura, los mensajes de la interfaz de usuario se emiten desde el DOM (el navegador) hacia el núcleo de Blazor. Este último los decodifica y los envía a los componentes.

En la parte derecha de la figura, los mensajes corresponden a la actualización de la interfaz de usuario. Cuando se necesita una actualización de este tipo, los componentes actualizan la representación con la ayuda de objetos C# de la estructura de datos en árbol del DOM. Tiene la misma estructura (el mismo árbol). Esta representación se llama RenderTree.

Este RenderTree se actualiza de forma más eficaz que el DOM. Combina varios cambios en una sola actualización del DOM. Esta se realiza comparando los elementos del RenderTree con los del DOM y actualizando únicamente los que son diferentes.

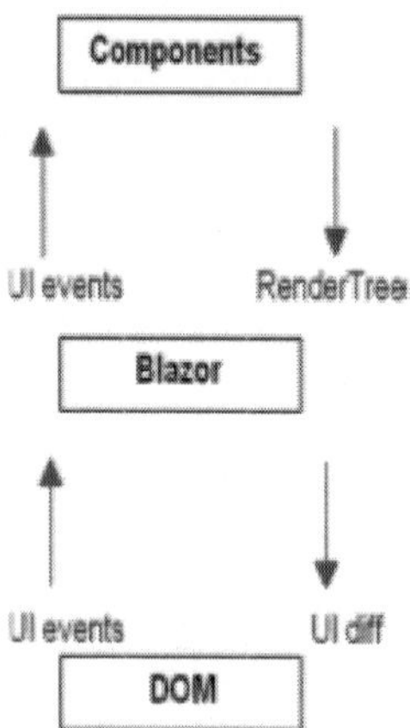

Figura 5-2.4 - Arquitectura de comunicación en una aplicación con Blazor

Por último, cabe señalar que, para desarrollar una aplicación con Blazor, es conveniente conocer el lenguaje razor de descripción de páginas web, además del lenguaje C#. Este lenguaje muy sencillo hace que Blazor sea tanto un framework potente y rápido de dominar, como una herramienta para el desarrollo rápido de aplicaciones web.

4. Ejemplo en C#

4.1 Introducción

El ejemplo consiste en una pequeña base de datos de vehículos que está disponible en modo de sólo consulta. Existe un menú desplegable en la parte superior de la vista que ofrece la posibilidad, al usuario, de seleccionar el vehículo que quiere visualizar. Se muestran, entonces, la marca, el modelo y el precio del vehículo seleccionado. El botón **Anuncio siguiente** permite ver el siguiente anuncio relativo al mismo vehículo. Si el usuario pulsa dicho botón una vez mostrado el último anuncio, la interfaz vuelve a mostrar el primer anuncio.

La figura 5-2.5 muestra la interfaz de usuario. Se ejecuta, tal y como hemos indicado, en un navegador web.

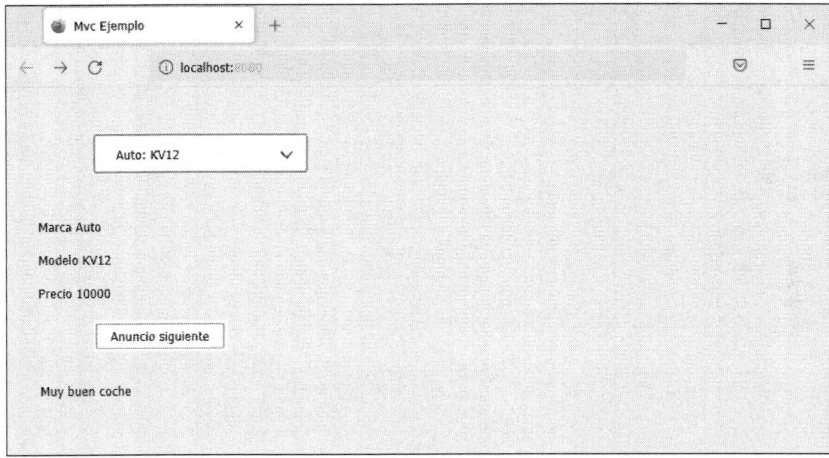

Figura 5-2.5 - Interfaz de usuario de la base de datos de vehículos

4.2 Arquitectura

La figura 5-2.6 muestra la arquitectura del ejemplo y una implementación basada en el patrón MVC. La clase `BaseVehiculos` constituye el modelo. La clase `Indice` constituye la vista central compuesta por varias vistas anidadas: la vista descrita por la clase `Caracteristicas` y las de los componentes de Blazor. Las dos clases `ControladorMenuSeleccion` y `ControladorBotonAnuncioSiguiente` representan los dos controladores asociados a la vista `Indice`.

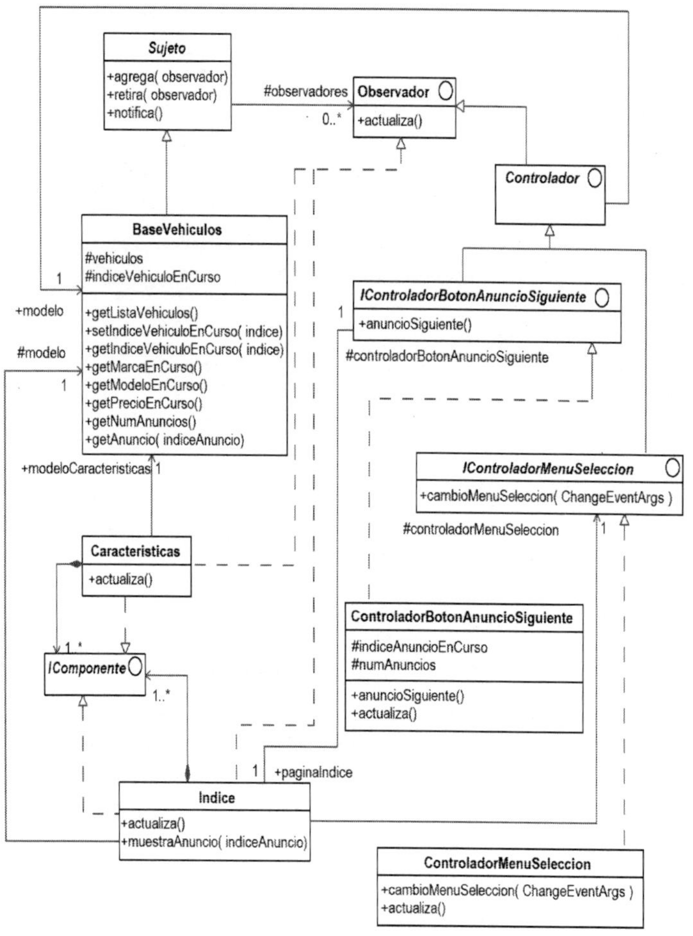

Figura 5-2.6 - Arquitectura del ejemplo

Comprobamos que se han aplicado los patrones Observer para el modelo, Composite para la vista principal Indice, que es una vista compuesta en Blazor (que implementa la misma interfaz IComponente que sus vistas anidadas, entre ellas, la vista Caracteristicas), y Strategy para los controladores. No obstante, para estos últimos no es posible factorizar a nivel de la clase abstracta Controlador el método de gestión de eventos, puesto que no es el mismo para ambos controladores (el método cambioMenuEleccion del controlador ControladorMenuSeleccion toma un argumento, mientras que el método anuncioSiguiente del controlador ControladorBotonAnuncioSiguiente no toma ninguno). Para poder implementar el patrón Strategy, se han introducido ambos controladores en dos partes: una interfaz que establece el soporte de comunicación con la vista (método llamado por la vista y vínculo hacia la vista para la interfaz IControladorBotonAnuncioSiguiente) y una clase de realización. De este modo, es posible introducir sin problemas otras clases de realización.

4.3 Estudio del código

Comenzamos el estudio del código por las clases Sujeto y BaseVehiculos. La clase Sujeto no presenta ninguna particularidad, gestiona una lista de observadores y, cuando se produce una llamada al método notifica, solicita a cada observador de la lista que se actualice.

La clase BaseVehiculos constituye el modelo de la aplicación. La base contiene vehículos, que son los elementos de la tabla vehiculos. Están tipados por la clase anidada privada Vehiculo. La clase BaseVehiculos incluye, a su vez, el atributo indiceVehiculoEnCurso que contiene el índice del vehículo en curso en la tabla vehiculos y que es el vehículo que debe mostrar la aplicación. Las propiedades de solo lectura MarcaEnCurso, ModeloEnCurso, PrecioEnCurso, NumAnuncio y el método getAnuncio devuelven el valor de los atributos del vehículo en curso. Por último, la clase VehiculoDescripcion encapsula la descripción de un vehículo con su índice en la tabla vehiculos. La propiedad de solo lectura ListaVehiculos devuelve la lista de descripciones de los vehículos. Para cada vehículo, la descripción textual se calcula como la concatenación de la marca y el modelo.

La propiedad IndiceVehiculoEnCurso gestiona el atributo indiceVehiculoEnCurso. Devuelve su valor y lo actualiza invocando el método notifica heredado de su superclase Sujeto.

```
using System.Collections.Generic;

namespace Mvc
{
 public abstract class Sujeto
 {
    protected IList<Observador> observadores = new List<Observador>();

    public void agrega(Observador observador)
    {
    observadores.Add(observador);
    }

    public void elimina(Observador observador)
    {
    observadores.Remove(observador);
    }

    public void notifica()
    {
      foreach (Observador observador in observadores)
      {
        observador.actualiza();
      }
    }
  }
}

using System;
using System.Collections.Generic;

namespace Mvc
{
  public class BaseVehiculos : Sujeto
  {
    public class VehiculoDescripcion
    {
    private int indice;
    public int Indice
    {
      get
      {
      return indice;
      }
  }
  private String descripcion;
  public String Descripcion
  {
    get
    {
      return descripcion;
    }
```

```
}

public VehiculoDescripcion(int indice, String descripcion) : base()
{
   this.indice = indice;
   this.descripcion = descripcion;
}
}

private class Vehiculo
{
private String marca;

public String Marca
{
   get
   {
     return marca;
   }
}

private String modelo;

public String Modelo
{
   get
   {
     return modelo;
   }
}

private int precio;

public int Precio
{
   get
   {
     return precio;
   }
}

private string[] anuncio;

public string[] Anuncio
{
  get
  {
    return anuncio;
  }
}
public Vehiculo(string marca, string modelo, int precio,
 string[] anuncio) : base()
{
  this.marca = marca;
  this.modelo = modelo;
  this.precio = precio;
  this.anuncio = anuncio;
}
```

```
}

private Vehiculo[] vehiculos = new Vehiculo[] {
  new Vehiculo("Auto", "KV12", 10000, new string[]
   { "Buen vehículo", "Lata de sardinas", "Desaconsejado" }),
  new Vehiculo("Auto", "KV14", 12500, new string[]
   { "Muy buen vehículo", "Demasiado caro", "Aceptable" }),
  new Vehiculo("Auto++", "KDY1250", 2500,
   new string[] { "Excelente vehículo", "Buena relación calidad /precio" }),
  new Vehiculo("Desconocido", "XYZ", 15005, new string[] {}) };

private int indiceVehiculoEnCurso = 0;

public IList<VehiculoDescripcion> ListaVehiculos
{
  get
  {
  int indice = 0;
  IList<VehiculoDescripcion> result =
   new List<VehiculoDescripcion>();
  foreach (Vehiculo vehiculo in vehiculos)
  {
    result.Add(new VehiculoDescripcion(indice, vehiculo.Marca +
     " : " + vehiculo.Modelo));
    indice++;
  }
  return result;
  }
}

public int IndiceVehiculoEnCurso
{
  set
  {
  if ((value >= 0) && (value < vehiculos.Length) &&
     (indiceVehiculoEnCurso != value))
  {
    indiceVehiculoEnCurso = value;
    notifica();
  }
  }
  get
  {
  return indiceVehiculoEnCurso;
  }
}

public String MarcaEnCurso
{
  get
  {
  return vehiculos[indiceVehiculoEnCurso].Marca;
  }
}

public String ModeloEnCurso
{
  get
```

```
      {
      return vehiculos[indiceVehiculoEnCurso].Modelo;
      }
    }

  public int PrecioEnCurso
    {
      get
      {
      return vehiculos[indiceVehiculoEnCurso].Precio;
      }
    }

  public int NumAnuncios
    {
      get
      {
      return vehiculos[indiceVehiculoEnCurso].Anuncio.Length;
      }
    }

  public String getAnuncio(int indiceAnuncio)
    {
    if (indiceAnuncio >= vehiculos[indiceVehiculoEnCurso].Anuncio.Length)
    {
      return "";
    }
    else
    {
      return vehiculos[indiceVehiculoEnCurso].Anuncio[indiceAnuncio];
    }
    }
  }
}
```

A continuación se muestra el código de la interfaz `Observador` y de las clases `Indice` y `Caracteristicas`. La interfaz `Observador` se contenta con implementar el método `actualiza`. Las clases `Indice` y `Caracteristicas` están escritas en razor.

Las clases `Indice` y `Caracteristicas` implementan la interfaz `ICustomComponent` del framework Blazor.

Por tanto, ambas son un componente compuesto por otros componentes. Esta característica de composición recursiva se aplica, en particular, a la clase `Indice` que se compone de la clase `Caracteristicas`. Por otro lado, para respetar el patrón MVC, implementa la interfaz `Observador`. Los métodos `OnInitialized` inicializan el conjunto de los objetos de la aplicación. En la clase `Indice`, ese método construye el modelo, añade la vista al modelo como observador y, a continuación, implementa los dos controladores. Por último, invoca el método `actualiza` para desencadenar la visualización inicial de la vista. El método `OnInitialized` de la vista `Caracteristicas` añade este al modelo como observador y, a continuación, invoca el método `actualiza` para provocar del mismo modo la visualización inicial de esta vista anidada.

El método `actualiza` de la vista `Indice` no tiene ninguna operación que realizar. La visualización de la marca, el modelo y el precio del vehículo en curso se realizan mediante el método `actualiza` de la vista `Caracteristicas`.

El método `muestraAnuncio` muestra el anuncio del vehículo en curso cuyo índice se corresponda con el parámetro `indiceAnuncio`.

```
namespace Mvc
{
 public interface Observador
 {
   void actualiza();
 }
}

// indice.razor
@page "/"

<select class="form-control"
 @onchange="controladorMenuSeleccion.cambioMenuSeleccion">
 @foreach (BaseVehiculos.VehiculoDescripcion vehiculo in
   listaVehiculos)
 {
   <option value="@vehiculo.Indice">
    @vehiculo.Descripcion</opcion>
 }
</select>
<Caracteristicas modeloCaracteristicas=@modelo>
</Caracteristicas>
<button class="btn btn-primary"
```

```
@onclick="controladorBotonAnuncioSiguiente.anuncioSiguiente">
Anuncio siguiente</button>

<p>@CampoAnuncio</p>


@code {
 @implements Observador

 protected IList<BaseVehiculos.VehiculoDescripcion>
  listaVehiculos;
 protected String CampoAnuncio { get; set; }

 protected BaseVehiculos modelo;
 protected IControladorMenuSeleccion controladorMenuSeleccion;
 protected IControladorBotonAnuncioSiguiente
  controladorBotonAnuncioSiguiente;

 protected override void OnInitialized()
 {
   modelo = new BaseVehiculos();
   listaVehiculos = modelo.ListaVehiculos;
   modelo.agrega(this);
   controladorMenuSeleccion = new ControladorMenuSeleccion(modelo);
   controladorBotonAnuncioSiguiente =
    new ControladorBotonAnuncioSiguiente(modelo, this);
   actualiza();
 }

 public void actualiza()
 {
 }

 public void muestraAnuncio(int indiceAnuncio)
 {
   CampoAnuncio= modelo.getAnuncio(indiceAnuncio);
 }
}

// Caracteristicas.razor
<p>Marca @CampoMarca</p>
<p>Modelo @CampoModelo</p>
<p>Precio @CampoPrecio</p>

@code {
 @implements Observador
```

```
  [Parameter]
  public BaseVehiculos modeloCaracteristicas { get; set; }

  protected String CampoMarca { get; set; }
  protected String CampoModelo { get; set; }
  protected String CampoPrecio { get; set; }

  public void actualiza()
  {
    CampoMarca = modeloCaracteristicas.MarcaEnCurso;
    CampoModelo = modeloCaracteristicas.ModeloEnCurso;
    CampoPrecio =
     Convert.ToString(modeloCaracteristicas.PrecioEnCurso);
  }

  protected override void OnInitialized()
  {
    modeloCaracteristicas.agrega(this);
    actualiza();
  }
}
```

A continuación se provee el código de las clases Controlador, IControladorMenuSeleccion y ControladorMenuSeleccion. La interfaz Controlador introduce la referencia del controlador en el modelo con la propiedad abstracta modelo. La interfaz IControladorMenuSeleccion introduce la firma del método cambioMenuSeleccion en el marco de la implementación del patrón Strategy.

La clase ControladorMenuSeleccion implementa las interfaces Controlador e IControladorMenuSeleccion. Introduce los accesores de la propiedad modelo y el código de los métodos actualiza y cambioMenuSeleccion. Este método se invoca cuando se produce una nueva selección en el menú. Actualiza el índice del vehículo en curso del modelo, lo que provoca una actualización de las vistas y de los controladores.

```
namespace Mvc
{
 public interface Controlador : Observador
 {
   BaseVehiculos modelo
   {
     get;set;
   }
 }
}

namespace Mvc
{
 public interface IControladorMenuSeleccion : Controlador
 {
   void cambioMenuSeleccion
    (Microsoft.AspNetCore.Components.ChangeEventArgs elementEvent);
 }
}

using System;

namespace Mvc
{
 public class ControladorMenuSeleccion : IControladorMenuSeleccion
 {
   protected BaseVehiculos elModelo;
   public BaseVehiculos modelo { get => elModelo;
    set => elModelo = value; }
   public ControladorMenuSeleccion(BaseVehiculos modelo)
   {
     this.modelo = modelo;
   }

   public void cambioMenuSeleccion
    (Microsoft.AspNetCore.Components.ChangeEventArgs elementEvent)
   {
     modelo.IndiceVehiculoEnCurso =
      Convert.ToInt32(elementEvent.Value);
   }

   public void actualiza()
   {
   }
 }
}
```

La interfaz `IControladorBotonAnuncioSiguiente` y la clase `ControladorBotonAnuncioSiguiente` se describen a continuación. La interfaz `IControladorBotonAnuncioSiguiente` se implementa como en el caso del controlador anterior aplicando el patrón `Strategy`. Esta interfaz introduce la referencia del controlador hacia la vista `Indice` mediante la propiedad abstracta `paginaIndice`, así como la firma del método `anuncioSiguiente`.

La clase `ControladorBotonAnuncioSiguiente` introduce los accesores de las propiedades `modelo` y `paginaIndice`, así como el código de los métodos `actualiza` y `anuncioSiguiente`. Contiene dos atributos `indiceAnuncioEnCurso` y `numAnuncios`. Los inicializa el método `actualiza`, que se invoca desde el constructor y cuando se produce alguna notificación de actualización por parte del modelo. Este método provoca, a su vez, una actualización de la representación invocando el método `muestraAnuncio` de la vista. El método `anuncioSiguiente` gestiona los clics en el botón **Anuncio siguiente**. Incrementa el valor del atributo `indiceAnuncioEnCurso` y solicita a la vista que se muestre el nuevo anuncio. Conviene destacar que el controlador no produce ninguna actualización del modelo. Manipula, únicamente, la representación de la vista `Indice`.

```
namespace Mvc
{
 public interface IControladorBotonAnuncioSiguiente : Controlador
 {
   Paginas.Indice paginaIndice
   {
     get; set;
   }

   void anuncioSiguiente();
 }
}

namespace Mvc
{
 public class ControladorBotonAnuncioSiguiente :
IControladorBotonAnuncioSiguiente
 {
   protected BaseVehiculos elModelo;
```

```
    protected Paginas.Indice laPaginaIndice;
    protected int indiceAnuncioEnCurso;
    protected int numAnuncios;

    public BaseVehiculos modelo { get => elModelo;
     set => elModelo=value; }
    public Paginas.Indice paginaIndice { get => laPaginaIndice;
     set => laPaginaIndice = value; }

    public ControladorBotonAnuncioSiguiente(BaseVehiculos modelo,
     Paginas.Indice paginaIndice)
    {
      this.modelo = modelo;
      this.paginaIndice = paginaIndice;
      modelo.agrega(this);
      actualiza();
    }

    public void anuncioSiguiente()
    {
      indiceAnuncioEnCurso++;
      if (indiceAnuncioEnCurso == numAnuncios)
        indiceAnuncioEnCurso = 0;
      paginaIndice.muestraAnuncio(indiceAnuncioEnCurso);
    }

    public void actualiza()
    {

      numAnuncios = modelo.NumAnuncio;
      indiceAnuncioEnCurso = 0;
      paginaIndice.muestraAnuncio(indiceAnuncioEnCurso);
    }
  }
}
```

El código del programa principal de la aplicación en Blazor no se ha modificado. Por lo tanto, se trata de la versión estándar y su estudio no es el objetivo de este libro.

Anexos
Ejercicios

1. Enunciado de los ejercicios

1.1 Creación de tarjetas de pago

1.1.1 Creación en función del cliente

Los clientes de un banco están clasificados en dos categorías:

– Aquellos que tienen derecho a crédito.

– Aquellos que no tienen este derecho.

Durante la solicitud de una tarjeta de pago, los primeros reciben una tarjeta de crédito (de débito diferido en su cuenta bancaria) mientras que los segundos solamente pueden tener una tarjeta de débito (a debitar inmediatamente en su cuenta bancaria).

1. ¿Qué patrón de diseño permite modelizar la creación de la tarjeta de pago en función del cliente?
2. Modelizar su uso mediante un diagrama de clases.

1.1.2 Creación con ayuda de una fábrica

Existen dos modelos de tarjeta de débito y de crédito, a saber las tarjetas Visa y las tarjetas MasterCard.

Modelice, con ayuda de un diagrama de clases, la creación de una tarjeta de pago en función de su familia (de crédito o de débito) utilizando el patrón `Abstract Factory`.

1.2 Autorización de tarjetas de pago

Cuando se adquiere una tarjeta de pago, es necesario acordar una autorización. Si la tarjeta es una tarjeta de débito (débito inmediato), la autorización se produce si el saldo de la cuenta sobre la que se debita la tarjeta es suficiente. Si la tarjeta es una tarjeta de crédito (débito diferido), la autorización se produce si el importe mensual de gastos no ha sobrepasado el límite.

1. ¿Qué patrón de diseño permite modelar la autorización durante el pago con una tarjeta de pago en función del modelo de tarjeta?
2. Modelice su uso con ayuda de un diagrama de clases.

1.3 Sistema de archivos

Una carpeta contiene subcarpetas y archivos. Un sistema de archivos consiste en un conjunto de subcarpetas y de archivos contenidos en una carpeta "raíz".

1. ¿Qué patrón de diseño permite modelar un sistema de archivos?
2. Muestre esta modelización con ayuda de un diagrama de clases.

Cada archivo posee un atributo que contiene su tamaño. Queremos conocer a continuación el número de archivos y de carpetas así como el tamaño global del sistema de archivos (los dos cálculos deben estar separados).

3. ¿Qué patrón permite calcular esta información modificando lo menos posible el diagrama de clases de la pregunta 2?

4. Integre este patrón en el diagrama de clases de la pregunta 2.
5. Programe este diagrama de clases en C# utilizando los objetos correspondientes para los archivos y carpetas. El programa principal deberá construir un ejemplo de sistema de archivos y calcular el número de archivos y de carpetas de este ejemplo así como su tamaño global.

1.4 Navegador gráfico de objetos

Un navegador gráfico permite visualizar distintos objetos en una ventana tal y como se ilustra a continuación.

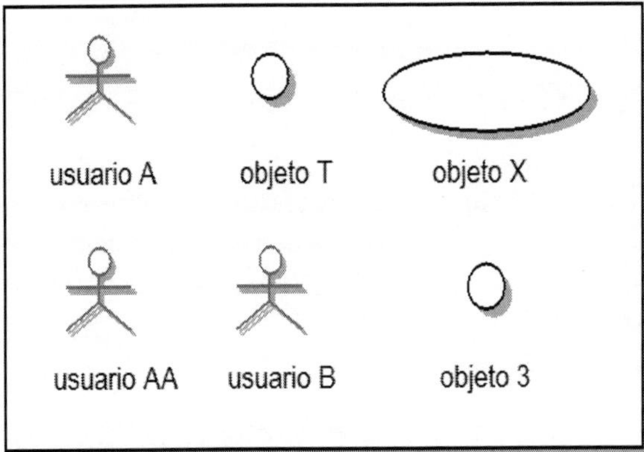

En esta figura, hay tres tipos de objetos presentes:

- Los usuarios representados por un personaje.
- Los círculos y los óvalos representados por un icono redondo u ovalado.

El navegador muestra un cuadro de iconos que representan el conjunto de objetos presentes en un marco. Existen otros muchos objetos representados por iconos específicos.

1. ¿Qué patrón está mejor adaptado para diseñar el navegador?
2. Realice el diagrama de clases que describe el navegador utilizando este patrón.

1.5 Estados de la vida profesional de una persona

Una persona posee un ciclo a lo largo de su vida profesional. Primero es estudiante, después se integra en la población activa y por último se jubila.

Su comportamiento varía en función del estado en el que se encuentra. En particular, sólo cotiza para su jubilación durante su etapa como población activa. Las cotizaciones para la jubilación dan lugar a puntos de jubilación.

1. ¿Qué patrón está mejor adaptado para describir a una persona a lo largo de su vida profesional?
2. Diseñe un diagrama de clases que describa a la persona utilizando este patrón. Incluya los métodos `getNombre` y `agregaPuntos` cuyo comportamiento dependa del estado. El método `getNombre` devuelve el nombre del estado de la persona. El método `agregaPuntos` agrega puntos de jubilación.

A continuación se desea crear una interfaz gráfica que muestre la persona así como su estado profesional. Cada vez que los datos de la persona o de su estado cambien, los datos que se muestran en la interfaz gráfica se actualizan automáticamente. Se trata en este caso del nombre del estado y de los puntos de jubilación.

3. ¿Qué patrón está mejor adaptado para diseñar esta interfaz gráfica?
4. Realice el diagrama de clases correspondiente integrando el diagrama de la pregunta 2.

1.6 Caché de un diccionario persistente de objetos

La clase `DiccPersistente` permite almacenar de forma persistente objetos y encontrarlos posteriormente. Contiene dos métodos:

- `agrega` que recibe como argumentos la clave y el objeto a almacenar y agrega este último al diccionario salvo si la clave ya está presente;
- `get` que recibe como argumento la clave del objeto y devuelve el objeto.

El método agrega devuelve true si se ha podido agregar el objeto, y false en caso contrario. El método get desencadena la excepción KeyNotFoundException si no ha podido encontrarse el objeto en el diccionario.

La clase DiccPersistente es genérica y recibe como argumento el tipo de los objetos a almacenar. Implementa la interfaz DiccPersistenteIntf, que es genérica:

```
using System;

public interface DiccPersistenteIntf<T>
{
  bool agrega(string clave, T objeto);
  T get(string clave);
}
```

El código fuente de DiccPersistente es el siguiente:

```
using System;
using System.Collections.Generic;
using System.IO;
using System.Runtime.Serialization.Formatters.Binary;

public class DiccPersistente<T> : DiccPersistenteIntf<T>
{

  public bool agrega(string clave, T objeto)
  {
    try
    {
      if (!File.Exists(clave))
      {
        Stream archivoSalida = File.Create(clave);
        BinaryFormatter formateadorBinario = new
          BinaryFormatter();
        formateadorBinario(archivoSalida, objeto);
        archivoSalida.Flush();
        archivoSalida.Close();
        return true;
      }
    }
    catch (IOException e)
    {
      return false;
    }
    return false;
  }
```

```
    public T get(string clave)
    {
      try
      {
        if (File.Exists(clave))
        {
          Stream archivoLectura = File.OpenRead(clave);
          T resultado;
          BinaryFormatter formateadorBinario = new
            BinaryFormatter();
          try
          {
            resultado = (T)formateadorBinario.Deserialize
              (archivoLectura);
          }
          catch
            (System.Runtime.Serialization.SerializationException e)
          {
            throw new KeyNotFoundException();
          }
          archivoLectura.Close();
          return resultado;
        }
      }
      catch (IOException e)
      {
        throw new KeyNotFoundException();
      }
      throw new KeyNotFoundException();
    }

  }
```

Cada vez que un cliente accede a un objeto mediante el método `get`, se produce una lectura desde el disco. Si los clientes realizan accesos frecuentes, es necesario programar una caché bajo la forma de proxy. Esta caché conserva en memoria los objetos que ya han sido cargados o que se han agregado en una sesión.

Implemente este proxy en C# respetando el patrón `Proxy`.

2. Corrección de los ejercicios

2.1 Creación de tarjetas de pago

2.1.1 Creación en función del cliente

1. El patrón mejor adaptado para crear una tarjeta de pago en función del cliente es el patrón `Factory Method`. La creación de la tarjeta se realiza en la subclase correspondiente a la naturaleza del cliente.
2. El diagrama de clases correspondiente aparece a continuación.

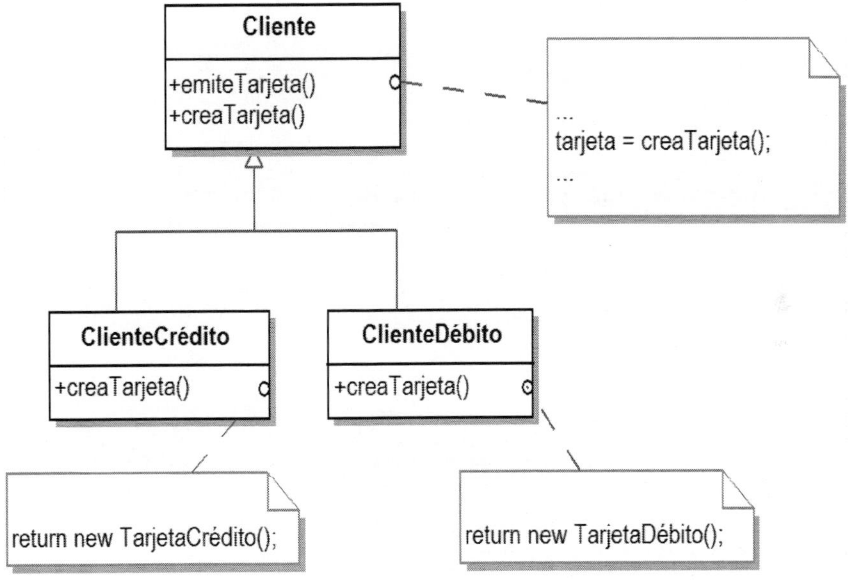

2.1.2 Creación con ayuda de una fábrica

El objetivo aquí consiste en obtener una fábrica de tarjetas MasterCard y Visa para tarjetas de crédito y una fábrica similar para tarjetas de débito. El diagrama de clases correspondiente aparece a continuación.

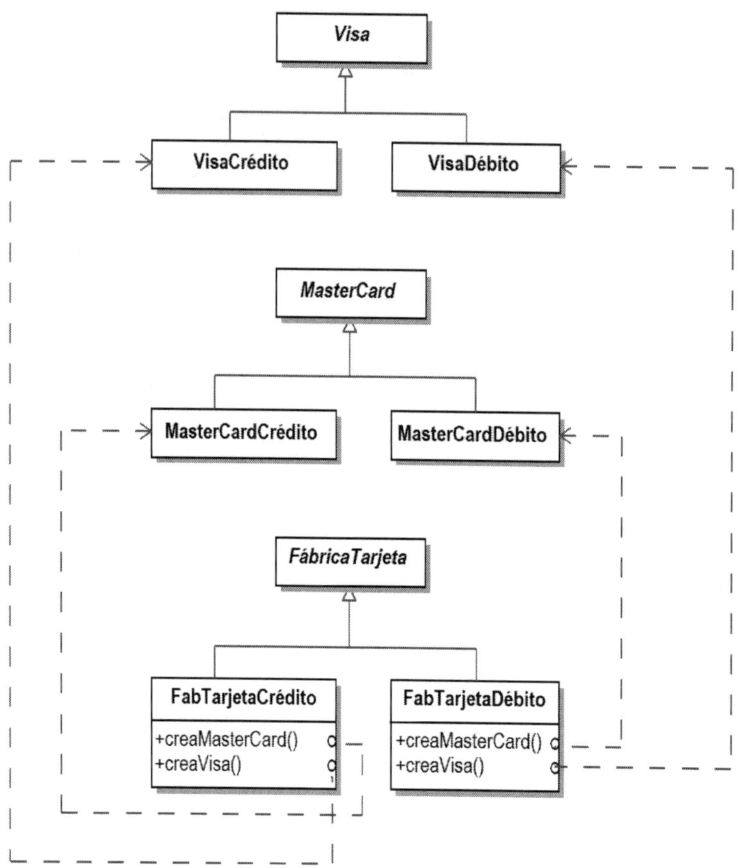

2.2 Autorización de tarjetas de pago

1. El patrón mejor adaptado es `Template Method`. Permite distinguir la autorización del pago en función del modelo de tarjeta. El método `autorizaPago`. Está implementado de forma diferente en las dos subclases `TarjetaCrédito` y `TarjetaDébito` relativas al enunciado.
2. El diagrama de clases es el siguiente:

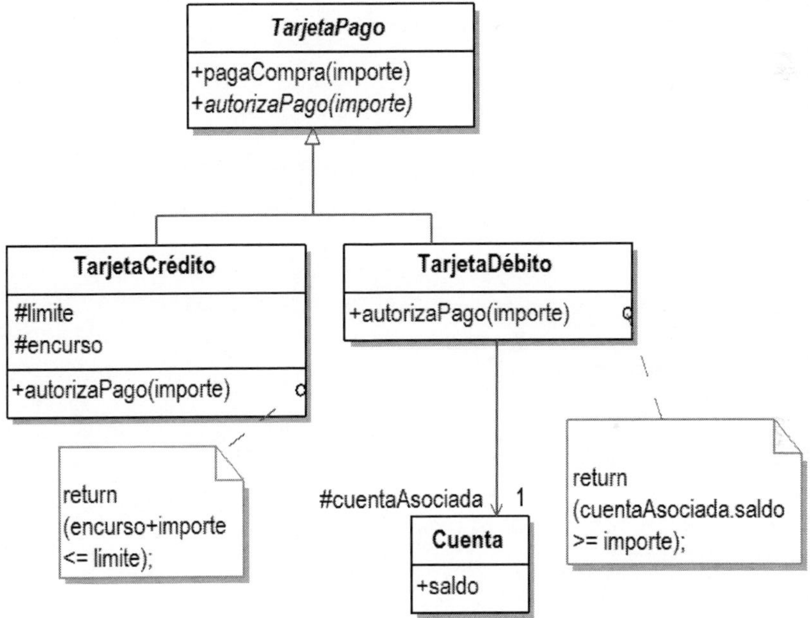

2.3 Sistema de archivos

1. Un sistema de archivos está basado en una composición recursiva. El uso del patrón `Composite` está perfectamente adaptado para modelar tal sistema.

2. El diagrama de clases con el modelo del sistema de archivos se muestra a continuación. Una carpeta está compuesta por nodos que pueden ser archivos o bien carpetas. El diagrama muestra también la relación entre el sistema de archivos y la carpeta "raíz".

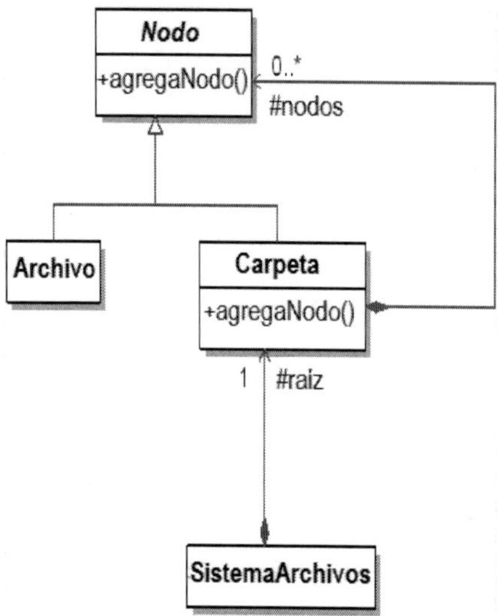

3. El patrón que agrega las funcionalidades a los objetos existentes y que requiere el menor número de modificaciones es el patrón `Visitor`. Por tanto es el que mejor se adapta para realizar las operaciones sobre el sistema de archivos.
4. El diagrama de clases tras la integración del patrón `Visitor` aparece a continuación. Para aceptar a los visitantes, el método `aceptaVisitante` se ha incluido en las clases `Nodo`, `Archivo`, `Carpeta` y `SistemaArchivos`. El método `aceptaVisitante` de `SistemaArchivos` invoca al método `aceptavisitante` del raíz. Este último invoca al método `visita` del visitante y al método `aceptaVisitante` de cada nodo. Este funcionamiento se ilustra en el programa C# cuyo código se muestra a continuación. Las dos clases de visitante tienen un comportamiento distinto: la clase `VisitanteNúmero` cuenta el número de archivos y de carpetas mientras que la clase `VisitanteTamaño` cuenta el tamaño global ocupado por el sistema de archivos.

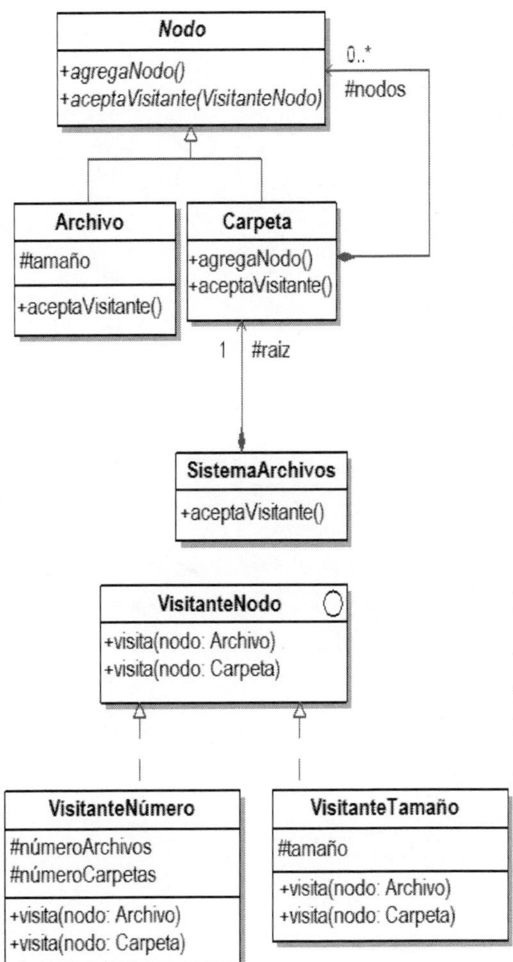

5. El código fuente de las distintas clases C# aparece a continuación. La clase `Prueba` incluye un programa de prueba. Éste crea una subcarpeta de la carpeta raíz que contiene dos archivos de tamaño 100 y 200 y a continuación crea de nuevo en la raíz tres archivos de tamaño 1000, 2000 y 3000. El número de carpetas es por tanto igual a dos, el número de archivos es igual a cinco y el tamaño total es igual a 6300 como muestra la ejecución del programa principal.

```
public abstract class Nodo
{
  public abstract bool agregaNodo(Nodo nodo);
  public abstract void aceptaVisitante(VisitanteNodo visitante);
}

public class Archivo : Nodo
{
  public int tamaño { get; set; }

  public Archivo(int tamaño)
  {
    this.tamaño = tamaño;
  }

  public override void aceptaVisitante(VisitanteNodo visitante)
  {
    visitante.visita(this);
  }

  public override bool agregaNodo(Nodo nodo)
  {
    return false;
  }
}

using System;
using System.Collections.Generic;

public class Carpeta : Nodo
{
  protected IList<Nodo> nodos = new List<Nodo>();

  public override void aceptaVisitante(VisitanteNodo visitante)
  {
    visitante.visita(this);
    foreach (Nodo nodo in nodos)
    {
      nodo.aceptaVisitante(visitante);
    }
  }

  public override bool agregaNodo(Nodo nodo)
  {
```

```
    nodos.Add(nodo);
    return true;
  }
}

public class SistemaArchivos
{
  protected Carpeta raiz;

  public SistemaArchivos(Carpeta raiz)
  {
    this.raiz = raiz;
  }

  public void aceptaVisitante(VisitanteNodo visitante)
  {
    raíz.aceptaVisitante(visitante);
  }
}

public abstract class VisitanteNodo
{
  public abstract void visita(Archivo archivo);
  public abstract void visita(Carpeta carpeta);
}

public class VisitanteNumero : VisitanteNodo
{
  protected int numeroArchivos = 0;
  protected int numeroCarpetas = 0;

  public override void visita(Archivo archivo)
  {
    numeroArchivos = numeroArchivos + 1;
  }

  public override void visita(Carpeta carpeta)
  {
    numeroCarpetas = numeroCarpetas + 1;
  }

  public int getNumeroArchivos()
  {
    return numeroArchivos;
```

```
  }

  public int getNumeroCarpetas()
  {
    return numeroCarpetas;
  }
}

public class VisitanteTamaño : VisitanteNodo
{
  protected int tamañoTotal = 0;

  public override void visita(Archivo archivo)
  {
    tamañoTotal = tamañoTotal + archivo.tamaño;
  }

  public override void visita(Carpeta carpeta){}

  public int getTamañoTotal()
  {
    return tamañoTotal;
  }
}

using System;

class Prueba
{
  static void Main(string[] args)
  {
    Carpeta raiz = new Carpeta();
    Carpeta carpeta = new Carpeta();
    raiz.agregaNodo(carpeta);
    raiz.agregaNodo(new Archivo(100));
    raiz.agregaNodo(new Archivo(200));
    carpeta.agregaNodo(new Archivo(1000));
    carpeta.agregaNodo(new Archivo(2000));
    carpeta.agregaNodo(new Archivo(3000));
    SistemaArchivos sistemaArchivos = new SistemaArchivos (raiz);
    VisitanteNumero visitanteNumero = new VisitanteNumero();
    sistemaArchivos.aceptaVisitante(visitanteNumero);
    Console.WriteLine(
      "Número de archivos del sistema de archivos: " +
```

```
            visitanteNumero.getNumeroArchivos());
        Console.WriteLine(
            "Número de carpetas del sistema de archivos: " +
            visitanteNumero.getNumeroCarpetas());
        VisitanteTamaño visitanteTamaño = new VisitanteTamaño();
        sistemaArchivos.aceptaVisitante(visitanteTamaño);
        Console.WriteLine("Tamaño del sistema de archivos: "
            + visitanteTamaño.getTamañoTotal());
    }
}

Número de archivos del sistema de archivos: 5
Número de carpetas del sistema de archivos: 2
Tamaño del sistema de archivos: 6300
```

2.4 Navegador gráfico de objetos

1. Existen muchos objetos y por tanto muchos iconos a visualizar. Estos iconos deben estar compartidos pues se trata de elementos de grano fino y no existe ningún interés en duplicar los mapas de bits asociados a ellos. El patrón mejor adaptado para compartir numerosos objetos de grano fino es el patrón `Flyweight`.
2. El diagrama de clases del navegador se muestra a continuación. El navegador está formado por un conjunto de objetos, cada uno de ellos ligado, tras su creación, a un icono compartido. El estado intrínseco está constituido por el mapa de bits. El estado extrínseco está constituido por los dos parámetros del método dibuja, a saber `punto` y `nombre`. El primer parámetro muestra el lugar donde se debe dibujar el icono y el segundo el título que debe escribirse debajo del icono.

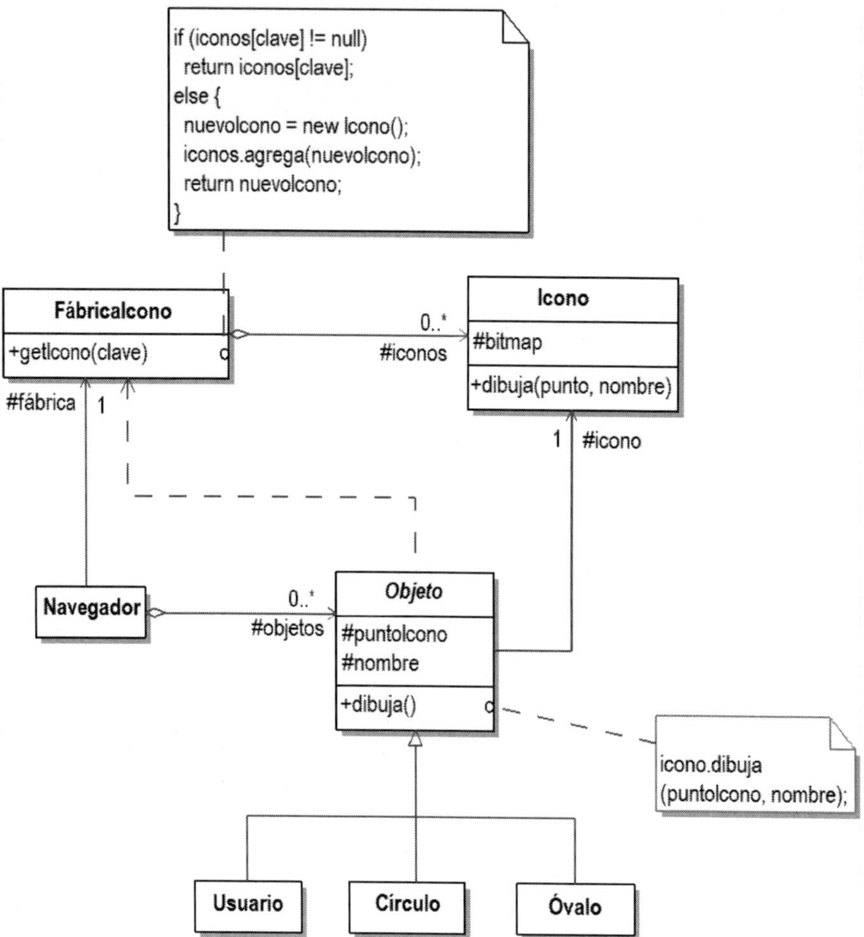
if (iconos[clave] != null)
return iconos[clave];
else {
nuevoIcono = new Icono();
iconos.agrega(nuevoIcono);
return nuevoIcono;
}
FábricaIcono
+getIcono(clave)
Icono
#bitmap
+dibuja(punto, nombre)
0..*
#iconos
#fábrica
1
1
#icono
Navegador
0..*
#objetos
Objeto
#puntoIcono
#nombre
+dibuja()
icono.dibuja
(puntoIcono, nombre);
Usuario
Círculo
Óvalo

2.5 Estados de la vida profesional de una persona

1. El patrón mejor adaptado para representar los distintos estados de la vida profesional de una persona es el patrón `State`. Permite adaptar el comportamiento de los métodos en función del estado del objeto.
2. El diagrama de clases que describe los distintos estados se ilustra en la figura siguiente. El método `agregaPuntos` que agrega puntos de jubilación sólo tiene comportamiento durante la vida laboral activa. Utiliza el método `setPuntosJubilación` de la clase `Persona` cuyo uso está reservado a la clase `Estado` y a sus subclases.

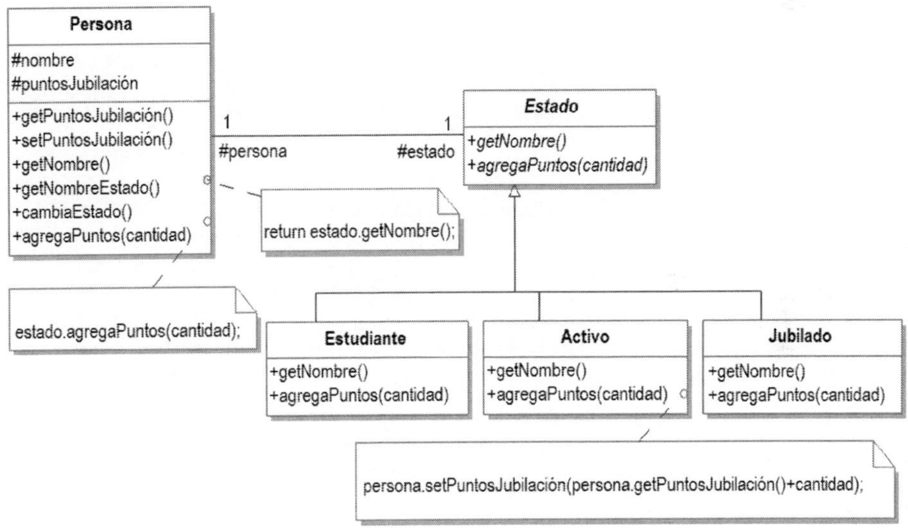

3. El patrón `Observer` permite realizar actualizaciones automáticas entre varios objetos. Es por tanto posible utilizarlo en el marco de este ejercicio.
4. A continuación se muestra el diagrama de clases basado en el patrón `Observer` que integra el diagrama anterior. El método `agregaPuntos` de la clase `Activo` invoca al método `notifica` de la persona para informar a los observadores del valor del número de puntos.

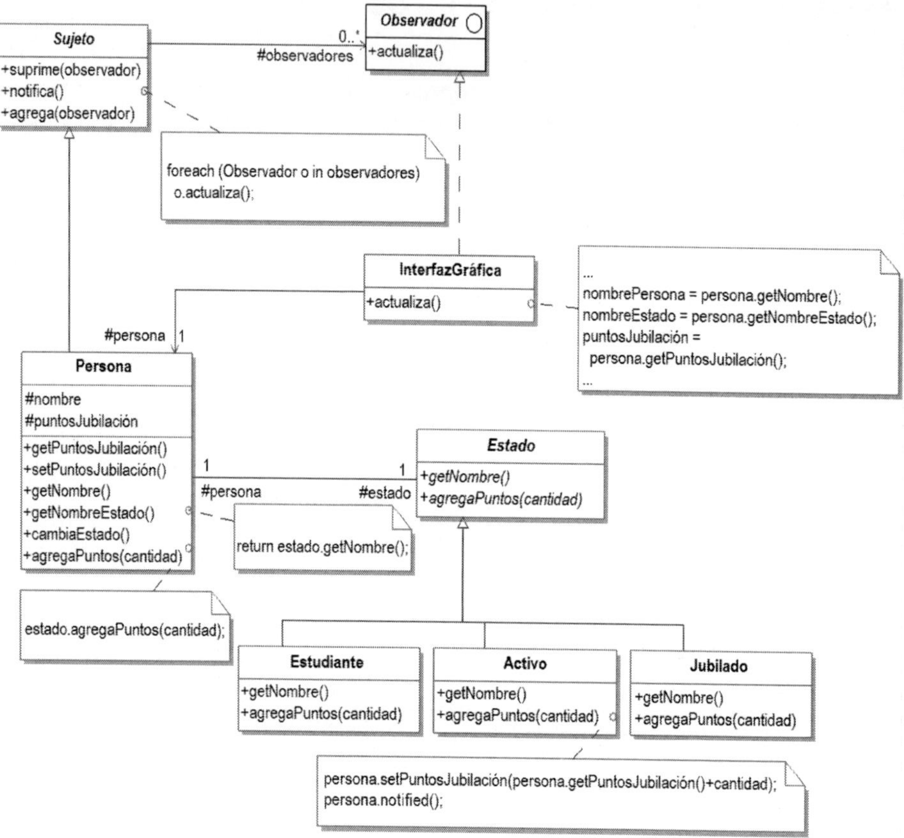
Sujeto
+suprime(observador)
+notifica()
+agrega(observador)
0..*
#observadores
Observador
+actualiza()
foreach (Observador o in observadores)
o.actualiza();
InterfazGráfica
+actualiza()
...
nombrePersona = persona.getNombre();
nombreEstado = persona.getNombreEstado();
puntosJubilación =
persona.getPuntosJubilación();
...
#persona 1
Persona
#nombre
#puntosJubilación
+getPuntosJubilación()
+setPuntosJubilación()
+getNombre()
+getNombreEstado()
+cambiaEstado()
+agregaPuntos(cantidad)
1
#persona
1
#estado
Estado
+getNombre()
+agregaPuntos(cantidad)
return estado.getNombre();
estado.agregaPuntos(cantidad);
Estudiante
+getNombre()
+agregaPuntos(cantidad)
Activo
+getNombre()
+agregaPuntos(cantidad)
Jubilado
+getNombre()
+agregaPuntos(cantidad)
persona.setPuntosJubilación(persona.getPuntosJubilación()+cantidad);
persona.notified();

2.6 Caché de un diccionario persistente de objetos

El código fuente del proxy que implementa la caché en memoria de acceso al diccionario aparece a continuación. Su implementación es muy sencilla:

- El método agrega incluye en el atributo contenido el nuevo valor agregado.
- El método get busca en el atributo contenido. Si no se encuentra el valor, se busca en el diccionario persistente y si se encuentra, se agrega al atributo contenido.

```
using System;
using System.Collections.Generic;

public class DiccPersistenteProxy<T> :
  DiccPersistenteIntf<T>
{
  protected DiccPersistente<T> diccPersistente =
      new DiccPersistente<T>();
  protected IDictionary<string, T> contenido =
      new Dictionary<string, T>();

  public bool agrega(string clave, T objeto)
  {
    bool resultado = diccPersistente.agrega(clave, objeto);
    if (resultado)
      contenido.Add(clave, objeto);
    return resultado;
  }

  public T get(string clave)
  {
    T resultado;
    if (contenido.ContainsKey(clave))
      return contenido[clave];
    else
    {
      resultado = diccPersistente.get(clave);
      contenido.Add(clave, resultado);
      return resultado;
    }
  }
}
```

A

B

C

D

E

F

G

H

I

J

U

V

Para poder acceder durante un año
a la versión online de este libro,
envíenos su justificante de compra a

librodigital@ediciones-eni.com

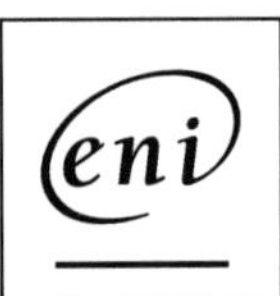